神経心理検査ベーシック 改訂2版

文京認知神経科学研究所所長 **武田克彦**

関西福祉科学大学教育学部教授 **山下　光** ［編著］

中外医学社

■執筆者一覧（執筆順）

山下　光　関西福祉科学大学教育学部 教授

武田克彦　文京認知神経科学研究所 所長

海野聡子　富士脳障害研究所附属病院リハビリテーション科

太田信子　川崎医療福祉大学リハビリテーション学部
言語聴覚療法学科 准教授

内山由美子　九段坂病院内科（脳神経内科）

白川雅之　姫路中央病院リハビリテーション科

上田敬太　京都光華女子大学健康科学部 教授

種村　純　びわこリハビリテーション専門職大学リハビリテーション学部
特任教授

平林　一　長野大学，長野保健医療大学 兼任講師

松田　修　上智大学総合人間科学部心理学科 教授

福井俊哉　医療法人三星会かわさき記念病院 院長

江口洋子　慶應義塾大学医学部精神・神経科学教室 特任助教

飯干紀代子　志學館大学 学長

早川裕子　横浜市立脳卒中・神経脊椎センター
リハビリテーション部 担当係長，課長補佐

小山慎一　筑波大学芸術系プロダクトデザイン領域 教授

太田久晶　札幌医科大学保健医療学部作業療法学科 教授

相原正男　山梨県子どものこころサポートプラザ センター長

後藤多可志　目白大学保健医療学部言語聴覚学科 准教授

木下翔太郎　慶應義塾大学医学部ヒルズ未来予防医療・
ウェルネス共同研究講座 特任助教

岸本泰士郎　慶應義塾大学医学部ヒルズ未来予防医療・
ウェルネス共同研究講座 特任教授

足立耕平　長崎純心大学人文学部地域包括支援学科 教授

改訂2版 はじめに

　2019年に刊行された本書の初版は，幸いにも多くの読者に恵まれ，また好意的な反応をいただく機会もしばしばであった．執筆者一同を代表して心からお礼を申し上げたい．今回，比較的早い段階で改訂を行った理由の一つは，初版に掲載されたいくつかの重要な検査で改訂が行われ，対応が必要になったためである．特にウェクスラー式知能検査については，初版の刊行直前の2018年に成人用のWAIS-IVが，2022年には小児用のWISC-Vが公刊された．また，2022年には標準注意検査法・標準意欲評価法も改訂された（CAT-R・CAS）．今回の改訂2版ではそれらの検査の改訂の内容を反映した．特にWAIS-IVに関しては日本版WAIS-IV刊行委員会の松田修氏に新たに解説を執筆していただいた．これらの検査の改訂に関しては十分情報を提供することができたと考えている．また，各執筆者から集まった原稿の調整中であった2023年の9月に「DSM-5-TR 精神疾患の分類と診断の手引」の日本版が公刊された．これに関してもできる限り対応することとし，各執筆者に急遽無理をお願いして修正を行った．しかし，これに関してはまだ不十分な点があるかもしれない．今後の修正に向けてご意見をいただければ幸いである．さらに今回，3つの項目を追加した．1つは初版にはなかった検査レポートの作成に関する内容で，読者からの要望が多かったものである．心理士（公認心理師）の立場から足立耕平氏に解説していただいた．また，注意障害に関する内容を充実させるため，神経内科医の内山由美子氏に医学的解説をお願いした．

　そして，今回特に重要な項目として追加したのがICTの活用である．2019年12月初旬から世界を席巻した新型コロナウイルス感染症（COVID-19）によって遠隔診療が急速に広まった．その中で神経心理検査の遠隔実施も重要な課題となっている．さらに目下の最大の話題はAI（人工知能）の活用である．特に2023年には対話型AIであるChatGPTの日本版が利用可能になり，本格的なAI時代が到来した感がある．最近の海外の神経心理学的アセスメントのジャーナルでは神経心理検査のデータを利用して，機械学習や深層学習に

よって正常とMCI（軽度認知障害）の鑑別，あるいはMCIと認知症の鑑別，MCIから認知症への移行の判定などを自動的に行う研究が急増している．AIに関する現状の研究の多くは，既存の診断体系や専門医の臨床診断をベースにしているが，将来的には疾病の概念や診断体系さえ変えていく可能性がある．近い将来，神経心理学的アセスメントは被検者にタブレットを渡すだけで，後はAIで自動的に採点・判定されるようになるのだろうか．今回はわが国の精神科におけるこの領域のトップランナーである岸本泰士郎氏・木下翔太郎氏に解説をお願いした．

私ごとではあるが，初版の刊行時には愛媛県で勤務していたが，2020年から現在の大阪の大学で教えている．この原稿を書いている時点で，大阪は阪神タイガースの38年ぶりの日本一の話題で持ち切りである．実は前回の日本一の年（1985年）に私は大学院に入学し研究者を目指して勉強を始めた．それが今や年齢だけはベテランの教授になっているのだから，38年とは長いものだなと実感した．その頃はとにかく海外の新しい研究に食らいついて，将来につながる成果を得ようと貪欲に学んでいた．それが今や研究に関しても新しい内容についていくのがやっとであり，なかなか人名が出てこない．駆け出しの頃に，検査を嫌っていた多くの患者さんの気持ちが実感として分かるようになってきた．これからどういう形で，神経心理学と関わっていくのかを考えていかなくてはならないが，私の脳ではもうとても追いきれないくらいの大いなる発展を期待している．

最後に初版の購入からまださほど間もないにもかかわらず，改訂版を再購入していただいた熱心な読者・関係者のみなさまに，また今回初めて手にしていただいた新たな読者のみなさまに感謝の意を表したい．また，相応の増ページをしたにもかかわらず価格を抑えていただいた中外医学社のみなさまにもお礼を申し上げる．本書が初版以上に臨床・研究のお役に立てば幸いである．

2023年11月23日

自宅で阪神タイガースの街頭パレードのTV中継を横目でみながら

山下　光

はじめに

　平成の最初の年に，実験心理学の大学院でネズミの相手をしていた本書の編者の一人の山下が，脳神経病棟に勤務することになったのはまったくの偶然であり，神経心理学という学問があることさえ知らなかった．幸運だったのは，採用してくださったのが，Boston 大学で学ばれた，山鳥 重神経内科部長だったことである．主に急性期を対象とした病院であったが，リハビリテーション部門に神経心理室という部署を設けられ，2 名の言語治療士（当時）と心理判定員が配置されていた．採算面での批判もあったが，先生がそれにこだわられたのは，離断症候群の概念で有名な Geschwind N が，Boston 大学に開設した Aphasia Unit を日本でも実現したいという強い思いからだとうかがった．そこには医師だけでなく，Goodglass H, Kaplan E, Cermak L, Butters N ら多くの心理学者や言語病理学者が在籍し，それぞれの専門性を活かした共同研究によって大きな成果をあげていた．とはいえ実際に部屋にあったのは WAIS 知能検査，Kohs 立方体，Benton 視覚記銘検査程度で，こんな玩具のような器具と紙と鉛筆で本当に脳の機能や障害がわかるのかと途方にくれたことを憶えている．救命救急の病院で脳血管障害の急性期治療の試みも始まっていたが，こと神経心理学に関してはまだのどかな時代だったように思う．研究については本当に自由させていただき，黄ばんだ白衣にくわえタバコの森 悦朗医長に手ほどきを受けた．

　しかし，それ以後の状況は急速に変化した．特に 20 世紀の最後の 10 年は高齢化社会の急速な進行を背景として認知症（当時は痴呆症）の研究が急増した．症状の神経心理学的分析，早期発見，治療薬の効果判定，前頭側頭型認知症や Lewy 小体型認知症などの新しい疾患概念の確立など認知症の神経心理学にも注目が集まり，特に進行性失語症は大きなトピックスとなった．さらに 2001 年から開始された高次脳機能障害支援モデル事業を契機に，脳外傷の後遺症としての注意や記憶，遂行機能の障害などの評価やリハビリテーションへの関心が急速に高まった．国家資格となった言語聴覚士に加えて多くの作業療

法士がこの領域に参入するようになり，訴訟や保険の関係から司法関係者にまで神経心理学的検査の知識が広まった．2005年には発達障害者支援法が施行され，2007年から特別支援教育がスタートしたことにより，教育現場も含めて小児の神経心理学的アセスメントの需要も急増した．

このように神経心理学の重要性は増すばかりだが，その一方で神経心理学的研究に地道に取り組もうという熱意のある若手医師が減少しており，学会関係者の間では神経心理学の危機が囁かれている．もう一つ無視できないのは，心理学サイドの神経心理学に対する態度である．欧米の神経心理学が医学と心理学のコラボレーションによって発展してきたのに対し，わが国では一部の神経内科医や精神科医によって主導されてきたという事情もあり，神経心理学はあくまでも医師の診療の補助業務で心理士が主体的に活躍できる領域ではないという偏見がまだ根強く残っている．そんなことはないと断言したいところだが，そう思わせる背景には患者の状態を考えずに機械的に多くの検査をオーダーしたり，心理士を単なる検査の道具扱いする，一部の無理解な医師の存在も影響している．

神経心理学には，（神ではない）人が人を測るという難しい側面がある．検査はそれを受ける者にとっては決して楽しいものではない．そして検査を行う者にとっても時には心の痛みや徒労を感じるつらい感情労働になる場合もある（同意の上で検査を行っても，途中で拒否されたり，暴言をあびせられた経験は誰にでもあるのではないか）．しかし，それが治療や研究に本当に必要な検査であるのならば，できるかぎり的確に，かつ被検者に無理のない形（中止や代替検査の提案を含めて）で実施し，多くの情報をくみ取る努力をするのが心理学の専門家としての矜持だと思う．また現在使われているもの以上に，妥当性，信頼性が高く，かつ受ける側にやさしい検査を開発することは，価値のある創造的な仕事である．その一方で，社会的行動障害に対する認知行動療法など，認知リハビリテーションにおける臨床心理学的技法の有効性についてのエビデンスも集積されつつある．家族や職場に対する心理教育なども含め，この領域で心理士の今後の活躍が期待される場面は決して少なくない．

いろいろ賛否はあるものの，心理士の国家資格化が公認心理師という形でようやく実現した．平成30年9月と12月（北海道の地震による追試）に実施

された第1回の国家試験では，28,574名が合格した．現在の合格者は従来の心理学教育を受けた者が中心であるが，すでに一部で開始されている新しい養成カリキュラムでは，これまでの心理学科ではほとんど教えられていなかった医学の基礎（人体の構造と機能および疾病）とともに，神経・生理心理学が必修となった．また，神経心理学に関する学会認定資格の構想も複数の学会で話題に上がっている．職種間の主導権争いでなく，医師，心理士，言語聴覚士，作業療法士，理学療法士，看護師，PSWなど脳神経の医療に携わる各職種が，その専門性を活かしつつ，患者を中心に協働できる医療の実現を目指して，それぞれの若い力がこの領域に参加し，ともに研鑽する未来を期待したい．

　今回，尊敬する医師のお一人である武田克彦先生にお誘いをいただき，本書の企画に携わらせていただいた．臨床神経心理学の各領域で，最も優れた業績を上げられている先生方に年齢や職種に関係なく執筆をお願いしたつもりである．また，具体的な技法とその医学的基礎がバランスよく学べるよう工夫した．30年前の途方にくれていた自分が，こんな本があったらいいのにと夢想した臨床や研究の実務の羅針盤になるような一冊を作りたいというのが一つの目標であった．かなり無理なお願いもしたが，それに丁寧に対応していただいた執筆者の先生方や中外医学社の関係者に感謝したい．これからこの領域での活躍を目指す若いみなさんに，またそれに負けずに研鑽を続けておられる中堅やベテランの先生方に，お役に立てていただければ幸いである．

2019年4月5日

平成最後の入学生を迎えた花盛りの愛媛大学文京キャンパスの片隅にて

山下　　光

目　次

Ch.1　総　論　1

A　神経心理学的アセスメント概論 ………………………[山下　光] 1

1. 神経心理学的アセスメントとは ………………………………… 1
2. 神経心理学的アセスメントの目的 …………………………… 1
3. 神経心理学的アセスメントの実際 …………………………… 5
4. 神経心理学的検査の前提条件 ………………………………… 9
5. 神経心理学的検査に影響する被検者変数 ………………… 10
6. 利き手と大脳半球機能の側性化（laterality）…………… 11
7. 神経心理学的検査に影響を与えるその他の要因 ……… 14
8. 結果の解釈におけるピット・フォール ………………… 15
9. 解法プロセスの分析 ………………………………………… 16
10. 受傷前の能力の推定 ………………………………………… 18
11. 検査のタイミング ……………………………………………… 19
12. 検査の反復実施 ………………………………………………… 19
13. 詐病の扱いについて ………………………………………… 21
14. ICT の導入 ………………………………………………………… 21
15. 神経心理学的アセスメントの侵襲性 …………………… 23

B　医学からの概論 ………………………………………[武田克彦] 28

1. 神経心理学の臨床に果たす役割 …………………………… 30
2. 神経心理学的症状を見いだすためにどのように診察を
   しているのか ……………………………………………………… 36
3. 神経心理学的診察を終えた後 ……………………………… 43

Ch.2 記　憶 48

A 記憶障害 ……………………………………………………［海野聡子］48

1. 記憶の段階 ………………………………………………… 48
2. 記憶のシステム …………………………………………… 49
3. 記憶障害の臨床 …………………………………………… 52
4. 記憶システムと関連する脳の領域 ……………………… 53
5. それぞれの病巣による健忘の特徴 ……………………… 56
6. 記憶障害を生じる主な疾患 ……………………………… 57
7. 記憶障害の評価の実際 …………………………………… 61

B 検査の実際 …………………………………………………［太田信子］66

1. WMS-R ……………………………………………………… 66
2. ROCFT ……………………………………………………… 68
3. AVLT ………………………………………………………… 69
4. BVRT ………………………………………………………… 72
5. RBMT ………………………………………………………… 73
6. SP-A ………………………………………………………… 74

Ch.3 注意・意欲 77

A 注意障害 ……………………………………………………［内山由美子］77

1. 注意とは …………………………………………………… 77
2. 注意の分類 ………………………………………………… 79
3. 全般性注意の分類 ………………………………………… 80
4. 注意についての心理学的研究——視覚的注意・空間的注意 81

5. 注意に関連する脳部位，脳内ネットワーク ……………………… 82

　　6. 注意と関連する臨床症状 ……………………………………………… 85

　　7. 疾患でみられる注意障害 ……………………………………………… 88

B 検査の実際：標準注意検査法改訂版（CAT-R）と
標準意欲評価法（CAS） …………………………………………［白川雅之］93

　　1. 注意について ……………………………………………………………… 93

　　2. 注意に関する評価法 …………………………………………………… 94

　　3. 意欲について ………………………………………………………… 100

　　4. 意欲に関する評価法 ………………………………………………… 102

Ch.4 遂行機能　　　　　　　　　　　　　　　　　　　　107

A 遂行機能障害 ………………………………………………………［上田敬太］107

　　1. 遂行機能とはどんな能力か ………………………………………… 107

　　2. 遂行機能障害の特徴 ………………………………………………… 109

　　3. Miyake 下位分類 …………………………………………………… 110

　　4. Fluency ………………………………………………………………… 118

　　5. より高次の遂行機能 ………………………………………………… 119

B 検査の実際 …………………………………………………………［種村　純］124

　　1. 遂行機能検査の種類 ………………………………………………… 124

　　2. 遂行機能評価の手順 ………………………………………………… 125

　　3. FAB …………………………………………………………………… 125

　　4. BADS：遂行機能障害症候群の行動評価　日本版 ………… 128

　　5. ストループテスト …………………………………………………… 130

　　6. ウィスコンシンカード分類検査（WCST） ………………… 132

　　7. 流暢性検査 …………………………………………………………… 133

目次

8. ハノイの塔 ……………………………………………… 135
9. そのほかの遂行機能検査 ……………………………… 135
10. 遂行機能検査のリハビリテーションへの意義 ………… 136

Ch. 5 全般性知能検査 141

A 知能検査の概要 …………………………………… ［平林 一］141

1. ウェクスラー知能検査 ………………………………… 141
2. Japanese Adult Reading Test（JART） ……………… 148
3. コース立方体組み合せテスト（Kohs） ……………… 150

B 日本版 WAIS-IV ………………………………… ［松田 修］154

1. 日本版 WAIS-IV の概要 ……………………………… 154
2. 日本版 WAIS-IV の実施における留意点 ……………… 156
3. WAIS-IV 結果処理における留意点 …………………… 158
4. WAIS-IV 解釈と報告における留意点 ………………… 161

Ch. 6 認知症 164

A 認知症 ……………………………………………… ［福井俊哉］164

1. 「認知」とは …………………………………………… 164
2. 「認知症」と「軽度認知障害」 ……………………… 165
3. 認知症と軽度認知障害の診断基準 …………………… 166
4. 認知症の「中核症状」 ………………………………… 168
5. 認知症の「行動・心理症状」 ………………………… 168
6. 認知症の原因疾患 ……………………………………… 169

7. 4大認知症の臨床的特徴 ………………………………… 170

B 検査の実際 ………………………………………… ［江口洋子］188

1. Mini-Mental State Examination ……………………………… 188
2. 改訂長谷川式簡易知能評価スケール ………………………… 192
3. Montreal Cognitive Assessment 日本語版 ……………… 195
4. Alzheimer's Disease Assessment Scale 日本版 ………… 200
5. Clock Drawing Test ……………………………………… 204
6. Clinical Dementia Rating ……………………………… 209
7. Neuropsychiatric Inventory …………………………… 211

Ch. 7 失語症：標準失語症検査（SLTA）と WAB 失語症検査 ［飯干紀代子］216

1. 失語症 ……………………………………………………… 216
2. 失語症の評価 …………………………………………… 217
3. 代表的な総合的失語症検査 …………………………… 219
4. 検査を行う際の注意点 ………………………………… 224

Ch. 8 失行：標準高次動作性検査（SPTA）を中心に ［早川裕子］227

1. SPTA の概要 …………………………………………… 228
2. SPTA の実施 …………………………………………… 236
3. SPTA 以外の高次動作性障害の検査・評価 ……………… 242

Ch. 9 失認：標準高次視知覚検査（VPTA）を中心に ［小山慎一］247

1. 検査の総論 …………………………………………… 247

2. 視覚性失認の概要 ……………………………………………… 249

3. 標準高次視知覚検査の概要 …………………………………… 254

4. 部分的特徴の知覚障害の評価方法 …………………………… 259

Ch.10 半側空間無視：BIT 行動性無視検査日本版を中心に ［太田久晶］263

1. 検査の総論 ……………………………………………………… 263

2. 通常検査 ………………………………………………………… 265

3. 行動検査 ………………………………………………………… 271

4. 結果の解釈での留意点 ………………………………………… 274

Ch.11 小　児 276

A 小児の神経心理学的アセスメント …………………… ［山下　光］276

1. 小児神経心理学 ………………………………………………… 276

2. 発達障害 ………………………………………………………… 278

3. 自閉スペクトラム症（ASD）………………………………… 280

4. 注意欠如多動症（ADHD）…………………………………… 283

5. 限局性学習症（SLD）………………………………………… 286

6. 小児高次脳機能障害 …………………………………………… 288

7. 発達障害と高次脳機能障害の包括的理解 …………………… 290

8. 小児のためのアセスメント手法 ……………………………… 291

9. 成人用神経心理学的検査の応用 ……………………………… 294

10. 発達障害のスクリーニング・診断用ツール ………………… 295

11. 今後の課題 ……………………………………………………… 299

B 認知神経科学的アプローチ ･･････････････････････ ［相原正男］306

 1. 前頭葉の成長・成熟 ････････････････････････････････････ 307

 2. 小児の認知神経科学的検査 ･････････････････････････････ 310

C 検査の実際 ･･･ ［後藤多可志］325

 1. WISC-Ⅴ知能検査 ･･･････････････････････････････････ 325

 2. KABC-Ⅱ心理・教育アセスメントバッテリー ･･･････････ 327

 3. DN-CAS 認知評価システム ････････････････････････････ 332

 4. レーヴン色彩マトリックス検査 ･････････････････････････ 334

 5. 改訂版　標準読み書きスクリーニング検査 ･･･････････････ 337

Ch.12 アセスメントにおける ICT の活用

［木下翔太郎, 岸本泰士郎］343

 1. 医学における ICT の活用の総論 ････････････････････････ 343

 2. 神経心理学的アセスメントにおける ICT の活用 ･･････････ 347

 3. 遠隔で行う神経心理学的アセスメント ･･･････････････････ 350

Ch.13 検査レポートの作成

［足立耕平］359

 1. 検査レポート作成に際しての全般的留意点 ･･････････････ 359

 2. 検査レポートの内容 ･････････････････････････････････ 364

 3. 検査レポートの構成 ･････････････････････････････････ 365

 4. まとめと今後の課題 ･････････････････････････････････ 368

索引 ･･････････････ 370

Chapter 1

総　論

A　神経心理学的アセスメント概論

1.　神経心理学的アセスメントとは

　神経心理学的アセスメント（neuropsychological assessment）は，脳神経疾患や精神疾患，発達障害などによって高次脳機能の障害が疑われている被検者（対象者）に対して，障害の有無と重症度を，面接，観察，検査，実験などを使用して客観的に評価する技法である．その中核になるのが神経心理学的検査で，さまざまな検査課題を使用して被検者のパフォーマンスを測定することで広汎な認知機能を評価する．実際には認知機能の各領域を測定する複数の検査を組み合わせるバッテリー・アプローチが採用されることが多い．その中には，注意，記憶，処理速度，推論，判断，問題解決，空間認知，言語などに関する課題が含まれる．近年では，情動，気分，意欲，態度，自己意識，対人行動など，その対象の範囲がさらに拡大している[1]．

2.　神経心理学的アセスメントの目的

a）鑑別診断

　神経心理学（neuropsychology）は，脳腫瘍や脳血管障害などの器質性の障害（脳損傷）が存在するのか，存在しないのか（内因性，心因性精神疾患な

Chapter 1 総論

ど），存在するのなら脳のどの部位なのか（局在）を推定するためのツールとして発展してきた．19世紀のフランスのBroca PやドイツのWernicke Kらによる失語症と言語領野の発見に象徴されるように，画像診断技術が発展する以前の医師は，患者に対して徹底的な行動観察や神経学的検査を行い，それを死後の解剖所見と照合して記録することで症状と損傷部位のリストを作成し，脳の特定の部位と行動の関係を明らかにしてきた[2]．脳の特定の部位と機能の関連づけに関しては，後に「二重乖離」（double dissociation）というパラダイムが提起され，基本的な方法論となった．この論法では2つの部位と2つの症状を組み合わせて考察する．例えば，Aという部位が損傷された場合にaという機能が障害を受け（機能bは保たれる），Bという部位が損傷された場合にbという機能が損傷される場合（機能aは保たれる）が存在すれば，aという機能と，bという機能は「二重乖離」が成立すると判断される．このような「二重乖離」の成立が，aという機能と，bという機能が，それぞれA，Bという独立した脳の部位（あるいは機能システム）によって担われていることの証明となる[3]．例えば，失語症は大脳左半球の損傷で出現しやすいが，右半球の損傷では稀である．一方，半側空間無視は右半球の損傷で出現しやすいが，左半球の損傷では稀である．この2つの症状を対比することで，左半球は言語機能，右半球は視空間認知に関与していると推論することができる．また言語機能に関しては左前頭葉の損傷では発話が障害されやすいが，聴覚的理解は保存される（Broca失語）．左側頭葉の損傷では聴覚的理解が障害されるが，発話は保存される（Wernicke失語）．これよって左前頭葉が言語の表出に，左側頭葉は聴覚的理解に関与していると推定できる．このようにさまざまな部位と症状を対比的に検討することで，脳の機能地図を作成していく研究は大脳病理学とよばれた．

　大脳病理学に，心理学の技法である心理テスト法や実験を導入したものが臨床神経心理学（clinical neuropsychology）である．その成立には20世紀の2度の世界大戦をはじめとする近代戦争における頭部外傷者の急増が関係している．その深刻な後遺症が大きな社会問題となり，学問の領域を超えた集学的な治療・支援が国策として求められた．アメリカのBenton A，Halstead W，Teuber H，イギリスのZangwill O，心理学から医学に転じた旧ソビエトの

2　　JCOPY 498-22913

Luria A らの先駆的な心理学者がこの領域に参入し，学際的かつ固有の専門領域が形成された[4]．

しかし，70 年代以降，CT, MRI などの形態画像，PET, SPECT, f-MRI などの機能画像を中心とした画像診断技術が急速に進歩・普及し，診断法としての神経心理学の地位は低下した．特に脳血管障害や脳腫瘍に関してはその傾向が顕著であり，画像診断によって障害部位が先に特定され，そこから想定される障害の有無や程度を詳細に検索することが主な役割となった[1,2]．

交通事故などの外傷性脳損傷では，急性期に意識障害が遷延し，慢性期に多彩な高次脳機能障害を呈するにもかかわらず，CT, MRI などの画像診断では明らかな異常が検出されない場合があり，びまん性軸索損傷とよばれてきた．その原因は回転のせん断力によって神経線維が損傷されるためであると推定され，神経心理学的アセスメントの知見が診断の基礎データとなってきた．しかし，最近では MRI の拡散テンソル画像法（diffusion tensor imaging: DTI）で，神経損傷の部位や程度を同定することが可能になってきている．近年，事故やコンタクトスポーツに伴う脳震盪やむちうちなどの後に，特異的な画像所見を欠いた状態で，記憶，注意の障害を中心とした高次脳機能の低下が生じる場合があり，軽度外傷性脳損傷（mild traumatic brain injury: MTBI）という臨床概念が提案されている．その定義や原因，診断基準については現在も論争が続いているが，神経心理学的検査による症状の評価が重要な役割を果たしている[1]．

現在も，画像診断による診断が難しい領域としては神経発達症（neurodevelopmental disorders）がある[5]．読みの障害，書き表現の障害，算数の障害を中核とする DSM-5-TR の限局性学習症（SLD）では，脳の機能障害の存在が想定されているが，明確な画像所見を欠くことがほとんどであり，神経心理学的検査の所見が診断上の重要な情報となる．注意欠如多動症（ADHD）や自閉スペクトラム症（ASD）についても，その障害の評価やメカニズムの研究に神経心理学的アセスメントの知見が不可欠である．

b) 障害の精査と残存機能の評価

CT, MRI の普及により，神経心理学的検査の役割は，病巣が特定されてか

Chapter 1 総論

らの詳細な障害の評価という側面が強くなった．広汎な領域における障害の有無や程度を評価するだけでなく，保たれている能力や優れている能力（強み）についての情報も，リハビリテーションの方針や職業復帰を考える上で重要である[6,7]．

c）脳損傷が気分やパーソナリティに与える影響の評価

脳損傷の患者にはうつやアパシーなどの気分障害や，パーソナリティの変化が生じることがある．その中には脳損傷の直接的な結果として生じたものと（症候性），疾患や身体障害などに対する心理的反応として生じたもの（二次性）があると考えられており，その鑑別が問題になる．また，気分やパーソナリティの障害が認知機能や日常生活に与える影響についても評価が求められる．この目的では症状の自己評価尺度やパーソナリティ検査が併用される[6,7]．

d）認知機能の障害が日常生活や職業に及ぼす影響の評価

脳損傷によって生じた認知機能の障害が，患者の日常生活や，職業生活，学業などに与える影響を評価するのも神経心理学的アセスメントの重要な役割である．しかし，認知機能検査の成績が実際の生活の中での困難をどの程度予測できるのかという点に関しては疑問も多い．この検査の生態学的妥当性（ecological validity）の問題に関しては今後もさらに検討が必要であるが，患者本人や家族（介護者）を対象としたインタビューや，日常生活における症状のチェックリストは正確な判断をする上でも重要である[6,7]．

e）治療効果の評価

近年，認知症や高次脳機能障害に対する薬物療法や認知リハビリテーションが積極的に導入されるようになり，その効果の判定における神経心理学的評価の重要性が高まっている．この目的で神経心理学検査を使用する場合に問題となるのは実施のタイミングと，反復実施によって生じる練習効果（practice effects）のコントロールである[6,7]．

f) 司法・行政的側面でのニーズ

交通事故の脳外傷による高次脳機能障害の後遺障害等級認定，損害賠償，年金申請や福祉サービスなどの適用に関する診断書などの書類作成では，神経心理学的検査の所見が求められる．この場合には障害の程度の数値化という側面が強調されることが多い．この領域で特に問題になるのは経済的または社会的な利益の享受などを目的とした詐病（malingering）である[6,7]．

また，近年脳損傷患者の自動車運転の中止や再開にかかわる運転能力評価も大きな問題となっている．この場合もシミュレーターや実車による路上評価に加えて，神経心理学的検査の所見が重視される[8]．

3. 神経心理学的アセスメントの実際

a) 情報の収集

外来での検査などでは難しい場合もあるが，対象者についての十分な予備情報を入手した上で，評価計画を立てて慎重かつ合理的に検査を行うことが望ましい．年齢，性別，生年月日，現住所は会話をする上でも必要な基本情報であり，カルテからも容易に確認できる．さらに今回の受診の経緯と主訴，医師の診断や所見，既往症，身体面の障害や合併症の有無，画像所見などをカルテやカンファレンスで確認する．また，生育・生活史（教育歴，職歴を含む），性格，ライフスタイル，家族関係，受傷前後の変化などについても情報を収集する[6]．特に復職や就労へ向けての評価の場合は，対象者本人の希望，職務内容，職場状況，社会的資源などに関する情報も必要である．多職種によるチームアプローチでは，個人情報の取り扱いに配慮した上での情報の共有が重要である．

b) 面接

神経心理学的アセスメントの第一歩は，対象者への面接である．自己紹介をして，主訴を聞き，検査の必要性を説明して同意を得る．必ずしも意図しない長話や，要領を得ない叙述になることも少なくないが，時間がある限り傾聴的な態度で接することがラポールの形成につながる．もちろん，会話中も言語や

Chapter 1　総論

感情，もの忘れ，自分の状態理解などに注意しながら話を聞く．身だしなみや，協力性，検査の理解度や振る舞いについても注意が必要である[6]．生育・生活史，ライフスタイル，受傷前後の能力などについては前もって情報があった場合でも質問して確認する．

　また，できる限り家族に対しても面接を行う．情動や意欲，パーソナリティの変化は検査だけでは十分に測定できない．脳損傷患者は病院と家庭ではまったく異なった様子を示すことが少なくない．特に突然の感情の爆発や暴力などは，病院では見逃されることが多い．本人の発言と家族の証言の乖離，検査結果との乖離は病識や障害受容を検討するための最も重要な情報源である．病前と病後の変化を中心に情報を収集する．ただし，受傷前の能力や状況に関する当事者や家族の情報は，意図的，非意図的にかかわらず誇張されやすい点に注意が必要である[6]．被検者の学校時代の成績表などが提供されれば，病前の能力を推定する客観的な手がかりとなる．逆向性記憶障害を評価する場合には，日記，アルバム，回想記などが利用できれば貴重な情報源となる．また，退院後の家族の希望や，生活上の問題，家族のストレスや健康状態についても確認することが望ましい．

c）神経心理学的検査

　神経心理学的検査におけるバッテリー・アプローチには，大規模で網羅的なバッテリーをすべての対象者に実施して，障害された能力と保たれている能力を同一プロフィール上にプロットしていく方法（fixed battery approach）と，スクリーニング検査や画像診断をもとに必要な検査を選択して使用する方法（flexible battery approach）がある[2]．前者には Halstead-Reitan Neuropsychological Test Battery, Luria-Nebraska Neuropsychological Battery などがあるが，日本版は存在しない．したがって被検者の状態にあわせて，過不足なく必要な検査を選択してバッテリーを構成することが必要である．主訴や画像診断をもとに最小限の検査バッテリーから開始し，その結果をもとに仮説検証的に検査を追加していくのが一般原則であるが，医師や心理士の技量に依存する部分が大きいことから，網羅的な検査バッテリーをあらかじめ決めておいて実施する施設が多くなっている．この方法は画像診断や他の医学的検査

との相関研究などでも便利であるが，検査の種類や量が多くなりがちであり，被検者にとっても，また検査者にとっても大きな負担となる場合もある．どの段階で検査を中止すべきかという点も含めて，機械的な運用にならないように注意すべきである．

検査には標準化検査と非標準化検査がある．標準化検査とは，検査問題，実施法，採点法，検査の解釈法をマニュアル化するとともに，妥当性や信頼性が統計的に確認された検査である．標準化検査の場合には少なくとも標準化に使用した被検者群の平均得点（あるいは他の代表値）と散布度〔得点範囲と標準偏差（SD）〕が用意されている．得点が正規分布するならば平均±1SD以内に全体の約68％が含まれ，±2SD以内に約95％が含まる．したがってそれを下回るのは約2.5％ということになる．最も使用頻度が高い検査の一つであるウェクスラー式の知能検査の偏差知能指数は，平均を100，SDを15に変換する操作が行われており，85が−1SD，70が−2SDに相当する．したがって70以下は全体の2.5％であり，慣例的に知的機能の異常の基準値とみなされている．なお，下位検査得点は平均を10，SDを3に変換しており，3以下が明らかな外れ値ということになる[9,10]．

スクリーニング検査などではカットオフ得点が示されているものもある．一般に検査には感度（sensitivity）を上げれば，特異度（specificity）が下がるというというトレード・オフの関係がある．カットオフ得点は両者のバランスと検査の目的を勘案して恣意的に決定されたものであり，絶対的な数値ではない．いずれにせよ心理検査には常に誤差が含まれており，正常には幅があるということを忘れてはならない．

神経心理学的検査に関しては，欧米では多くの標準化検査が開発，使用されている．また，健常者の基準データ，各疾患患者や病巣別の成績，メタ分析などの情報が容易に利用可能である．それに対して，わが国で実際の臨床に使用可能な神経心理学的検査は決して多いとはいえず，欧米の検査をとりあえず翻訳しただけで使用しているものもある．そのような形で検査を実施しても，その結果の解釈には限界がある．

Chapter 1 総論

d）行動観察

検査の成績だけでなく，検査中の行動の観察も重要な情報源である．検査に取り組む態度は，病識や意欲の状態を知る手がかりとなる．検査はしばしば被検者にストレスやフラストレーションを引き起こすが，それに対する反応（困惑，狼狽，あきらめ，言い訳，無関心，怒り，立ち去りなど）も観察のポイントである[6,7]．被検者が最終的に正解や不正解に至るまでのプロセスは，数量的なデータ以上に認知機能の障害を理解する重要な手がかりとなり得る．検査を進めることだけに気をとられて観察と記録をおろそかにしてはならない．

e）総合的な解釈とレポート作成

実施された神経心理学的検査の結果と，インタビューなどの質的データ，画像診断などの医学的検査のデータを総合して，検査報告書を作成する．その際には各検査の個別のマニュアルや論文だけでなく，海外のハンドブックも参考になる．Lezak らの「Neuropsychological assessment」[10] は，当初1976年に彼女の単著として刊行されたもので，多くの検査の実施法と基準データが紹介されており，現在は第5版となっている．Spreen らの「A compendium of neuropsychological test」[11] は実施法の説明や基準データが充実している．特に第3版[11] は検査の信頼性や妥当性に関する記述が多く参考になる．なお，2023年に第4版が刊行された[12]．Mitrushina らの「Handbook of normative data for neuropsychological assessment」[13] も，検査の基準データが多く掲載されているが，その検査を使用したメタアナリシスも行われている．

f）アセスメント結果のフィードバック

アセスメント結果のフィードバックは，実施者が直接被検者に伝える場合と，総合的な説明の一環として主に医師によって行われる場合がある．被検者の理解力や感情面に十分配慮し，わかりやすい説明を心がける．検査の中で経験する成功や失敗が，本人がもつ能力や障害に気づくきっかけを与え自己理解や障害受容を促す心理教育的な役割を果たす場合もあるが，それは適切なフィードバックとフォローがなされて初めて可能になる[9]．適切な時期や量を考えずに大量の検査を実施して，数値の高低だけを問題にした乱暴なフィード

バックを行ったり，説明をせずに研究だけの目的に使用するのは，ハラスメントとみなされても仕方がない[5].

4. 神経心理学的検査の前提条件

神経心理学的検査を実施する上では，以下の前提条件に留意が必要である[7]．実際にはこれらが満たされないことも脳損傷患者の重要な特性であるが，その場合には成績の低下を特定の認知機能の障害として解釈するのが困難になる．

a) 集中力 (concentration)

神経心理検査を実施するためには，被検者が最低でも1つの検査を最後まで遂行するだけの集中力が必要である．脳損傷に起因する神経疲労（疲れやすさ）や注意持続の障害は，広範な領域の検査パフォーマンスに影響を与える可能性がある．また，頭痛などの痛みや気分不快，睡眠不足も検査の成績に影響を与える要因である．

b) 理解力 (comprehension)

被検者が検査課題の指示を理解できることも重要な前提条件である．特に問題になるのは失語症や認知症である．結果として課題のパフォーマンスが低い場合でも，課題が何を要求しているのかが理解できないためにできないのか，理解していてもできないのかでは意味が大きく異なる．言語性記憶課題の成績の低下は，使用されている単語や文章が理解できていることが前提になっており，被検者にそれが難しい場合は記憶の検査としては機能しない．

c) 動機づけ (motivation)

検査に対する動機づけが保たれていることも重要な前提条件である．神経心理学的検査の多くは退屈なものであるが，それが必要な検査であることを説明された被検者の多くは，課題に従事することが可能である．しかし，脳損傷の結果として発動性や意欲の低下が存在する患者では，それが原因となって広範

Chapter 1 総論

な領域の検査パフォーマンスが低下する可能性がある．この場合も個々の認知機能検査は本来の目的であった機能の指標としては機能しない．また，うつやアパシーは脳損傷の結果としても生じるが，それらも認知機能検査のパフォーマンスに影響を与える可能性がある．

5. 神経心理学的検査に影響する被検者変数

神経心理学的検査のパフォーマンスに影響を与える被検者変数としては，年齢，性別，利き手，教育歴，人種，社会経済的地位などが知られている[10]．一般に脳神経疾患による高次脳機能の障害は，発症年齢が高齢であるほど重篤になるといわれている．また，多くの神経心理学的課題の成績は，正常な脳の加齢変化の影響を受ける．語彙や読み書きを含む言語能力，一般的な知識を問う課題，計算などは加齢変化の影響を受けにくい（結晶性知能）．それに対して，作業速度を指標とする課題，新しい材料の記憶，柔軟で複雑な心的操作を必要とする課題などの成績は加齢による低下が生じやすい（流動性知能）．

認知機能の性差に関しては，さまざまな議論がある．多くの研究が言語性課題での女性の優位，視空間性課題の男性優位を報告しており，性ホルモンによる側性化の違い，左右の大脳半球を接続する脳梁の構造と機能の違いなどの関与が指摘されている[10,14]．また，失語症などの一側性損傷の症状は，男性のほうが症状が重い傾向があるという指摘もある[10]．しかし，脳の機能や認知能力の性差を否定する研究結果も多い[15,16]．研究のレベルでは今後も議論が必要であるが，一般的な認知機能検査の成績の解釈においては，性差を積極的に論じる必要はないと思われる．

教育歴や社会経済的地位と認知機能，あるいは認知機能の障害の発現に関しては，全体的な健康状態やストレスの問題を含めさまざまな議論がある[10]．特に最近では認知症の症状の発現にかかわる認知的予備力（cognitive reserve）の観点からも注目を集めているが，まだ不明な点が多く，過剰な扱いは偏見につながりかねない[17]．しかし，対象者の病前の能力を推定したり，職業復帰を考える場合には，非常に重要な情報である．

6. 利き手と大脳半球機能の側性化（laterality）

　年齢と並んで重要な被検者変数は利き手（handedness）である．失語症患者を対象とした多くの研究より，右手利き者の95％以上で言語機能は左半球に偏在することが知られている．一方で，典型的な視空間認知の障害である半側空間無視は，右手利き者では右半球損傷による左半側空間無視が多く，視空間認知における右半球の重要性が示されている[3,10]．左手利き者あるいは両手利き者の言語に関する側性化には3つのパターンがある．その2/3は右手利きと同様に左半球優位であり，左半球の損傷によって失語症を示す．残りの1/3は右半球の損傷によって失語症を示すが，言語機能が完全に右半球に局在する者や，左右両半球で言語機能が担われているなど複雑な側性化のパターンがみられる者もある．また，左手利きあるいは両手利き者の視空間認知機能にも同様なパターンが認められる[3,10]．大脳半球機能差に関しては根拠に乏しい俗説も多いが，このような基本的な機能については十分な理解が必要である．また，麻痺のある利き手や非利き手での検査は，速度や正確さの低下を生じさせる可能性がある[10]．

　利き手に関しては被検者の自己申告や書字手だけでなく，利き手質問紙による確認が必要である．現在，国際的に最も普及している利き手検査は，エジンバラ利き手質問紙（Edinburgh Handedness Inventory：EHI）である[18]．標準化された日本版はないが，翻訳されたものが使用されている 表1 ．10項目からなり，各項目について必ずそちらの手を使う（反対の手を使わない）場合には＋＋，ほとんどそちらの手を使う場合には＋を記入する．どちらも使う場合は左右両方に＋をつける．それを基に以下の式でLQ（laterality quotient：利き手指数）を算出する．

　　LQ＝［（右手の＋の数）－（左手の＋の数）/（右手の＋の数）
　　　＋（左手の＋の数）］×100

　－100が非常に強い左手利き，＋100が非常に強い右手利きで，－が左手利き，＋が右手利きと判定される．この検査では利き手傾向の強さが連続量として示される点に特徴があり，わが国でも研究ではよく使用されている．しかし，左手利き，両手利き，右手利きの明確な区分が示されていないため，研究

Chapter 1　総論

表1 エジンバラ利き手質問紙（Edinburgh Handedness Inventory）

項　目	左手	右手
① 字を書く		
② 絵を描く		
③ ボールを投げる		
④ ハサミ（鋏）を使う		
⑤ 歯ブラシを使う		
⑥ ナイフを使う（フォークを持たない時）		
⑦ スプーンを持つ		
⑧ 両手で箒（ほうき）を持つ時に上になる		
⑨ マッチをす（擦）る		
⑩ 箱のふた（蓋）を開ける		

によって異なった判定基準が使われている（例えば，−50以下を左手利き，+50以上を右手利き，その間を両手利きなど）．また，基本的には1因子の尺度とされているが，内的整合性が低い項目がある（特に項目8）．また，わが国の文化への適合性という点にも批判がある．

　H. N. きき手テスト[19]（八田・中塚式）は，エジンバラ利き手質問紙をもとに日本の文化を考慮して作られた10項目に対して，左手（−1），右手（+1），どちらでもない（0），の3件法で回答する **表2**．その合計が−4以下は左手利き，+8以上は右手利き，その間は両手利きと判定される．単純ではあるが臨床では使用しやすい検査であり，基準データも豊富である．ただし，日本独自の検査であるため国際的な研究報告などでは使用しにくい．また，作成から40年以上が経過しているため，最近の若い被検者にはわからない項目が出てきている（マッチの軸，押しピンなど）．

　最近，国際性の高い利き手検査として，さまざまな言語で標準化が進められているのが，FLANDERS（Flinders Handedness Survey）である．日本語版は2014年に公刊され，使用可能になっている **表3**[20]．この検査も10項目の質問項目から構成されており，左手（−1），右手（+1），どちらも（0）の3件法で回答する．合計が−5以下が左手利き，+5以上が右手利き，その間

表2 H. N. きき手テスト

項　目	左手	どちらでもない	右手
① 消しゴムはどちらの手に持って消しますか？			
② マッチを擦るのに軸はどちらの手に持ちますか？			
③ ハサミ（鋏）はどちらの手に持って使いますか？			
④ 押しピン（画鋲）はどちらの手で持って押しますか？			
⑤ 果物の皮をむくときナイフはどちらの手に持ちますか？			
⑥ ネジ回し（ドライバー）はどちらの手に持って使いますか？			
⑦ クギ（釘）を打つときカナヅチ（金槌）はどちらの手に持ちますか？			
⑧ カミソリ，または口紅はどちらの手に持って使いますか？			
⑨ 歯をみがくとき歯ブラシはどちらの手に持って使いますか？			
⑩ ボールを投げるときはどちらの手を使いますか？			

表3 日本語版 FLANDERS 利き手テスト

項　目	左	どちらも	右
① 文字を書くとき，ペンをどちらの手で持ちますか？			
② 食事のとき，スプーンをどちらの手で持ちますか？			
③ 歯をみがくとき，歯ブラシをどちらの手で持ちますか？			
④ マッチをするとき，マッチの軸をどちらの手で持ちますか？			
⑤ 消しゴムで文字を消すとき，消しゴムをどちらの手で持って消しますか？			
⑥ 縫いものをするとき，針をどちらの手で持って使いますか？			
⑦ パンにバターをぬるとき，ナイフをどちらの手で持ちますか？			
⑧ クギを打つとき，カナヅチをどちらの手で持ちますか？			
⑨ リンゴの皮をむくとき，皮むき器をどちらの手で持ちますか？			
⑩ 絵を描くとき，ペンや筆をどちらの手で持ちますか？			

Chapter 1 総論

が両手利きと判定される．この検査の教示には「経験がなくとも，その場面や課題を想像し回答してください」という記載があるが，項目9の「皮むき器(peeler)」には戸惑いをみせる者が多い．また，やはり「マッチの軸」がわからない者がある（「箱ではなく，棒のほう」と言えばわかる．また，「マッチをする」だけだと間違えずに回答する）．現在はまだ国際的にも使用例は少ないが，将来的には世界共通の指標として普及することが期待される．質問紙によって判定される利き手は，好んで使われる手（好みによる利き手）である．利き手にはもう一つ，実際の片手動作をそれぞれの手で実施し，優れているほうの手を利き手とする定義がある（パフォーマンスによる利き手）．片手動作のパフォーマンスの測定には，握力，タッピング，ペグボードなどが使用されること多いが[10,11,13]，日本では握力以外は統一的な測定法がないためあまり普及していない．実際には運動の障害がない場合には好みによる利き手とパフォーマンスによる利き手は一致することが多い[21]．

7. 神経心理学的検査に影響を与えるその他の要因

McCaffrey ら[22]は，神経心理学的検査のパフォーマンスに影響を与える要因を，「持続的」と「一時的」，「全般的」と「特異的」という2つの要因の4通りの組み合わせで整理している．被検者の「持続的・全般的」な要因とは，検査全般に回答する際に影響する個人の一般的な能力（読みの能力，教示の理解力，問題解決能力など）や，パーソナリティの要因（テストを受けることによって引き起こされる情動状態を含む）である．「持続的・特異的」な特性とは，特定の検査や検査項目に回答する際に影響する個人の能力や，情動的な反応である．例えば，発達性の読み書き障害（限局性学習症）は，読み書きの必要な課題に特定的に影響する．「一時的・全般的」特性とは，さまざまな検査課題に一過性に影響を与える要因である．実施時の健康状態や情動状態などの被検者内の要因や，検査室の温度，照明，換気，騒音など，が含まれる．検査者と被検者のラポートの状態なども検査結果に一過性の影響を与える可能性がある．「一時的・特異的」な要因には，注意，集中，記憶などの変動，疲労，動機づけ，情動状態などの変化が含まれる．これは，検査者にとって最も注意

と配慮を必要とする要因である.

8. 結果の解釈におけるピット・フォール

　その他にも検査結果を解釈する際に注意が必要なさまざまな要因が存在する．Evans[7] のリストをもとに，その一部を紹介する．
　① 被検者の身体的な問題が，検査の成績に影響を与える可能性がある．例えば，痛みは集中力，感覚，運動の問題を引き起こすことで，課題の遂行速度に影響を及ぼす可能性がある．また，処方中の薬や，市販薬，麻薬などの危険薬物，酒やタバコなどの使用や中断の影響も成績に影響を与える可能性がある．② 脳損傷以前から，あるいは現在同時に被検者に存在する精神疾患（うつ，パニック障害，統合失調症など）が，検査の成績に影響を与える可能性がある．③ 脳損傷以前から被検者に存在する脳神経疾患（今回の検査理由以前の脳損傷，中毒性疾患，てんかんなどを含む）が，検査の成績に影響を与える可能性がある．④ 脳損傷以前から被検者に存在する神経発達症（知的発達症，限局性学習症，ADHD，自閉スペクトラム症など）が，検査の成績に影響を与える可能性がある．⑤ 被検者にさまざまな理由で義務教育段階の学習機会が十分でなかったことが，検査の成績に影響を与える可能性がある．⑥ 被検者に視覚，聴覚などの感覚の障害があることが，検査の成績に影響を与える可能性がある．⑦ 被検者にとって検査に使用される言語が第一言語でなかったこと，被検者が検査で使用される言語で教育を受けなかったことが，検査の成績に影響を与える可能性がある．⑧ 検査に文化的なバイアスが存在する場合，被検者がその文化的な背景をもたないことが，検査の成績に影響を与える可能性がある．⑨ 被検者における PTSD の存在が，検査の成績に影響を与える可能性がある．⑩ 被検者の検査者や医師への感情が，検査の成績に影響を与える可能性がある．
　これらの要因は，当たり前のようで実際には見逃されていることが少なくない．特に注意が必要なのは，脳損傷以前に神経発達症が存在したケースである．神経発達症そのものが神経心理検査に影響を与える高次脳機能の障害であり，その情報を事前にもっていないと結果の解釈が困難である（例えば，画像

Chapter 1 総論

診断や他の検査結果と矛盾する読み書き障害の存在や知的機能の広範な低下，社会行動上の問題など）．検査結果に矛盾がある場合は，本人や家族への注意深いインタビューや情報収集が必要である．事前の情報があった場合でも，神経発達症者が交通事故や疾患で脳損傷を受けた場合には，神経発達症と脳損傷の影響を明確に区別することは困難である．また，読み書き，計算などの成績は，虐待や差別，不登校などにより，実質的に学習機会が奪われた場合にも低くなる可能性がある．

視覚障害者や聴覚障害者の神経心理学的検査も，ニーズは高いが難しい問題である．保たれている感覚を介して，検査に変更を加えることで実施することが多いが，基準データの適用や解釈には限界がある．

9. 解法プロセスの分析

標準化検査では課題の最終的な正否（正確さ）と，効率（処理速度）が指標となる場合が多いが，最終的な正否に至るまでのプロセスも重要な情報源である．プロセスの質的な分析を重視するボストン学派の重鎮であった Kaplan E の分析例を紹介する[23]．**図1** は，6名の被検者（全員が右手利き）の WAIS の積木模様の解法プロセスを示している．上の3名（若年健常者，右前頭葉損傷者，左前頭葉損傷者）は最終的には正解に達しているが，下の3名（左前頭葉損傷者，右前頭葉損傷者，右頭頂葉損傷者）は不正解であった．

上の3名はいずれも同じ得点であるが，Kaplan はそのプロセスに注目する．若年健常者は左上から積木を並べ，順当に正解に達している．それに対して，右前頭葉損傷者は右下の積木から並べ，最終的には正解に到達している．この右から作業を開始する傾向は，文字を左から右へ書く英語圏の右手利き者では稀な反応であり，右前頭葉損傷による視空間性注意のバイアスや遂行機能の問題が関与している可能がある．左前頭葉損傷者は若年健常者と同じ順番で積木を並べているが，右上を並べる際に左上と同じ向きに並べてしまう運動性保続（motor perseveration）が生じている．しかし，最終的には間違いに気づき制限時間内に自己修正している．得点だけではこの3名はまったく同じ評価となるが，そのプロセスには損傷部位の特性が表れている．

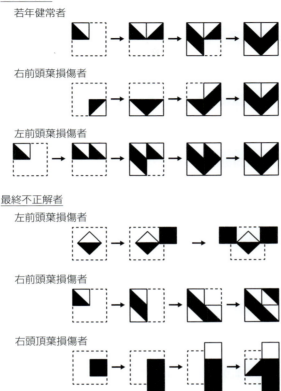

図1 WAIS の積木模様の解法パターン

(Kaplan E. Clinical neuropsychology and brain function: research, measurement, and practice. Washington DC: American Psychological Association; 1988. p.125-67[23]). APA is not responsible for the accuracy of this translation.)

　不正解であった下の3例は全員が0点であるが，その原因は異なっている．1例目と3例目の2例はいずれも4個の積木で2×2のマトリックスを作るという課題の基本的な原則が崩れている．1例目の左前頭葉損傷者の場合は，模様の矢羽型という特徴は強く意識されており，最初に1つの半分が塗られた積木を傾けて置くことで，矢羽の下の部分を作ろうとしている．その後，その

Chapter 1 総論

両側に赤い積木を配置したが，そこで時間切れになった．右頭頂損傷者は，積木を右側に集めてしまい，最終的には時間切れになった．右前頭葉損傷者は左の2個までは順当に並べているが，右側の作業で保続が出現し結果的には前に作った別の図形を再現してしまった．このように，解法のプロセスを詳細に分析することで多くの情報が得られるが，その一方で経験や直感に頼った独善的な解釈に陥る危険性には注意が必要である．いずれにせよ，結果や時間だけでなく解法プロセスや誤りのパターンを記録しておくことが後の詳細な分析につながる．

運動性保続は一度自分の行った行為がその後も繰り返される現象で，意図性保続と間代性保続に分けられる．意図性保続は何かを意図的に始めようとすると，少し前に行った行為が繰り返される現象で，例えば一度書いた単語がその後に別な単語を書こうとしたときに出てきてしまうような場合である．間代性保続は一つの運動が繰り返される現象で，同じような線を何本も引きつづけるような場合である．運動性保続は発話，書字，描画，行為などさまざまな場面で出現する．脳損傷患者に広くみられる症状であるが，特に前頭葉損傷患者でその程度が強いとされている[3]．

また，検査者の提示した見本の積木や問題提示カード上に被検者が積木を置こうとする行動がみられる場合がある．これは模写の場面で手本の図形の上に自分の線を重ねてしまう closing-in 現象[3,24] と同じものであると考えられる．成人における closing-in 現象は，アルツハイマー病を含む複数の認知症疾患やパーキンソン病，脳血管障害などでも報告されており，前頭葉の機能低下の関与が指摘されているが，まだ不明な点が多い[24]．

10. 受傷前の能力の推定

頭部外傷や脳血管障害のケースでは，受傷後の能力だけでなく，しばしば受傷前の能力を見積もることが求められる．実際には，被検者の学歴，職業，社会的地位などから受傷前の能力を類推することが多いが，その妥当性，信頼性には疑問がある．Lezak ら[10] は，① 受傷後に実施したウェクスラー式知能検査の下位検査の中で，障害の影響を受けにくい検査（単語など）と，受けやす

い検査（積木模様など）の差に注目する方法，② 障害の影響を受けにくい National Adult Reading Test（NART: 50 個の不規則な読みをもつ単語の音読課題）の成績から推定 IQ を求める方法，③ 受傷後に実施したウェクスラー式知能検査の最も成績が良かった下位検査から推定 IQ を求めるなどの方法を紹介している．NART については，英語の不規則単語の読みを，漢字熟語や熟字訓の読みに置き換えた JART[25] が開発されているが，言語性能力の低下が疑われる脳損傷患者に関する検討は十分には行われていない．

11. 検査のタイミング

受傷直後の神経心理学的検査の結果は，その後の治療方針やリハビリテーションのプログラムを作成する上では有効であるが，そのデータを退院後の就労支援や損害賠償の根拠資料に使用するのは不適切である．海外の中等度から重度の頭部外傷患者 1,380 名を対象としたメタアナリシス[26] によれば，認知機能の回復は 6〜18 カ月で一応のプラトーに達するものの，その後も続くことが示されており，どの段階で評価するのが適切かという明確な基準はまだ確立されていない．

12. 検査の反復実施

治療効果の評価の目的では，短期間での反復実施が必要な場合も多いが，真の認知機能の変動を評価するためには，測定誤差や同じ検査を繰り返して実施することによって成績が向上する練習効果をどのように分離するかが大きな問題となる．

練習効果が生じる原因はまだ十分に解明されていない．しかし，検査課題に使用されている刺激材料が意識的，無意識的に記憶されてしまうことや，解答の方略が獲得されてしまうことなどが影響していると考えられている．速度要因が強い検査，不慣れなあるいは稀にしか行わない反応が要求される検査，答えが 1 つしかない検査などでは練習効果が生じやすい[22]．一般に知能検査に関しては 1 年以上の間隔を空けることが推奨されているが，それで練習効果

Chapter 1　総論

が排除されるという根拠はない．頭部外傷患者群と健常者群に WAIS-R を 1 年の間隔で実施した研究では，頭部外傷患者でも健常者群と同等の練習効果が報告されている [27]．この練習効果のコントロールには，主に 3 つの手法が提案されている [22]．

a) 代替課題の使用

難易度の等しい課題，あるいは刺激セットを複数用意して，施行ごとに交換する方法である．特に刺激材料を記憶していることが成績に影響を与える可能性が高い記憶検査などにおいては，複数の刺激セットをあらかじめ用意したものも増えてきた．しかし，実際に難易度の等しい課題を作成することは簡単ではない．対象者の年齢や世代，性別による違いや，実施の順序などに関しても十分な検討を行う必要がある．また，代替課題を用いた場合でも，規則や方略の獲得によって練習効果が生じる場合がある [22]．

b) 統計的な基準の使用

反復測定における標準誤差を基準にして誤差範囲を設定し，それを超える変化が生じた場合に実質上の成績の変化が生じたと判断する．この目的のための指標としては RCI（reliable change index）や MDC（minimal detectable change：最小可検変量）などがある [28,29]．

c) 二重ベースライン法（dual baseline assessments）

1 回目と 2 回目の検査の間で練習効果が最も生じやすいことを考慮して，実験（介入）操作を導入する前に 2 回のプレテストを行い，2 回目の成績をベースラインとして実験操作（介入）後のポストテストの成績と比較する手法である [30]．

練習効果は研究や治験の場合はコントロールすべき問題点でしかないが，臨床場面ではそれ自体も有効な情報源となりうる．脳損傷者では，同じ課題を繰り返しても練習効果が生じなかったり，その程度が小さいなど，健常者とは量的あるいは質的な差異が存在する場合があるので，注意深くデータを確認する [22]．

20

13. 詐病の扱いについて

高次脳機能障害に関する保険請求や訴訟が増加するにつれて，詐病や症状の誇張が問題になってきている．それに対する医療側の姿勢については今後も多方面からの議論が必要であるが，海外では神経心理学的検査における披検者の疑わしい反応や意図的な不正に関する研究が盛んである．

神経心理学的検査における詐病検出には主に3つの方法がある[10,11,13]．第1の方法は検査の中にあらかじめ虚偽尺度を含める方法で，代表的なものはMMPIの虚偽尺度などである．第2の方法は複数の検査尺度間の矛盾に注目するもので，難易度が低い課題と高い課題の成績から虚偽指数を求めるものである．第3の方法は虚偽検出のための専用の課題を用いるもので，それらの多くは一見すると難易度が高いにもかかわらず，実際には脳損傷患者でも容易に正答が可能なものである．代表的なものとしてはReyの15項目記憶テスト（Rey fifteen item memory test）や，記憶詐病テスト（Test of Memory Malingering: TOMM）がある[10,11]．

14. ICTの導入

神経心理学的検査は紙と鉛筆（paper and pencil）を主なツールとして発展してきたが，近年急速に発展してきたICT（情報通信技術）の導入が大きな課題となっている．

a) コンピューター・ベースのアセスメント

神経心理学的検査で最も早くからPC（パーソナルコンピュータ）が導入されたのは，知能検査などにおける採点プログラムである．素点から年齢別評価点への変換，IQや各種下位指標の算出，プロフィール図の作成を行う採点プログラムは，採点者の煩雑さや単純エラーの低減に大きく貢献している．また，既存の検査そのものの実施や記録の自動化も進められている．わが国での最も初期の例は，慶應版WCSTである[31]．この検査はカードを使用した実物では，実施や記録が煩雑であるが，PCを使用することで容易に実施可能に

Chapter 1 総論

なった．標準注意検査法（CAT）[32] も下位検査の PASAT, CPT では PC を使用している．

　PC を使用することで，教示の統一性，刺激呈示のランダム化，反応時間の正確な測定が可能になり，また実施から結果処理までを途切れなく進めることが可能になる．しかし，PC による検査では，被検者が PC に不慣れであったり，嫌悪感を抱いていると，十分なパフォーマンスを発揮できない可能性がある．また，反応様式が反応キーやタッチスクリーンに限定されるため，最終反応までの行動や検査者との相互作用を含む質的な分析が難しい．実際の検査場面では疲労，情動反応，操作ミスへの対応など，フレキシブルな変更が必要な場合も多く，それらにどの程度対応可能かどうかも重要である．

b）インターネットの利用

　認知症などの疫学的研究や，地域ベースの予防介入研究，また，人的・設備的資源の少ない地方の医療機関での検査のニーズへの対応などの目的でインターネット上のプログラムやテレビ会議システムを利用した神経心理学的検査の実施が試みられている [33]．被検者からも，検査者と対面するより抵抗なく検査を受けられたというポジティブな評価もある一方，PC 版のテストの同様の問題点が存在する．2019 年 12 月初旬から世界を席巻した新型コロナウイルス感染症（COVID-19）によって医療関係者，受診者ともに感染リスクをなくすことができる遠隔診療が急速に広まった．精神科・神経内科領域での遠隔診療には，遠隔実施した神経心理検査のデータが重要な判断材料の一つになると考えられる．

c）仮想現実の応用

　コンピューター・グラフィックス（CG）や感覚提示デバイスなどの仮想現実（virtual reality）技術を応用することで，より現実の生活場面に近い検査を作成する試みが行われている [34]．日常生活の問題への介入の手がかりや，介入方法としても有用であると考えられ，研究・技術の進展が期待されている．

d) AI による自動診断や重症度判定

　最近，医療分野でも AI（artificial intelligence: 人工知能）の活用が急速に増加している．AI と脳研究はその基礎概念やモデルをはじめ，相互に影響を与えつつ発展してきた．脳機能の障害をあつかう臨床神経学，精神医学においても AI の導入が急速に進んでいる．池田[35]は，精神医学における AI 研究の目的を，① 診断精度の向上（診断支援，治療効果・副作用の予測など），② 病因・病態の解明（ゲノム解析，画像診断など），③ 新しい治療法の開発（医薬品，医療機器など），④ 診断概念・診断体系の再構築に分類している．いずれも重要な領域であるが，神経心理学的アセスメントと最も関係が深いのは，①の診断の領域である．それに関して現在多くの研究が集中しているのは認知症である．神経心理検査のデータを利用して，機械学習（machine learning）や深層学習（deep learning）によって正常と MCI（軽度認知障害）の鑑別，あるいは MCI と認知症の鑑別，MCI から認知症への移行の判定などを自動的に行う研究が多数報告されている[36~38]．それらの中には，① 多くの種類の神経心理検査のデータを利用するもの，② MMSE や ADAS などの比較的少数の神経心理検査と，画像データや生体データ（体動，表情，視線，音声の特徴など）を利用するもの，③ 少数（あるいは単一）の神経心理検査の大量データを利用するものなどがある．これらの中には非常に高い感度と特異性を報告している研究も多い．しかし，検査の特性や臨床的意義に関する十分な知識を持たない技術者主導の強引な研究も少なくない．AI に関する現状の研究の多くは，既存の診断体系や専門医の臨床診断をベースにしているが，将来的には疾病の概念や診断体系さえ変えていく可能性がある．多領域の研究者の本当の意味でのコラボレーションによる健全な発展を期待したい．

15. 神経心理学的アセスメントの侵襲性

　神経心理学的検査を実施する場合に常に頭においておかなくてはならないのは，一見簡単に見える検査であっても被検者にとっては高い心理的な侵襲性があるという事実である．神経心理学的検査は受ける側にとっては単純で退屈な課題が多い．障害がなければ「なぜ，こんなくだらないことをさせるのか」

Chapter 1　総論

「ばかにされているのではないか」という不信感や不満が生じる場合がある．さらに実際に障害のある患者の場合には「そんなことでさえできない」という二重の苦しみに直面する．特に記憶障害の患者に対する記憶検査バッテリーなど，検査によってはできないことを集中的に経験させてしまうものもある．途中で回答がなくなったり，拒否反応（泣きだす，怒りだすなど）を示すケースもある．それが情動面に影響を与えたり，家族の医療への不信感につながる可能性もある [5]．被検者の状態や気持ちに配慮し，無理のない量や時間での実施を心がけるべきである．また，難易度の高い検査では，非常に難しい課題も含まれているので，すべてができる必要がないことを伝えておくことが，患者の不全感を軽減することにつながる場合がある．

　心理的な侵襲は検査を実施する検査者にも生じる．直接検査を実施する心理士は，検査を受ける患者のネガティブな反応を直接受け止めることになる．医師からの明確な目的が感じられない機械的な指示によって大量の検査を実施することは，実施を担当する心理士や言語聴覚士にとっても強いストレスになる．医療現場で検査を指示する立場にある医師は検査者の気持ち（感情労働としての側面）についても十分な配慮をすべきである．医師が共に学ぶという姿勢を示し，検査の意図や目的についての共通理解を形成することが心理士の神経心理学的検査への積極的な関与につながる．

おわりに

　神経心理学的アセスメントは，脳血管障害や頭部外傷患者を主な対象に，臨床神経学や行動神経学の枠組みで発展してきたが，近年その対象や用途が急速に広がっている．しかし，わが国では神経心理学そのものに対する理解がまだ不十分であり，標準化テストや基準データの整備の遅れ，専門職やトレーニングシステムの未確立などの問題が顕在化している．2018 年から心理臨床業務に関する国家資格（公認心理師）の認定と大学・大学院での養成が開始された．公認心理師の養成カリキュラムの中では，神経心理学は「神経・生理心理学」として 1 科目だけの配置である．これが必修になったのは画期的な出来事であるが，内容的には不十分と言わざるを得ない．より専門的な知識とスキルを保障する資格の必要性から，日本神経心理学会と一般社団法人日本高次脳

機能障害学会は，臨床神経心理士資格認定委員会を組織し，2022年から臨床神経心理士の資格認定を開始した．この資格を取得するためには公認心理師，作業療法士，理学療法士，言語聴覚士，医師のいずれかの基礎資格が必要である．

　その一方で，ICTとAI利用の進展は神経心理学のあり方を大きく変える可能性を持っている．タブレット端末による実施から，採点（描画検査などのAIによる採点を含む），判定までをシームレスに実施するシステムの開発が今後もますます進んでいくと思われる．それによってアセスメントの領域での神経心理学の独自性は縮小し，将来的には生理機能検査に含まれていく可能性もあるのではないか．筆者には，この相反する流れが最終的にどのような地点に行きつくのかを見通す能力はないが，期待と不安をもって見届けていきたい．

■文 献

1) Harvey PD. Clinical application of neuropsychological assessment. Dialogues Clin Neurosci. 2012; 14: 91-9.
2) Beaumont GJ. Introduction to Neuropsychology. 2nd ed. New York: Guilford Press; 2008. 安田一郎，訳．神経心理学入門．増補新版．東京: 青土社; 2009.
3) 山鳥　重．神経心理学入門．東京: 医学書院; 1985.
4) Benton A. Four neuropsychologists. Neuropsychol Rev. 1994; 4: 31-44.
5) 橋本　浩．子どもの心を診る医師のための発達検査・心理検査入門．東京: 中外医学社; 2017.
6) Vakil E. Neuropsychological assessment: principles, rationale, and challenges. J Clin Exp Nuropsychol. 2012; 34: 135-50.
7) Evans JJ. Basic concepts and principles of neuropsychological assessment. In: Halligan PW, Kischka U, Marshall JC, editors. Handbook of clinical neuropsychology. New York: Oxford University Press; 2003. 2nd ed. New York: Oxford University Press; 2010. p.15-26.
8) 武原　格，一杉正仁，渡邉　修，編．脳卒中後の自動車運転再開の手引き．東京: 医歯薬出版; 2017.
9) 緑川　晶．神経心理学的検査．河村　満，編．急性期から取り組む高次脳機能障害リハビリテーション．大阪: メディカ出版; 2010. p.120-32.
10) Lezak MD, Howieson DB, Bigler ED, et al. Neuropsychological assessment. 5th ed. New York: Oxford University Press; 2012.
11) Strauss E, Sherman EMS, Spreen O. A compendium of neuropsychological tests: administration, norms, and commentary 3rd ed. New York: Oxford Uni-

Chapter 1 総論

versity Press; 2006.

12) Sherman EMS, Tang JE, Hrabok M. A compendium of neuropsychological tests: fundamentals of neuropsychological assessment and test reviews for clinical practice 4th ed. New York: Oxford University Press; 2023.

13) Mitrushina M, Boone KB, Razan J, et al. Handbook of normative data for neuropsychological assessment. 2nd ed. Oxford: Oxford University Press; 2005.

14) Kimura D. Sex and cognition. Cambridge, MA: MIT Press; 1999. 野島久雄, 鈴木真理, 三宅真季子, 訳. 女の能力, 男の能力—性差について科学者が答える—. 東京: 新曜社; 2001.

15) Feingold A. Gender differences in variability in intellectual abilities: a cross-cultural perspective. Sex Roles.1994; 30: 81-92.

16) Joel D, Berman Z, Tavor I, et al. Sex beyond the genitalia: the human brain mosaic. Proc Natl Acad Sci USA. 2015; 112: 15468-73.

17) Harrison SL, Sajjad A, Bramer WM, et al. Exploring strategies to operationalize cognitive reserve: a systematic review of reviews. J Clin Exp Neuropsychol. 2015; 37: 253-64.

18) Oldfield RC. The assessment and analysis of handedness: the Edinburgh inventory. Neuropsychologia. 1971; 9: 97-113.

19) 八田武志. 左ききの神経心理学. 東京: 医歯薬出版; 1996. p.27-8.

20) 大久保街亜, 鈴木 玄, Nicholls MER. 日本語版FLANDERS利き手テスト: 信頼性と妥当性の検討. 心理学研究. 2014; 85: 474-81.

21) Yamashita H. Intermanual differences on neuropsychological motor tasks in a Japanese university student sample. Jpn Psychol Res. 2014; 56: 103-13.

22) McCaffrey RJ, Westervelt HJ. Issues associated with repeated neuropsychological assessments. Neuropsychol Rev. 1995; 5: 203-21.

23) Kaplan E. A process approach to neuropsychological assessment. In: Boll T, Bryant BK, editors, Clinical neuropsychology and brain function: research, measurement, and practice. Washington DC: American Psychological Association; 1988. p.125-67.

24) De Lucia N, Grossi D, Milan G, et al. The closing-in phenomenon in an ecological walking task. J Int Neuropsychol Soc. 2018; 24: 437-44.

25) 松岡恵子, 金 吉晴. 知的機能の簡易評価実施マニュアル Japanese Adult Reading Test (JART) 日本版. 東京: 新興医学出版社; 2006.

26) Ruttan L, Martin K, Liu A, et al. Long-term cognitive outcome in moderate to severe traumatic brain injury: a meta-analysis examining timed and untimed tests at 1 and 4.5 or more years after injury. Arch Phys Med Rehabil. 2008; 89 (12 Suppl): S69-76.

27) Rawlings DB, Crewe NM. Test-retest practice effects and test score changes of the WAIS-R in recovering traumatically brain-injured survivors. Clin Neuropsychol. 1992; 6: 415-30.

28) Evans C, Margison F, Barkham M. The contribution of reliable and clinically significant change methods to evidence-based mental health. Evid Based Mental Health. 1998; 1: 70-2.

29) 下井俊典. 評価の絶対信頼性. 理学療法科学. 2011; 26: 451-61.

30) Duff K, Westervelt HJ, McCaffrey RJ, et al. Practice effects, test-retest stability, and dual baseline assessments with the California Verbal Learning Test in an HIV sample. Arch Clin Neuropsychol. 2001; 16: 461-76.

31) 鹿島晴雄, 加藤元一郎. 慶應版ウィスコンシンカード分類検査. 京都: 三京房; 2013.

32) 日本高次脳機能障害学会. 標準注意検査法・標準意欲検査法. 東京: 新興医学出版社; 2006.

33) 岸本泰士郎, 江口洋子, 飯干紀代子, 他. 高齢者に対するビデオ会議システムを用いた改訂長谷川式簡易知能評価スケールの信頼性試験. 日本遠隔医療学会雑誌. 2016; 12: 145-8.

34) Rizzo AA, Schultheis M, Kerns KA, et al. Analysis of assets for virtual reality applications in neuropsychology. Neuropsychol Rehabil. 2004; 14; 207-39.

35) 池田 伸. 精神医学における AI 活用の現状, 課題, そして可能性. 2019 年度人工知能学会全国大会（第 33 回）論文集. 2019; 2N5-J-13-03: 1-4.

36) Weakley A, Williams JA, Schmitter-Edgecombe M, et al. Neuropsychological test selection for cognitive impairment classification: a machine learning approach. J Clin Exp Neuropsychol. 2015; 3: 899-916.

37) Choi HS, Choe JY, Kim H, et al. Deep learning based low-cost high-accuracy diagnostic framework for dementia using comprehensive neuropsychological assessment profiles. BMC Geriat. 2018; 18: 234.

38) Battista P, Salvatore C, Berlingeri M, et al. Artificial intelligence and neuropsychological measures: the case of Alzheimer's disease. Neurosci Biobehav Rev. 2020; 114: 211-28.

［山下　光］

Chapter 1　総論

B　医学からの概論

　神経心理検査を医学的に，すなわち臨床的に行う意味は何かを説明するのが
この論考の主題である．結論からいえば，神経心理学的症状を診察で見いだ
し，それを神経心理検査で確かめることであると答えておく．この論考では脳
の病気が対象である．脳の病気も当然含まれるが医学一般に，ある症状の存在
に気づいて，その症状を診察で見いだし，それを検査で確かめるということが
行われている．例えば，発熱，咳がある人が医者を受診して，病歴や診察から
肺炎が疑われて，血液検査やX線検査からそれを確かめる．症状の訴えだけ
では，ましてや訴えがないのに，X線を最初には撮らないのがふつうである．
まず診察，それから検査と進むのが王道である．

　この論考の流れを述べておこう．神経心理学的症状を見極める意義，これは
神経心理学の果たす役割といってもよいが，それを説明する．そして臨床現場
で，神経心理学に携わる者が実際にその症状をどのように見いだしているかを
述べる．さらにその神経心理症状が，脳のどの部位に病変があるために生じて
いるかを知る脳の画像検査について簡単に説明する．そして神経心理検査につ
いては，医学のほうからみてどのようなことを知っておくとよいかだけを説明
する．

　さてこれから述べることの前段階として，神経心理学とは，また神経心理学
的症状を説明しておきたい．神経心理学とは何かという問いかけに正確に答え
るのは難しい．言語をはじめとする行動や，感情，思考とはどのようなもの
か，それはどのように脳と，特に障害を受けた脳と関係するのかが神経心理学
の主要な事柄であるとここでは述べておく[1]．脳の損傷によって行動，感情，
思考などが障害された患者を，神経心理学的症状を有する患者とよぶ．現在，
神経心理的症状という名称はやや使われなくなり，高次脳機能障害とよばれる
ことが多い．認知症の個々の症状は神経心理学的症状であり，この論考でも，
アルツハイマー病などの認知症疾患についても論ずることになる．

　次に神経心理学的症状について論を進める．脳血管障害を例にとる．その経
過は，通常急に発症し，不幸にして亡くなることを除けば，だんだん回復す

28　　JCOPY 498-22913

る．前と同じ健康な状態に戻るくらいに回復すればよいのであるが，患者は何らかの後遺症をもってその後の人生を歩むことも多い．その後遺症にもいろいろとあり，通常片側の麻痺をきたすため片麻痺とよばれる運動麻痺が，後遺症としてよく知られている．この後遺症に，言語などをはじめとする脳の高次機能の障害もある．ここではその症状を神経心理学的症状とよぶ．この神経心理学的症状にどのようなものがあるかをここではすべて取り上げることはしない．この本の各章に，神経心理学的症状は書かれており，以後読み進めていただければと思う．神経心理学的症状について，以下の議論を進める上で理解しておいていただきたいことだけを述べる．神経心理学的症状の一つである失語（aphasia）を例にあげる（失語については詳しくはこの本の Ch. 7 を参照のこと）．

失語の定義の一つに，「いったん獲得された言語機能が中枢神経系の損傷によって言語の理解と表出に障害をきたした状態」がある[2]．この失語の定義には，その他の神経心理学的症状にもあてはまる大事な点がある．

▶ いったん獲得されたとはどういうことか

先天的に，遺伝的な要因や出生前後の病気（病変）などによって，言語の獲得ができなかった，あるいはその獲得が不十分であったという場合は失語とよばないということである．失語は，いったん言語が獲得された主に成人に生じる．他の神経心理学的症状もその機能がいったん獲得されたあとに，後天的に生じたものである．

▶ 中枢神経系の損傷とはどういうことか

中枢神経系とは脳と脊髄を指す．失語などの神経心理学的症状は常に脳（しかも大脳であることがほとんど）の損傷によって生じる．失語の場合，通常は左半球の外側溝（シルヴィウス溝）という構造の周辺にその病変が存在する．他の神経心理学的症状も，左脳あるいは右脳，あるいは左右の脳の部分的な（局所的な）損傷によって生じる．なおこの本の内容を正確に理解しようとすると脳の解剖や画像診断についても知る必要がある．これについては文献3を参照のこと．

Chapter 1　総論

　それではどのような病気によって神経心理学的症状が生じるのであろうか．左右の脳の局所的な病気ということになる．原因疾患は大きく3つに分けられる．1つは急性にその症状を示すもので，脳血管障害，脳炎，頭部外傷などがある．次に失語などを発作性に繰り返すものがある．これには一過性脳虚血発作とてんかんがある．3つめは神経心理学的症状が進行していく疾患である．この中には，アルツハイマー病，前頭側頭型認知症などの変性疾患，脳腫瘍などがある．これらの疾患の原因，そのメカニズム，治療などの詳細は成書[4]を参照されたい．

1.　神経心理学の臨床に果たす役割

　ここで神経心理学の臨床的な役割を述べておきたい．なぜ神経心理学的症状を見いだすことが重要であるかを理解していただければ幸いである．なお神経心理学には学問的な目的もあるが，ここではそれは省略する．それに興味のある方は文献1をお読みいただきたい．
　神経心理学の臨床的役割は，脳の画像診断（神経放射線学的診断）の進歩で大きく様変わりをした．そのためその前後での役割を分けて論ずる．

a)　神経放射線学的検査法出現以前の役割

　神経心理学的役割の大事なものの一つに，脳損傷患者の医学的診断を補助することがある．脳のCTやMRIという神経放射線学的検査法が出現する前は，今よりずっと，神経心理学的症状を診察で見いだすことが脳損傷者の脳の病気の部位を推定することに貢献していた．具体的には，患者の診察からある神経心理学的症状を見いだし，そしてその症状を詳細に分析する．それまでに蓄えられた知識から，その症状があるのであれば脳のこの部分に病気があるだろうと推定する．この操作を脳の部位診断（局在診断）とよぶが，神経心理学的症状の検出はこの部位診断に大きく寄与した．CTやMRIの前にも，脳波あるいは脳血管撮影などの検査法があった．しかしそれらの方法は，脳における局在診断をするにはあまりに間接的な手法であった．そのため今では想像もできないが，失語を示す患者の症状を正確に把握して，脳腫瘍が考えられれば，そ

30

れを頼りに脳の手術の仕方を検討することも行われた．

　どうしてそのようなことが可能だったのだろうか．Broca P，Wernicke K などの 19 世紀後半から 20 世紀初めに現れた学者が努力して失語の分類が作られた．それを古典的分類とよぶ．この古典的分類の利点は，失語のタイプ分けを利用して脳の損傷部位がある程度ではあるが推定できることにあった．失語症状が異なれば，脳の侵された部位にも違いがあることがわかっていた．

　ここで簡単に失語の歴史を振り返ってみる．詳しく知りたい方は文献 5 などを参照のこと．言語が大脳の限られたある部分にある（局在する）と考えられるようになったのは，Gall F の影響が大きい．Gall は，いくつかの能力に固有の神経の座があるという考えを提示した．例えば，単語の記憶（名称の記憶）と言語能力（たくみな言語使用）が，どちらも前頭葉の異なる領域によって営まれると述べた．Gall の考え方は，その当時あまりに革新的であったため，有力な学者から反対にあった．ただし Gall を支持する人も少数いた．その状況下で Broca が登場する．

　Broca は，パリでの人類学会の総会で，言語能力は局在するという考えを支持する講演を聞いた．数日後，Broca は 1 人の患者を診察した．その患者はどのような質問に対しても，いろいろな身振りをしながら，"tan, tan" と繰り返した．そしてそれが彼のここ 20 年の間で認められた唯一の発話であった．このため Tan 氏とよばれていた．これが，先に講演で聞いた言語能力の障害にあたると Broca は考えた．その患者はほどなく亡くなり，剖検というが，死後脳の障害された部位が詳細に調べられた．前頭葉のある部分（左下前頭回の後半部分）が損傷されていることがわかった．その部分が語を構音する際に必要な部分であると，Broca は考えた．この部分はその後 Broca 領域とよばれるようになり，その部分を含む病変によって生じる失語は Broca 失語とよばれるようになった．

　さらにドイツに Wernicke が現れて，Broca が見いだしたタイプの失語とは異なる 2 例の失語例を記載した．Broca の診た例とは異なり，その 2 例は話された言葉の理解に障害があった．また話すことに困難があったが，その話す障害は Broca 失語の話すことの困難さとはその性質が明らかに異なっていた．話量は，少ないことはなく流暢で，イントネーションも正常であったが，音や

Chapter 1　総論

語の選択に誤りを示し，そのため検査者が患者の話を理解するのが困難であった．剖検で，側頭葉のある部分（上側頭回の後半部分）に病変が認められた．

　以後も Dejerine J をはじめ多くの研究者がこの古典的分類を樹立するのには貢献している．そして今でもこの古典的分類は生き残っている．

b）現在の神経心理学が臨床に果たす役割

　神経心理学的症状の診察をする者の役割は，CT や MRI などの脳画像が出現するとずいぶん様変わりをした．損傷部位の探索を援助するという，いわば"検出型"の役割は今日少なくなった．脳内病変を知るのに，他にもっと優れた方法（神経画像）が出現してくれば，従来の方法だけで脳内の部位を推定しているわけにはいかない．

　ここでは，現在のこの神経心理学が臨床に果たす役割を5つに分けて論じる[1]．

▶ 眼前の患者は器質的な脳の病気をもっているかを知る

　例えばアルツハイマー病初期の患者である．アルツハイマー病は，剖検でアルツハイマー神経原線維変化と老人斑が認められ，脳の萎縮もみられる病気である．アルツハイマー病については Ch. 6 を参照のこと．この初期，患者はほとんど記憶障害だけを呈している．この段階で脳の画像を撮っても，異常をはっきりと見いだすことは現在でもまだ難しい．この場合，記憶障害の有無を正確に判定することがこの病気かどうかの診断には重要である．診察で記憶障害の有無を診て，記憶の神経心理検査を実施する（Ch. 2 参照）．記憶のテストの成績が，年齢などから予測されるより低得点であることは，たとえ画像の異常がはっきりしなくても，眼前の患者がアルツハイマーという器質的な病気を有していることを示唆する．

　他にも例をあげてみよう．60歳代の男性がもの忘れを訴えて病院を受診した．受診動機があらかじめ書かれてあった．それを読むと，その書かれた文章に明らかに誤字がみられた．そこで診察の中で「灰皿と書いてください」という書き取りを行わせた．そうすると灰という字は書けず，皿を「血」と書いた．ネクタイなどを検査者が指差してそれを何と言うかを問うた．これは物品

呼称の検査であるが，それらの名前が言えなかった．他には特に症状がなかった．脳の MRI 検査を行ったが，はっきりした異常はみられなかった．患者に「MRI には問題がないので，あなたは特に病気ではない」と言ってよいだろうか．そうではない．画像診断の結果より，診察の所見をより重要とみなすべきである．患者は明らかに失語を示している．年齢などを考慮すると前頭側頭型認知症あるいは皮質症状から始まるアルツハイマー病などの器質的な病気がある可能性が高い．これらの病気についてはこの本の Ch. 6 を参照のこと．

▶ 観察された異常からその神経心理学的症状が何かを正確に知る

　観察された症状がどのような神経心理学的症状であるかを知りたいということで紹介された 1 例のことを以下に述べる．

　透析を受けている患者である．ある時から透析を受けた後，自分のベッドに戻るということができなくなり，施行された MRI によって脳梗塞であることが診断された．この患者が脳梗塞という器質的な病気をもっていることは，脳の画像診断から確かにわかる．しかし自分のベッドになぜ戻ることができないのかは，画像診断がすぐ教えてくれるわけではない．この患者は，明らかな運動麻痺もなく話すことにも問題がなかった．多くの医療スタッフはどう考えたらよいのかわからなかった．相談を受けた筆者は 2 つの可能性を考えた．脳梗塞による道に迷うという症状かもしれない．これは地誌的障害という症状である[6]．この障害かどうかを診察するには，例えば病棟の見取り図，家の見取り図などを書いてもらうなどの検査法がある．診察からその障害ではないとわかった．次の可能性としてベッドに書かれている文字が読めず，戻れなくなったのではないかと考えた．これを読字障害という．読字の障害は失語の一つの症状として出現することが多いが，単独で生じることもある[7]．その症状かは，単語や文章の読みを調べることで確認できる．この患者がベッドに戻れないのは，脳梗塞で急に文字が読めなくなったためであった．そのことを医療スタッフに説明した．

Chapter 1 総論

▶ 神経心理学的診察からわかったことを患者に還元する．ある症状が診察されたら，日常生活でこのような症状があるのではと問いかける

　神経疾患に限らず医学的診断では，患者の訴える自覚症状が重要視される．その自覚症状が何に由来するかを考える．ところが神経心理学的症状については，その原則が必ずしも当てはまらない．患者は自分の神経心理学的症状を訴えるとは限らない．患者によっては，他人からみると不自由にみえるが，自身の問題に気づいていないこともある．運動麻痺があるのにその病態を否認することがある．そのため，例えば脳の障害部位が脳の画像診断からわかったとしたら，その病変で生じる可能性の高い症状を，それに関して患者の訴えがなかったとしても，診察する必要がある．

　失行を例にこのことを説明したい．失行とは，指示された簡単な運動を誤って行ったり，手渡された物品（道具など）を誤って扱ったりする場合である．ただ運動麻痺がある側では失行は判定ができない（失行について詳しくは文献8あるいはこの本の Ch. 8 を参照のこと）．失行があっても患者はそのことを訴えないことが多い．このため失行を生じる可能性の高い左脳の頭頂葉が障害されていたら，患者の訴えがなくても失行の有無を調べる必要がある．そして診察で失行のあることがわかったら，それを患者の日常生活に即して聞き直すことが必要である．失行は複雑な系列的動作で生じやすい．電車に乗る時に切符を買うなどの動作，入浴などの日常生活動作についてよく観察することを医療スタッフや家族に話すことが必要である．

▶ その神経心理学的症状は，経過や治療などによってどう変わったのかを知る

　脳梗塞後の症状の変化を知るには，画像の推移だけでは困難なこともある．画像は変化ないものの，神経心理学的症状は改善することもよく経験される．その症状の経過をよく診察することが重要である．

　脳外科医によって手術を受けた時，その前後で患者の神経心理学的症状を詳細に調べることにより，その治療法の効果を確かめることができる．この場合，同じ検査を短期間に繰り返して行うと成績の上昇がみられることが知られている．したがって治療の効果を判定しようとする場合，1 つの検査法に 2 つ

以上のバージョンがあるものを用いて，完全に同じ検査を行わないようにするのが，繰り返しによる成績の上昇に対処する方法がある．

このような治療介入によらず，神経心理学的症状が変動するのかを調べることも診断に寄与する．例えばアルツハイマー病を疑われている患者がいたとする．1年くらいおいて2つの時点で，同じ認知症の検査を行ったとする．その検査の成績が時を経て低下したことが認められたとすると，この患者がアルツハイマー病ではないかという診断を補強することになる．アルツハイマー病は，短期間に症状が変動することはないが，1年後などにはその症状が進行する場合が多い．逆に認知症と思われる症状が短期間のうちに明らかに変動することがわかった時，アルツハイマー病ではない他の病気を疑って検査を進めることになろう．

▶ リハビリテーションなどの今後の指針を決める

神経心理学的症状のうち，リハビリテーションの効果がほぼ認められている症状がある．失語，半側空間無視と診断した場合はリハビリテーションを勧めることになる．他の症状についてはまだ十分な効果があるとまではわかってはいない．だがさまざまなリハビリテーションが試みられている．こちらは文献9を参照のこと．

失語のリハビリテーションについて述べる．メタアナリシスは，過去に行われた複数の研究結果を統合し，より信頼性の高い結果を求める手法である．リハビリテーションの効果についてのメタアナリシスを1つ紹介する[10]．結果は以下のようであった．① 急性期に始めた言語治療は，自然回復と比較すると2倍の効果がある．少し説明を要しよう．リハビリテーションが有効かを評価する際に，自然回復を考慮する必要がある．脳損傷後，特にリハビリテーションを行うことがなくても，症状が回復してくることが知られている．その回復曲線は，損傷後最初の数カ月は急峻で，3〜4カ月後は平板化し，6カ月を過ぎると自然回復を生じないとされている．このメタアナリシスの結果は，急性期であっても，自然回復を上回る効果がみられることを示している．② 急性期を過ぎても治療は始めれば一定の効果を示す．③ 治療群と非治療群においては，効果に差があり，特に急性期に始められれば，その効果は有意で

Chapter 1　総論

ある．④ 慢性期における治療群と非治療群においては，急性期ほどではないが治療の効果が認められた．

2. 神経心理学的症状を見いだすためにどのように診察をしているのか

神経心理学的診察について具体的に述べたい．通常病歴を患者からとり，その後に神経学的診察を行う．それまでの時点で，患者の病変部位が脳以外にあると推定されれば，その障害部位を確かめるための放射線学的検査，血液検査などの生化学的検査などを行うことになる．ただ脳の病変が疑われるとき，まだ脳の画像診断が行われていなければその検査を行う．また神経心理学的診察を行う．その結果，神経心理学的症状を示しているとわかった時には，神経心理検査をさらに行うかなどの判断をする．

a) 病歴をとる

病歴を正確に知ることの重要性は，これだけ検査手段が進んだ今であってもけっして減ることはない．病歴だけで多くの病気を正しく診断できる．ここでは，その患者の示す症状がおよそ固定していて，急に出現したのではない場合についてまず述べる．この場合，患者が紹介状を持参して受診することも多い．その紹介状もさまざまであるが，患者の訴えるまたは患者の示す症状について十分な情報を提供している場合もある．だがたとえ十分な情報が書かれていても，何らかの質問を患者にするほうがよい．患者との距離を縮め，これから始まる診察などを受け入れてもらいやすくするためもある．また症状についての患者の生の声を聞くことが，書かれたものではわからなかった正しい診断につながるということもある．さらに問診で，患者が自身の問題についてどう考えているか，あるいはそれに気づいていないのかなども明らかになる．

次の神経心理学的診察を始めて，診察の途中で患者に問診をすることも重要である．例えば診察の途中で，発達の段階での障害の有無を聞いたほうがよいと気づくことがある．色の認識の障害が疑われる例では，先天的な色覚異常について患者に問うことが必要である．

これは病歴をとる時だけのことではないが，患者をリラックスさせることが大事である．神経心理学的診察などには時間がかかる．またどう考えても，そういう診察を受けることを喜ばしいとは思っていないのは確かである．難しいことではあるが，患者の協力を得るように努めないといけない．

　また患者のケアを行っている，患者をよく知る同伴者と面談することも必要である．患者がその場にいると，困惑し，その患者を傷つけまいとして，その同伴者が患者をどう見ているかを聞きだせないことがある．

　患者が急にある症状を呈して来院した場合は，病歴は短時間でとる．病歴をとるのと並行して，言語，注意，記憶などに注目することになる．覚醒しているか（これは後述），構音障害（発音が悪い）を示していないか，失語[2]を示唆する言い間違い（錯語という）はないか，検査者の質問を取り違えたりしていないかなどをみる．実際には，患者の症状が固定されているときでも，これらの点を注意して問診する必要がある．

b）神経学的診察

　神経心理学的診察の前に神経学的診察が行われる．これらの診察を通じて，患者の訴える症状，あるいは観察されている異常が神経系の大脳，脳幹，脊髄，末梢神経，筋肉のどこに由来するかを推定することになる．ここではいくつかの事柄，それも脳に関係したことだけを，簡明に説明する．自律神経系などには触れていない．また用語についても詳しい説明は省く．神経学的診察に興味のある方は文献11を参照のこと．なお意識レベルの判定は重要な神経学的診察の一つであるが，それについては後述する．

　患者の運動機能が調べられる．患者が診察室に入ってくる様子を見たときに，その異常がわかることも多い．歩き方で片麻痺かがわかる．また座っている状態を観察すると，顔面麻痺の有無，振戦の有無などがわかる．運動機能について筋力低下の有無を，各上肢，各下肢などについて詳しく調べる．大脳（と限るわけではないが）の損傷では片麻痺といって，顔を含む（含まないこともあるが）片側の上下肢に麻痺が生じる．ここでは上下肢のバレー徴候という，軽度の片側の麻痺を見分ける方法を述べる．上肢については，手のひらを上に向けて両手を伸ばしてその位置を保つことが行われる．どちらかの上肢に

Chapter 1　総論

麻痺があると，片方の手が落下してくる．これをバレー徴候陽性という．下肢のバレー徴候は，腹ばいになって両足のすねから下をベッドから離すことで調べる．片方に麻痺があると麻痺側の脚が下がってくる．これらに加えて，腱反射，病的反射などを調べて，筋力低下があったとき，その筋力低下が神経系のどこに由来しているかが推定できる．先に述べた失行の有無を診断する際にも，患者の筋力（麻痺がないこと）を知ることが必要である．

　次に小脳の障害があるかを判定する指鼻試験などを説明する．その検査では，検査者の指に患者が人差指で触れ，その指を患者自身の鼻へともっていく．この間に検査者は自分の人差指を適当な位置へと動かす．患者は検査者の人差指に再び指を合わせる．これを繰り返す．小脳に障害をもつ患者は，測定障害といって自身の指を検査者の指に正確に合わせることができない．また運動の解体と表現されるが，患者の指の動きのスムーズさが欠けることになる．下肢では踵膝試験が行われる．患者の片方の踵を自身の反対側の膝頭にもっていき，その後そのままそちら側のすねをすべらせる．そしてまた，最初の踵の位置（膝頭）に戻すことが行われる．この動作でも測定障害や運動の解体が観察される．

　次に感覚系の診察に移る．体性感覚についてまず述べる[12]．大脳に損傷があると通常は片側の上下肢に感覚の低下が生じる．触覚の検査に柔らかい毛筆，もしくは脱脂綿を用いる．触られた感じに左右で差がないかを患者に答えさせる．痛覚の検査では，虫ピンを用いると便利である．痛い感じに左右で差がないかを患者に答えさせる．冷覚の検査は，冷やした水を入れた大きな試験管を用いることが望ましい．振動覚の検査は音叉を骨が比較的皮下に浅く現れるところにあてて調べる．振動覚が消失するまでの時間を測り，左右対称部位での成績を比較をする．位置覚の調べ方は以下のようである．患者は閉眼している．検査者が屈伸，伸展させることにより患者の関節を動かす．そして患者に，どちらの方向へ動いたかを答えさせる．これらの感覚は基本的な感覚とよばれるが，それらの検査に問題がなくても，大脳損傷の場合，物品の識別ができないことがある[12]．物品を触覚的に呈示してそれが何であるか答えるよう患者に求めることで調べる．

　聴力障害は，耳のそばでティッシュなどをこすり合わせてその音が聞こえる

38　　JCOPY 498-22913

かなどで調べる．詳しくは聴力計の検査が必要となる．

　次に視覚障害について述べる．大きさの異なるランドルト環を提示して，その空いている方向を答えさせることなどで視力を知ることができる．視野障害の調べ方を述べる．視野は正確には視野計で調べるのであるが，対座法によっても調べることができる．患者と向かい合い，片方の手で自身の一方の眼を覆うように言う．そして患者に検査者の鼻をみつめるように言う．そして検査者は，患者の視線が自分の鼻をみていて動かないことを確認しながら，患者の右視野と左視野に検査者が指を呈示しておいて，どちらかの指だけを動かしてどちらの指が動いたかを答えさせる．大脳のどの部位の障害でどのような視野障害が認められるかはわかっているので，視野障害のパターンがわかればその患者の脳の損傷部位の推定が可能である．

c）神経心理学的診察

　神経学的診察から，大脳病変がありそうな場合，神経心理学的診察が行われる．神経心理学的症状の診察の詳細は拙著[13]を参照されたい．ここでは，その限られた項目に簡単に触れるに留める．それを説明する前に意識障害について説明する．

▶ 意識障害およびその障害の程度を表現する方法

　神経心理学的症状と思われる症状が観察されたとしても，いくつか考慮する点がある．特に意識障害の有無を調べる必要がある．意識障害は，脳機能のすべての面にわたる全般的な低下である．

　患者が実際には意識障害を示しているとしよう．話せないなどの神経心理学的症状と思われる症状があるが，それは意識障害の一つの現れであるということがある．神経心理学的症状があるとは，その症状を引き起こす脳の特定の部位に損傷があることを意味する．神経心理学的症状と思われたものが実際には意識障害の一つの現れであるとすると，たとえ神経心理学的症状と思われるものがあっても，それに対応する脳の局所の病変ではなく，より広い障害に由来するということになる．

　ずっと眼を閉じていて，痛み刺激をしてもまったく反応がないという場合は

Chapter 1　総論

表1 Japan Coma Scale（JCS）

覚醒の有無	刺激に対する反応	意識レベル
I 覚醒している	意識清明とはいえない	1 または I-1
	見当識障害がある	2 または I-2
	自分の名前，生年月日がいえない	3 または I-3
II 刺激を加えると 覚醒する	普通の呼びかけで覚醒する，合目的的な運動もする し，言葉も出るが間違いが多い	10 または II-1
	大きな声または体をゆさぶることで覚醒する，簡単な 命令に応じる	20 または II-2
	痛み刺激を加えつつ呼びかけを繰り返すと覚醒する	30 または II-3
III 痛み刺激によっ ても覚醒しない	痛み刺激に対し，払いのける運動をする	100 または III-1
	痛み刺激に対し，手足を動かしたり，顔をしかめたり する	200 または III-2
	痛み刺激に反応しない	300 または III-3

（太田富雄，和賀志郎，半田　肇，他. 急性期意識障害の新しい Grading とその表現法：い
わゆる 3-3-9 度方式. 脳卒中の外科研究会講演集. 1975; 3: 61-8）

意識障害が重度であるが，そのような場合に神経心理学的症状を判定すること
は困難である．ここで問題とするのは軽度の意識障害の場合である．

　意識障害について述べる前に，意識とは何かに触れる必要がある．だが，こ
れは現在でもよくわかっていないことの一つである．あくまでも今の時点での
試験的な答えであるが，「周囲の環境と自己を認識している状態」ととらえて
おく．意識障害のない状態を意識が清明であるというが，その患者は目覚めた
状態でいるという意味である．このように，意識には覚醒というレベルがあ
る．この覚醒が脳内でどのように維持されているのかなどを含め意識障害につ
いての詳細は文献 14 を参照のこと．

　意識が清明ではないという疑いをもつ場合に，どのように診察するかについ
て以下述べる．軽度の意識障害の患者は，観察すると自分の周囲で起きている
ことに関心をもたず，例えばテレビが見たいなどという欲求を示さない．眠っ
ていることが多いなどが見てとれる．

　意識障害の程度を表現する方法については，Japan Coma Scale（以下

表2 Glasgow Coma Scale（GCS）

開眼（E）	自発的に開眼している	4
	呼びかけに応じて開眼する	3
	痛み刺激に対して開眼する	2
	全く開眼しない	1
最良運動反応（M）	言葉による命令に従う	6
	局所的な痛み刺激に反応する	5
	痛みに反応して四肢を逃避的に屈曲する	4
	痛みに反応して四肢を異常に屈曲する	3
	痛みに反応して四肢を伸展する	2
	全く反応なし	1
最良言語反応（V）	見当識正常	5
	会話内容の混乱	4
	短く不適切な言葉	3
	理解できないうなり声やうめき声	2
	全く声を出さない	1

（Teasdale G, Jennett B. Assessment of coma and impaired consciousness. A practical scale. Lancet. 1974; 2: 81-4）

JCS）**表1**や Glasgow Coma Scale（以下 GCS）**表2**などがある．これ ら刺激（JCS では，声かけと痛み刺激）に対する反応の仕方で区分されてい る．ただこれらの評価スケールは，くも膜下出血などのしかも急性期の患者に 対して作られている．特に慢性期の患者については，このような表記だけでは 意識のレベルを正確に表現しているとはいえない．その場合は，どのような課 題を与えて，どのような反応があったのかということを具体的に記載するほう が参考になる．

　さて JCS は日本で開発された尺度で，意識障害の程度が直感的に把握しや すいかたちで表記されている．大きな区分の3段階も，それぞれの段階で評 価のために用いる刺激の仕方がわかりやすい．このスケールは，呼びかけなく ても開眼している．呼びかけて初めて開眼する，呼びかけても開眼しないを，

Chapter 1　総論

それぞれ数字で1桁，2桁，3桁と表現する．それぞれをさらに3つに分ける．1桁の意識レベルの場合は，「名前は？」などの質問に答えられるかで分類する．2桁の場合は，呼びかけてすぐに開眼する，痛みを与えれば容易に開眼する体を揺すったりして痛みを加えてかろうじて開眼する，の3つに分けている．3桁の場合は，痛みに対しての反応で3つに分けている．「意識レベル300，意識レベル20」と表現され，数字が大きいほど意識レベルが低下し，意識障害が重度であることを示す．

一方 GCS では，評価のための観察点を開眼，運動反応，言語反応の3つに分けてそれぞれをスケール化している．そして E4M6V5 というように表記し，数字が大きいほど意識障害の程度は軽いことになる．尺度にあいまいさがなく，運動の側面についての評価があることが重要といわれている．

なお注意障害は意識障害と関係がある．注意には覚醒水準，選択機能，容量という3つの特性があるといわれている[15]．意識レベルの低下と注意障害とはこのように直接つながっている．注意についてはその機構も含めてまだよくわかっていないことが多い．

▶ **失語の診察**

患者が失語を呈しているかを調べる診察の仕方を述べる[2]．患者が失語を示しているかを知るために，すぐ標準的な失語の検査法を行う必要はない．話す，聞いて理解する，ものの名前を言わせるなどを短時間でも行わせる．先に述べたが，病歴をとる際に発話の障害について知ることができる．病気の経緯をすらすらと問題なく話せるのであれば，おそらく失語はないといってよい．聞いて理解するという側面も，神経学的診察でおよそ検討がつく．小脳失調の有無を調べる方法の一つに「左手の小指を左の耳にもっていってください」などと検査者が言うことがある．このとき患者が右手の小指を右の耳にもっていったとする．患者の聴力には問題がないのであれば，話し言葉の理解障害がある可能性がある．物品呼称は神経学的診察ではふつうは行われないが，失語を疑うときは施行すると有用である．物品をたくさん用意しなくても，日常物品，動物などが描かれた本などを用意しておくと役立つ．物品呼称の際の誤りの仕方を記載する．物品の時計を見せて，「めけい」あるいは「しんぶん」と

反応したら，これは失語を呈している可能性を考える．

　先にある患者が失語を示していると診断することは，左脳のシルヴィウス溝を中心とした部位に病変があることを意味すると述べた．ただこのことは利き手に関係する．このため失語がある可能性が高いとき，患者に利き手については問うことが必要である．利き手については，いくつかの方法がある（Ch. 1-A を参照のこと）．その患者が右利きだとしたら，その人は97〜99％位の確率で左脳に器質的な病変が存在する．左利きの人では，およそ60％の人で左脳の病変によって失語が起きる．30％は右脳の損傷によって失語となる．残る10％はどちらの脳の損傷後にも失語になるといわれている．

▶ 半側空間無視の診察

　（半側空間無視はこの本の Ch. 10 を参照のこと．）日常生活で，左側に位置するもの，障害物などに気づかないなどで左半側空間無視が疑われる．診察場面で，特に左側のほうを見ることが少ない，頸や頭が右側を向いている，白紙などに書字をさせるとその紙の右側に偏って書く．横書きの文章を読ませると，その左側に位置する単語などを省略して読む，花の絵などをコピーさせるとその左側を省略して右側だけ描くなどで左半側空間無視が診断できる．

▶ 記憶障害の診察

　記憶障害を外来の短時間に診察しようとする仕方をごく簡単に述べる（記憶障害については Ch. 2 を参照のこと）．朝から来院するまでの患者自身の行動を問うとよい．また本日の日付や今いる病院の名前，今は何階にいるのかなどについて問う．血圧を測っておいてその血圧を教えて，あとで今日は血圧を測ったかを問うなどを行う．血圧を測ったことや，血圧がいくつだったのかを後で教えてもらいますという教示を忘れてしまうなどあれば，記憶障害が疑われる．

3. 神経心理学的診察を終えた後

　神経心理学的診察を終えた後，神経心理学的症状を生じている脳の病巣を調

Chapter 1 総論

べる．神経心理学的症状の存在は，あくまで脳のある部位に病変があるだろうとの推定を与えるだけである．患者の苦しむ病気が何であるかを知るには，脳の画像診断が必要である．すでに紹介状とともに画像が添付されてきていれば，その画像を参照する．画像をまだ撮ってなければ，画像をオーダーすることになる．

a) 脳の病変部位と神経心理学的症状を対比させる

ここで MRI についてごく簡単に述べてみたい．X 線 CT が開発されてからは，患者の示す臨床症状と病変部位との対応が，亡くなっての剖検より前にできるようになった．MRI はその病変部位を描きだす精密度においては CT を遥かにしのぐ．ただ MRI の出現には，X 線 CT の開発に用いられた基礎的な数学やコンピュータの利用が必須であった．

MRI は，磁場の中においた水素原子に外から電磁波をかけて励起状態（共鳴状態）にしておき，次にこの共鳴状態の水素原子が元の状態に戻るとき発する電磁波をとらえて，画像化したものである．正常な脳がどのように見えるのかを，知っておく必要があり，大脳皮質の脳回・脳溝の同定が，神経心理学では重要である．詳しくは文献 3 を参照のこと．その上でいろいろな脳の病気で MRI 画像がどうなるかを知っておく．

MRI などで脳の病変が描きだされたとして，それを各々の神経心理学的症状と対比させるには，その症状を引き起こしている脳の病気の病理を知っている必要がある．詳しいことは文献 1 を参照のこと．例えば脳出血は，慢性期と急性期とでは画像が大きく異なる．慢性期には出血は吸収される．慢性期の出血だった部位は周囲とは明瞭に区別されるが，急性期よりずっとその体積が減る．病初期の画像をみないと出血の広がりはわかりにくい．また脳血管障害の病初期には，画像で認められた脳出血や梗塞の部位とは遠く離れている部位の代謝が低下し（ダイアスキーシスとよばれる），そのために神経心理学的症状が生じる可能性がある．

b) 神経心理検査について

実際には，最初の診察などで神経心理学的症状があると推定し，それにみ

あった，すなわちそのことを証明できるテストを選んで患者に行わせることになる．神経心理検査についてはこの本に書かれているので読み進めていただければと思う．ここではいくつかのことだけを述べる．

失語の存在は，他の神経心理学的症状をみようとして作成された課題を行わせるときに影響を及ぼす．1つは，話し言葉の理解に障害がある場合，言語によるやや長い教示を患者はよく理解できないことを考慮することである．例えば，記憶のテストの中には，ある短い物語を聞いてそれを後で再生させるという課題がある．これなど，失語があると低得点となる．その場合には，検査の低得点は必ずしも記憶障害を意味しない．2つめは，失語があって話すことが不自由な場合，その影響で言語での反応が正確でなく，問題の回答に失敗するということである．

記憶の障害がある場合であっても，検査の途中で，その検査の教示を忘れてしまうためにその検査の成績が不良になることがありうることを知っておかないといけない．

今まで診察で神経心理学的症状がみられて，それを確かめるために神経心理検査を行うと述べてきた．しかし医学でも，自覚症状がないときに，いろいろな検査を行って，身体の異常がみつかることもある．このドッグと同じように，神経心理検査を先に行って，その結果から神経心理学的症状の存在がわかることもある．従来構成失行とよばれてきている症状は，WAISなどのテストの中にある積木の検査などを行って初めてわかる場合がある[8]．これなど，神経心理検査を行って，通常の診察では見過ごされがちな微妙な異常が指摘される場合である．

神経心理検査が先に行われその検査結果を解釈する際には，そのテストの成績の低得点が，種類の異なる，また複数の障害により生じる可能性があることを知っておく必要がある．手の巧ち運動，視力，眼球運動，聴力，体の痛みなどの運動や感覚の障害が影響したのかもしれない．また現在問題になっている病気が実は関係なく，以前患者にみられた病気や発達の障害が関係していることもある．例えば前に心停止を起こしたことがあって，その時にしばらく意識消失していた既往があれば，現在みられた神経心理テストの成績の低下は，その既往の病気に由来することも考えられる．現在服用している薬の影響も考慮

Chapter 1 総論

する．投薬によっては集中力が低下する症状を起こすものもある．

　最後に，病気の治療についての神経心理検査の役割について少し述べたい．昨今のアルツハイマー病の薬の開発は，アルツハイマー病になる前の軽度認知障害（MCI）とよばれる状態，さらにその前の段階，すなわち病理学的な変化はあるもののまだ発症に至っていない状態などを対象としている．このような状態の患者に治療薬が効果ありと示すには，十分な期間，認知機能を調べる神経心理検査を行うことが必要となる．このような場合，認知機能の例えば1年の変化は少ないといってよい．そうなると，正しく神経心理検査を行うということが，新しい薬が承認されるのかどうかについては，きわめて大事ということもおわかりいただけよう．神経心理検査を行う者に対しての教育が必要なことも道理である．

■文 献

1) 武田克彦．神経心理学とは，神経心理学的アセスメントとは．In: 武田克彦，長岡正範，編．高次脳機能障害—その評価とリハビリテーション．第2版．東京: 中外医学社; 2016. p.14-27.

2) 武田克彦．失語．In: 武田克彦．ベッドサイドの神経心理学．改訂2版．東京: 中外医学社; 2009. p.56-79.

3) 渡邉　修．高次脳機能障害のための画像診断．In: 武田克彦，長岡正範，編．高次脳機能障害—その評価とリハビリテーション．第2版．東京: 中外医学社; 2016. p.59-68.

4) 平山惠造，監修．広瀬源二郎，田代邦雄，葛原茂樹，編．臨床神経内科学．改訂6版．東京: 南山堂; 2016.

5) 武田克彦．神経心理学の歴史．In: 武田克彦，長岡正範，編．高次脳機能障害—その評価とリハビリテーション．第2版．東京: 中外医学社; 2016. p.1-6.

6) 高橋伸佳．街を歩く神経心理学．東京: 医学書院; 2009.

7) 武田克彦．読み書きの障害．In: 武田克彦．ベッドサイドの神経心理学．改訂2版．東京: 中外医学社; 2009. p.80-104.

8) 武田克彦．失行とその関連症状．In: 武田克彦．ベッドサイドの神経心理学．改訂2版．東京: 中外医学社; 2009. p.105-18.

9) 武田克彦，長岡正範，編．高次脳機能障害—その評価とリハビリテーション．第2版．東京: 中外医学社; 2016.

10) Basso A．武田克彦，他訳．メタアナリシス．In: Basso A．武田克彦，他訳．失語症—治療へのアプローチ．東京: 中外医学社; 2006. p.103-8. (Basso A.

Aphasia and its therapy. New York: Oxford University Press; 2003)

11) 武田克彦, 水野智之. はじめての神経内科. 東京: 中外医学社; 2007.

12) 武田克彦. 体性感覚の高次な障害について. In: 武田克彦. ベッドサイドの神経心理学. 改訂2版. 東京: 中外医学社; 2009. p.180-90.

13) 武田克彦. ベッドサイドの神経心理学. 改訂2版. 東京: 中外医学社; 2009.

14) 山田広樹. 意識障害. In: 武田克彦, 高津成美, 編. Q&Aで考える神経内科診療. 東京: 中外医学社; 2011. p.40-61.

15) 武田克彦. 注意障害. In: 武田克彦. ベッドサイドの神経心理学. 改訂2版. 東京: 中外医学社; 2009. p.161-79.

［武田克彦］

Chapter 2

記　憶

A　記憶障害

　記憶は，外界から情報を得たとき，経験として脳に蓄積しておき，あとで思考する，あるいは行動するのに，それを利用するという脳の働きである[1]．記憶はまた，自分のなかの過去から現在，現在から未来への一貫した流れをつないで，自分らしさを形成する礎となっている．

　記憶障害は，脳に何らかの損傷を生じたあとに，よくみられる症状である．何をしたのかを忘れると，次に何をするかもわからなくなるので，日常生活はさまざまに制限される．また，記憶障害の有無は，リハビリテーションなどで新しい手段を獲得できるかどうかにも関わる．記憶障害の評価は，臨床のいろいろな場面で重要である．

　ここでは，記憶が，脳に蓄積され利用されるまでにどんな段階を経るのか，記憶は，脳のなかでどんなシステムで成り立っているのか，記憶障害の症状はどのようなものか，記憶障害と関連する脳の領域はどこか，記憶障害の原因となる疾患は何かについて説明し，最後に，記憶障害の評価の実際について述べる．

1. 記憶の段階

　記憶には，情報を脳内に記銘し，貯蔵し，検索する3つの段階がある[2] 図1 ．

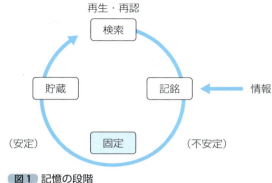

図1 記憶の段階

　記銘は，情報を入力する．貯蔵は，記銘された情報を保持する．検索は，貯蔵から情報を引き出す．検索には，再生と再認がある．再生は，自力で思い出すことであり，再認は，手がかりで思い出すことである．例えば，「フランスの首都は」の問いに，「パリ」と答えるのが再生，「フランスの首都は，ロンドン，パリ，ローマのうちのどれか」に答えるのが再認で，再認のほうが容易である．情報が検索されるたび，新しい情報と連合され，再構成される．固定は，記銘から貯蔵するまでの過程であり，記銘後，時間をかけて段階的になされる．固定の初めのほうは不安定で，記憶は変化を受けやすく，終わりのほうは安定する[3]．学習は，記銘のうち，情報を繰り返して習得する過程であり，学習された情報は固定される[4]．

2. 記憶のシステム

　記憶は，記銘から検索までの時間経過や，内容で区別される，いくつかシステムで成り立っていると考えられている．

　心理学において，時間経過で区別されるシステムは，短期記憶（short-term memory: STM）と長期記憶（long-term memory: LTM）である．

　短期記憶は，この瞬間に意識上にある情報であり，リハーサルをしない限り，30秒以内に脳内から消えてしまう．容量に制限があり，注意の単純な容量（span）と同等とみなされ，一度に 7±2 単位の情報しか取り扱えない[5]．

Chapter 2　記憶

　長期記憶は，いったん意識上からは遠ざかり，段階を経て脳内に永続的に蓄積された情報であり，容量に制限はない．

　ワーキングメモリーは，別々のシステムである短期記憶と長期記憶との橋渡し役として，提案された概念である[4]．ワーキングメモリーは，一時的な貯蔵に，処理機能を追加したシステムである[5]．システム全体を制御する中央実行系と，3つの下位システム，聴覚情報は音韻ループに（例：人の名前），視覚情報は視空間スケッチパッドに（例：顔）一時的に維持し，出来事バッファで個々の情報を関連づけ（名前と顔を連合し，誰かを同定），長期記憶（出来事）との相互作用を行う，が想定されている[4]．　図2　に，短期記憶，ワーキングメモリー，長期記憶の概略を示す．

　臨床神経心理学おいては，時間経過により，即時記憶（immediately memory：短期記憶とほぼ同じ），近時記憶（recent memory），遠隔記憶（remote memory）に区分する．貯蔵期間が，数分から数日程度の最近のことを近時記憶，数日以上から数十年昔のことを遠隔記憶とするが，その境界は曖昧である[6]．近時記憶は，固定の初期の段階に相当し，不安定で壊れやすく，遠隔記憶は，固定の後期の段階にあり，安定的で壊れにくいと考えられ，近時記憶と遠隔記憶は長期記憶に相当するが，臨床的に別々に障害されうる[7]．　図3　に，即時記憶，近時記憶，遠隔記憶の概略を示す．

　長期記憶は，記憶される情報の内容によって陳述記憶（顕在記憶）と非陳述記憶（潜在記憶）に分けられる[3]．陳述記憶（declarative memory）とは，貯蔵された情報が意識に再生されたもので，言葉やイメージで伝達できるものである[2]．非陳述記憶（non-declarative memory）は，情報が行動に再生されたもので，行為，反応の変容として現れ，反復により習熟する技能である手続き記憶（例：自転車の乗り方など）が含まれる[7]．

　陳述記憶は，さらに出来事記憶（episodic memory）と意味記憶（semantic memory）とに分かれる[8]．出来事記憶は，私的に経験された出来事に関する記憶であり，時間，場所，情動の標識がついている（例：昨日，渋谷のフランス料理店で母にご馳走したら喜んだ）．出来事記憶の検索はグラデーションがあり，その出来事の文脈（いつ，どこで，誰が，何を，など）まで思い出し，経験を確かにしたという感覚を伴うことを回想（recollection），その出

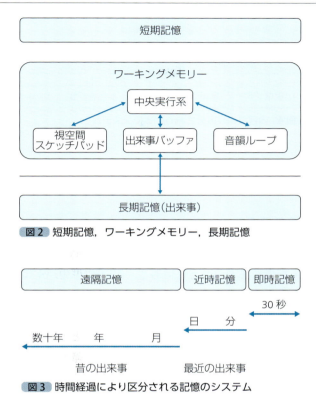

図2 短期記憶，ワーキングメモリー，長期記憶

図3 時間経過により区分される記憶のシステム

来事の文脈までは思い出せないが，経験はしたはずという感覚を伴うことを親近性（familiarity）といい，神経基盤が異なることが示唆されている[9]．生まれてから今までの自分史に特に注目した場合には，個人的な経験に関する記憶を自伝的記憶（autobiographical memory）とよぶ．自伝的記憶は，自伝的出来事記憶（例：22歳で就職した）と，個人的意味記憶（例：就職した会社名やその住所）に分ける[10]．意味記憶は出来事記憶を通じて獲得されると考えられるが，時間の経過により標識が忘却され，語彙，概念，事実などの一般的な知識になったものである（例：母とは，女の親のことである）．図4 に内容により区分される記憶システムを示す．また，記憶情報の様式により，言語性記憶と非言語性記憶または視覚性記憶に区分する．

展望記憶は，行動の計画の記憶であり，適切な時にすべき予定を思い出すこ

Chapter 2 記憶

図4 内容により区分される記憶のシステム

とである[2]．

3. 記憶障害の臨床

　記憶が障害されると，どのような症状を呈するのであろうか．ここで，神経心理学史上最も有名な患者のひとりである，記憶障害の症例 H. M.[11] を提示する．

　1953 年，H. M. は，27 歳の時に，難治性てんかんの治療のため両側の側頭葉内側部を切除された．術後，担当の病院スタッフに，いつも初めてのように接し，病室やトイレの場所も何度聞いても迷い，食事をしたことも，薬を飲んだことも覚えていなかった．ほんの数分前の出来事も忘れてしまうため，日常生活全般に介助を要するようになった．自分が誰であるかはわかっていたが，27 歳以降の自分史は更新されないままであった．陳述記憶のうち，出来事記憶の障害が重度であった．彼はまた，術前 11 年間の出来事も思い出せなかったが，11 年以上前の出来事は，覚えていることがあった．意味記憶は，術前のことは覚えていた．術後でも，ケネディ大統領の暗殺など，わずかながら獲得できた．さらに，数字順唱は 7 桁まで可能で，即時記憶は保たれていた．鏡映描写という手続き記憶の課題は習得可能で，非陳述記憶も保たれていた．また，記憶以外の認知機能はほぼ保たれていた．本症例により，側頭葉内側部の損傷が，記憶障害の原因となること，多種の記憶システムが存在し，それぞれのシステムは，異なる脳の領域で調整されることがわかった[12]．

　H. M. が示した記憶障害は，時間経過のシステムでは，近時記憶の障害が重度で，遠隔記憶も障害されていたが，より昔のことは保持され，即時記憶は正

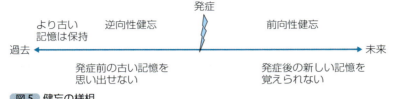

図5 健忘の様相

常だった．内容のシステムでは，陳述記憶，特に出来事記憶の障害が重度であった．意味記憶は病前獲得したことは保持され，病後もわずかながら獲得した．非陳述記憶は正常だった．

陳述記憶の障害は健忘（amnesia）とよばれ，新しい情報を覚えられず，昔の経験を思い出せない症候である．脳損傷を発症した時点を起点として，発症後に生じた出来事を新しく覚えられないのが前向性健忘（anterograde amnesia）で，発症前に記憶したはずの出来事を思い出せないのが逆向性健忘（retrograde amnesia）である 図5 ．一般的に発症時点に近い出来事を想起しづらく，より遠い出来事は想起しやすい．これを時間的勾配とよぶ．通常，前向性健忘と逆向性健忘を併せもつが，前向性健忘のみ，逆向性健忘のみの場合もある．

記憶障害に関連する症状として，時間や場所の流れの中で，自分の位置を見失う見当識障害（disorientation；日付や場所を言えない），明らかに事実とは異なるのに，患者はそれを真実であると確信している作話（confabulation），過去の出来事が，誤った文脈のなかで再生される記憶錯誤（paramnesia）などがある[2]．

H. M. 登場後，限局性の脳損傷による健忘の症例が蓄積され，記憶に関わる脳の領域が示されている．

4. 記憶システムと関連する脳の領域

a）陳述記憶

陳述記憶に関わる脳の領域は，側頭葉内側部，間脳，脳梁膨大後部皮質，前脳基底部，前頭前野である．

Chapter 2 記憶

側頭葉内側部は，海馬，扁桃体，海馬周辺領域（嗅内皮質，嗅周皮質，海馬傍皮質）で構成される．海馬はさらに，固有海馬（CA1〜3），歯状回，海馬台（海馬支脚）で構成される．側頭葉内側部は，陳述記憶に関わる領域のほか，一次感覚野を含む各大脳皮質と双方向性に連絡がある[13]．

間脳は視床下部，視床であり，記憶に関連するのは，視床下部の乳頭体，視床の前核と背内側核である[2]．視床前核は帯状皮質と連絡し，学習や記憶に，背内側核は前頭前野と連絡し，記憶のほか，意識や意欲，注意，遂行機能に関与する．

脳梁膨大後部皮質は，ブロードマン26，29，30野に相当する．側頭葉内側部，視床前核のほか，頭頂葉と連絡があり，記憶と空間認知およびナビゲーションへの関与が示唆されている[14]．

前脳基底部は，前頭葉の後方から大脳基底核の前方に位置する小領域で，注意，記憶などに役割をもつ，アセチルコリン作動性神経細胞が多数存在し，側頭葉内側部との連絡がある[13]．

陳述記憶を担うパーペッツ回路は，海馬/海馬周辺領域−脳弓−乳頭体−乳頭体視床束−視床前核−帯状皮質/脳梁膨大後部皮質−帯状束−海馬/海馬周辺領域の一方向性の閉鎖回路として提案されたが，一部を除いて実際は双方向性であり，さらに前脳基底部，前頭前野とも連絡し，回路を越えてより複雑なネットワークを形成している[15]．海馬と視床前核が相互作用し，脳梁膨大後部皮質など皮質領域へ収束し，出来事記憶の文脈の生成，その後の再構成，柔軟な利用を制御している可能性がある **図6**．この回路において，帯状束以外は単独病巣で健忘を生じる．出来事記憶において，再認よりも再生が障害され，特に回想が困難となる[15]．

視覚や言語領域では，対象が何であるかを処理する何（what）経路と，それがどこにあるかを処理するどこ（where）経路の二重経路が知られているが，記憶領域でも同様の二重経路が提案されている[16]．何であるかを記憶するには，側頭葉から嗅周皮質，外側嗅内皮質を経て，どこにあるかを記憶するには，頭頂葉から海馬傍皮質，内側嗅内皮質を経て，どちらも海馬へ情報が入力される．海馬は，これらを連合し，何がどこで起こったかという出来事記憶を形成すると考えられる[16]．

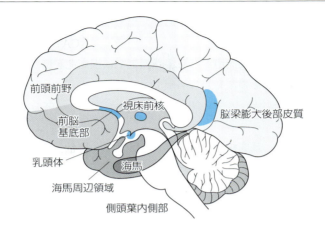

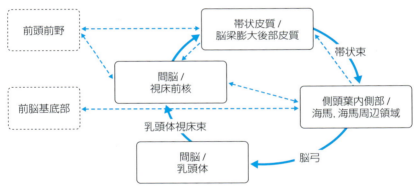

図6 陳述記憶に関連する脳の領域: パーペッツ回路と関連領域
実線: パーペッツ回路
破線: 関連領域, 実際にある結合

　陳述記憶の最終的な貯蔵場所は, 側頭葉内側部ではなく, 出来事記憶は, その元の情報が入力された各大脳皮質に分散し, 意味記憶は側頭葉外側, 側頭極であることが示唆されている[17].
　扁桃体は, 固定の過程で, 情動の要素を加える[17].
　前頭前野は, 海馬/海馬周辺領域と連携しながらも, 前述の領域とは異なった役割を果たし, 記銘と検索において非対称性を示す. 左前頭前野は出来事, 意味記憶の記銘に従事し, 右前頭前野は, 出来事記憶の検索に従事する[13].

Chapter 2 記憶

前頭葉はまた，展望記憶に重要であり，出来事記憶の一貫性を保持している
と考えられている[5]．

左半球損傷では言語性記憶が，右半球損傷では視覚性記憶が低下する傾向に
はあるが，言語ほどその左右差は明確ではない．

b）非陳述記憶

小脳，中脳黒質，基底核，視床，運動前野，運動野などが関連している[13]．

c）短期記憶/ワーキングメモリー

その情報の感覚種を処理する大脳皮質（例：視覚情報は視覚野近傍，聴覚情
報は聴覚野近傍，空間情報は頭頂葉）と前頭前野が関連している[13]．

5. それぞれの病巣による健忘の特徴

側頭葉内側部，間脳，脳梁膨大後部皮質，前脳基底部の病巣で生じる健忘
は，程度の差はあるが，共通して以下の特徴を示す[5]．

(1) 出来事記憶は，意味記憶よりも重度に障害される．
(2) 重度の近時記憶障害（前向性健忘）があり，遠隔記憶障害（逆向性健
    忘）の程度は病巣による．即時記憶は保たれる．
(3) 非陳述記憶は保持される．
(4) 記憶以外の認知機能は保持される．

a）側頭葉内側部（海馬）健忘

純粋健忘症候群（障害が記憶に限局）を呈する．海馬に限局する場合は，逆
向性健忘は軽い．海馬周辺領域に広がると前向性，逆向性健忘ともにより重症
化する．意味記憶の障害は側頭葉前方，外側への病巣の広がりによる．

b）間脳健忘

重度の前向性健忘，時間的勾配がある逆向性健忘に加え，見当識障害，作
話，病識の欠如を伴うのが特徴だが，これはサイアミン（ビタミン B_1）欠乏

によるコルサコフ症候群の典型症状である．視床前核，背内側核の損傷では，注意や遂行機能障害などを伴うことが多い．

c) 脳梁膨大後部皮質健忘

前向性健忘がみられ，近時記憶の検索に特に障害を示すことがある．右側では地誌的見当識障害がみられることがある[14]．

d) 前脳基底部健忘

前向性健忘に，程度はさまざまだが逆向性健忘があり，見当識障害，作話を認め，間脳健忘と類似する．出来事記憶の検索に，時間的順序の混乱があり，自由再生は障害されるが，手がかりのある再生，あるいは再認が可能である[2]．

e) 前頭前野の病巣による記憶障害

前述の4つの病巣の健忘とは異なり，明らかな前向性健忘を示すことは少ない．展望記憶の障害を認める[5]．展望記憶障害は，何をするかを忘れてしまうのではなく，必要な時に再生できない[2]．また，ワーキングメモリー障害を生じることがある．

6. 記憶障害を生じる主な疾患

a) 脳血管障害

記憶障害を生じる原因として，臨床的には最も多く遭遇する．障害される血管によって，特徴的な症状を示す．脳の前方を栄養する左右の内頸動脈系からは，それぞれ前大脳動脈と中大脳動脈が分岐する．脳の後方を栄養する左右の椎骨動脈は，合流して1本の脳底動脈となり，左右の後大脳動脈が分岐する．

▶ 脳梗塞

脳梗塞は，脳を栄養する血管が詰まって起こる疾患である．側頭葉内側部，間脳，脳梁膨大後部皮質，前脳基底部を支配する動脈領域の脳梗塞では，限局

Chapter 2 記憶

した小さな病巣でも健忘を生じる．内頸動脈系では，前脈絡叢動脈は海馬，海馬周辺領域を，前交通動脈の穿通枝である梁下動脈は前脳基底部，脳弓を，椎骨脳底動脈系では，後交通動脈から分岐する極動脈（視床灰白隆起動脈）は視床前核を，後大脳動脈から分岐する傍正中動脈は視床背内側核を，後脈絡叢動脈は海馬，脳梁膨大後部皮質を栄養する．それぞれの脳血管の起始部が閉塞した大きな病巣では，程度の差はあるが，記憶障害を生じることがある．

▶ 脳出血

脳出血は，脳の血管が破れて起こる疾患である．被殻，視床，橋，皮質下出血の順に頻度が高い．視床出血，側頭葉皮質下出血では，健忘を認める．被殻出血でも，記憶障害を呈することが稀ではないが，記憶関連領域（視床，側頭葉）への出血の波及による．

▶ くも膜下出血

脳の動脈に瘤ができ，それが破裂して起こる疾患である．前交通動脈瘤の破裂では前脳基底部健忘を認めるが，出血の波及に加え，動脈瘤手術時の，梁下動脈の虚血の影響も示唆されている [18]．

b) 外傷性脳損傷

交通事故や転倒など，大きな衝撃が頭部にかかって起こる．病変の分布で，局在性損傷（脳挫傷，硬膜外血腫，硬膜下血腫，脳内出血）とびまん性損傷（軽症脳震盪，古典的脳震盪，びまん性軸索損傷）に分類される [19]．脳挫傷の好発部位は，前頭葉底部と側頭葉前方である．

外傷後健忘は，受傷後，意識障害がある時期から，健忘のある期間を経て，覚醒した状態になるまでの時期をいうが [2]，24時間以内では軽症，以上では重症とする．時間依存性逆向性健忘が共通してみられ，経過とともに健忘期間は短縮していくことが多い [5]．

c) 脳腫瘍

記憶に関わる領域に腫瘍を生じると，健忘が出現する．術前後での評価を依

頼されることがある.

d) 炎症性疾患 [20]

▶ 単純ヘルペス脳炎

単純ヘルペスウイルスの感染あるいは再燃により,発熱,頭痛,けいれん,意識障害,精神症状で発症する.非対称性に,側頭葉や前頭葉に病巣が広がる.重度の前向性健忘と,時間的勾配のない逆向性健忘,意味記憶の障害は共通してみられる.

▶ 傍腫瘍性辺縁系脳炎

悪性腫瘍(多くは肺小細胞癌)に伴い,急〜亜急性に,記憶障害,意識障害,精神症状が進行する.腫瘍の検出よりも,神経症状が先行することも多い.

▶ 新型コロナウイルス関連神経疾患 [21]

新型コロナウイルス感染により,多彩な神経疾患を生じ,脳炎,脳症,脳血管障害などは重症例で認める.軽症,中等症でも,新型コロナウイルス罹患後症状(Long COVID)として,記憶障害を呈することがある.新型コロナウイルスに脆弱である嗅神経から,嗅内皮質へ影響が及ぶことが示唆されている.

e) 代謝性脳症 [20]

▶ ウェルニッケ–コルサコフ症候群

ウェルニッケ脳症は,サイアミン欠乏による意識障害,眼球運動障害,運動失調を3徴とする疾患である.後遺症として記憶障害があるものがコルサコフ症候群である(前述).

▶ 低酸素性脳症

心・呼吸停止,縊首などにより,脳への酸素供給が遮断され,低酸素に脆弱

Chapter 2 記憶

な固有海馬，特に CA1 が両側性に障害される．前向性健忘が主体で，周囲への病巣の広がりにより逆向性健忘の程度はさまざまである．

f) 神経認知障害群 [22]

▶ 軽度認知障害

認知機能低下の自覚があり，検査結果は正常ではないが，神経認知障害水準ではなく，日常生活に影響はない．記憶障害が主体の健忘軽度認知障害と，記憶以外の認知機能低下が主体の非健忘軽度認知障害に大別される．

▶ アルツハイマー病

記憶障害が典型的であるが，さまざまな認知機能が緩徐進行性に失われていく．病巣が海馬を含む側頭葉内側部から始まり，側頭・頭頂葉から前頭葉連合皮質に広がっていくため，健忘で発症し，その後関連する認知機能が喪失する．

▶ レビー小体型認知症

進行性の認知障害を呈し，記憶障害は経過中に出現する．繰り返す幻視，レム睡眠行動障害，変動する意識状態と，認知症と同時あるいは発症以降に出現するパーキンソン症状を特徴とする．症状が多彩で診断は容易ではないこともある．

g) 発作性疾患

▶ 一過性全健忘 [20]

突然重度の健忘を生じる症候群である．24 時間以内に消失するが，発作中の健忘は残存する．ストレス，医療手技，強い情動，激しい運動のあとに生じることがある．片頭痛，てんかんが発症に関与することがある．

▶ てんかん性健忘 [23)]

側頭葉てんかんでは，発作間欠期に加速的長期健忘，すなわち新たに獲得した記憶が，30分程度は保持できるが，数日から数週間では喪失してしまうことがある．逆向性健忘の期間はまちまちである．

▶ 機能性健忘（心因性健忘）[17)]

器質病変のない健忘である．ストレスホルモンが増加し，その受容体が多数存在する海馬，扁桃体が影響を受け発症すると考えられている．

h) 高齢者

日常生活動作が自立していた高齢者でも，肺炎，がん，骨折など脳以外の疾患で入院加療後，入院前と比較して，明らかに記憶機能が低下し，評価を依頼されることがある．せん妄（脳疾患のほか，重篤な身体疾患，中毒を背景として，注意障害と意識障害が急性に発症し変動する病態）[22)] や，通過症候群（正常から意識障害へ移行，逆に意識障害から正常に移行するまでの中間段階に，発動性低下，情動の変化，健忘，幻覚・妄想などを生じる病態）[24)] の可能性があり，どちらも可逆性の病態であり，1回の評価だけでなく，経時的に変化を追う必要がある．また，加齢により潜在的に認知機能が低下しており，神経認知症候群が入院を契機に顕在化することもあり，このときは非可逆性である．

7. 記憶障害の評価の実際

記憶障害の評価は，
(1) 臨床的にもの忘れなどが見られ，実際に記憶障害があるかを知りたい場合
(2) 脳梗塞や神経認知症候群など，記憶障害を呈する疾患がすでにわかっていて，その内容や重症度が知りたい場合
(3) 疾患にかかわらず，記憶に関連する脳の領域に病巣があるとき，記憶障害があるかを知りたい場合

Chapter 2　記憶

などに実施される.

　もの忘れが,　実際に記憶障害であるとは限らない.　聴力や視力が落ちていれ
ば,　記銘の段階の前で負の影響を与えている可能性がある.　また注意が向かな
い,　あるいは言語の問題,　視覚認知の問題があっても,　情報が記銘の段階に至
らない.　意欲が低下していれば,　適切な反応がなされない.　このような理由
で,　記憶の評価の前に,　聴力,　視力,　注意と言語機能,　意欲などが検査に支障
がない程度かどうかを,　まず確認しておく必要がある.

　記憶評価には,　氏名と年齢,　時間と場所の見当識,　即時記憶/ワーキングメ
モリー（聴覚性,　視覚性）,　学習能力,　近時記憶（言語性,　非言語性）,　遠隔記
憶が含まれる[5].

　記憶の検査は課題として,　言語性記憶では,　単語対,　単語リスト,　物語,　非
言語性記憶では,　図形,　色,　写真などを1回,　あるいは複数回提示する.　そ
して,　干渉をおかない即時再生をさせるか,　干渉をおく遅延再生や再認をさせ
る.　再生には手がかりのある手がかり再生と,　ない自由再生がある.　干渉と
は,　実際検査している課題とは無関係なものを挟み,　リハーサルを防ぐことで
ある.

　即時再生は,　課題を提示したあと,　干渉をおかずにすぐに再生させる.　記銘
あるいは,　即時記憶/ワーキングメモリーを評価する.　記銘が障害されると,
即時再生は不良だが,　遅延再生が可能であることがある[25].　厳密には,　順唱,
あるいはタッピングスパンの同順は即時再生であり,　即時記憶の評価となる
が,　逆唱,　あるいはタッピングスパンの逆順は一時的に保持しながら逆からい
う処理を追加するため,　ワーキングメモリーを評価している.

　課題を複数回提示する場合は,　学習を評価する.　繰り返すことで正答数が増
加すれば,　学習効果があると判定される.　即時記憶/ワーキングメモリーの容
量（7±2単語）を上回る単語リスト学習では（例えばReyの聴覚性単語学習
検査では15単語）,　最初の数語と,　最後の数語の単語の再生率は高くなる.
最後の数語は,　ワーキングメモリーシステム内にあり,　意識上にあるため検索
が容易であり,　親近効果とよばれる.　最初の数語は,　何もまだ入っていない
ワーキングメモリーシステム内で何度かリハーサルを受けるため,　長期記憶へ
転送され,　検索が容易となり,　初頭効果とよばれる[4].

62

表1 記憶評価のチェックリスト

記憶障害が実際にあるか	● 視力，聴力の影響はないか ● 注意，言語，意欲の問題ではないか
障害の程度はどのくらいか （次章参照）	日本版 RBMT リバーミード行動記憶検査 WMS-R ウェクスラー記憶検査
日常生活への影響はどうか	● 生活での行動観察と検査とのギャップはないか ● 結果から予測される日常生活障害とその対応
どの段階が障害されて いるか	● 記銘障害：即時再生が不良で，遅延再生が可能 ● 学習障害：施行を繰り返しても，覚えられない ● 貯蔵障害：遅延再生が不可で，再認も不可 ● 検索障害：遅延再生が不可で，再認が可能
どのシステムが障害されて いるか	● 即時記憶（聴覚性，視覚性）：順唱，タッピングスパン （同順） ● ワーキングメモリー（聴覚性，視覚性）：逆唱，タッピングスパン（逆順） ● 近時記憶（言語性，非言語性）：遅延再生をみる検査 ● 遠隔記憶：インタビュー，照会必要
障害の病因は何か	疾患，病巣と対応しているか 心因性の要素はないか
経過観察の必要性があるか	● 診断がつかない，進行が予想されるものは経過観察の時期 を示す ● 評価には，平行形式のある検査を用いる

　遅延再生は，貯蔵と検索，近時記憶を評価する．遅延期間に干渉が必要であり，リハーサルによる維持ではなく，貯蔵からの再生であることを示す．自由再生ができなかった場合，再認が可能であれば，検索の障害であり，不可能であれば貯蔵の障害である可能性が高い．ただし，実際に貯蔵障害か，検索障害かを明確に区別することは難しい．干渉をおいた自由再生課題が，近時記憶障害（前向性健忘）の検出に感受性が高い．臨床的に用いられている記憶検査は，そのほとんどは近時記憶を対象としている．

　遠隔記憶は，入院前の出来事（去年の夏休みに家族でハワイに行った）を検索できるかは，インタビューで確認する．どのくらい遡って（逆向期間）昔の出来事を思い出せるかは，本人の詳細を知る協力者への照会が必要である．

Chapter 2　記憶

　表1 に記憶評価のチェックリストを示す[25]．患者の訴えと症状，関係者からの聞き取り，記憶を含む神経心理学的検査の結果から総合的に行う．検者は，依頼者のニーズに基づき，患者の負担を考慮した適切な検査を選択し，何ができないのかと同様，何ができるのかにも焦点をあてる．検査レポートには，行動観察，検査結果から導かれる所見を，簡潔に，具体的にまとめる．大切なのは，その報告がその後の患者に役立つことである．

■文 献

1）理化学研究所脳科学総合研究センター，編．脳科学の教科書 神経編．東京：岩波書店；2011. p.171-222.

2）山鳥　重．記憶の神経心理学．東京：医学書院；2002.

3）ラリー・R・スクワイア，エリック・R・カンデル．小西史郎，桐野　豊，監修．記憶のしくみ（上，下）．東京：講談社；2013.（Squire LR, Kandel ER. Memory: from mind to molecules. 2nd ed. Colorado: Roberts and Company Publishers; 2008）

4）スーザン・ノーレン・ホークセマ，バーバラ・L・フレデリックセン，ジェフ・R・ロフタス，他編．内田一成，監訳．ヒルガードの心理学．第16版．東京：金剛出版；2015. p.368-435.（Nolen-Hoeksema S, Fredrickson BL, Atkinson RC, et al. Atkinson & Hilgard's introduction to psychology. 16th ed. London: Cengage Learning EMEA; 2014）

5）Lezak MD, Howieson DB, Bigler ED, et al. Neuropsychological assessment. 5th. New York: Oxford University Press; 2012. p.26-32, 466-521.

6）武田克彦．記憶障害．In: ベッドサイドの神経心理学．改訂2版．東京：中外医学社；2009. p.211-27.

7）三村　將．記憶障害．Clin Rehab 別冊 高次脳機能障害のリハビリテーション．Ver.2. 2004; 38-44.

8）Tulving E. Episodic memory: from mind to brain. Ann Rev Psychol. 2002; 53: 1-25.

9）Yonelinas AP, Aly M, Wang WC, et al. Recollection and familiarity: examining controversial assumptions and new directions. Hippocampus.2010; 20:1178-94.

10）Kopelman ME, Wilson BA, Baddeley AD. The autobiographical memory interview: a new assessment of autobiographical and personal semantic memory in amnesic patients. J Clin Exp Neuropsychol. 1989; 11: 724-44.

11）スザンヌ・コーキン．鍛原多惠子，訳．ぼくは物覚えが悪い．東京：早川書房；

2015.（Corkin S. Permanent present tense: the man with no memory, and what he taught the world. New York: Penguin Books; 2013）

12）海野聡子．忘れがたい健忘の症例 H. M. とその後．高次脳機能研究．2017；37：260-6.

13）Learning and Memory. In: Kolb B, Whishaw IQ. Fundamentals of human neuropsychology 7th. New York: Worth publishers; 2015. p.480-514.

14）Stacho M, Manahan-Vaughan D. Mechanistic flexibility of the retrosplenial cortex enables its contribution to spatial cognition. Trends Neurosci. 2022; 45: 284-96.

15）Aggleton JP, Nelson AJD, O'Mara SM. Time to retire the serial Papez circuit: Implications for space, memory, and attention. Neurosci Biobehav Rev. 2002; 140: 104813.

16）Huang CC, Rolls ET, Hsu CCH, et al. Extensive cortical connectivity of the human hippocampal memory system: beyond the "What" and "Where" dual stream model. Cerebral Cortex. 2021; 31: 4652-69.

17）Markowitsch HJ. The neuroanatomy of memory. In: Halligan PW, Wade DT, ed. Effectiveness of rehabilitation for cognitive deficits. New York: Oxford University Press; 2005. p.105-14.

18）Mugikura S, Kikuchi H, Fujii T, et al. MR imaging of subcallosal artery infarct causing amnesia after surgery for anterior communicating artery aneurysm. AJNR Am J Neuroradiol. 2014; 35: 2293-301.

19）Gennarelli TA. Cerebral concussion and diffuse injuries. In: Cooper PR, ed. Head Injury. 3rd. Baltimore: Williams & Wilsins; 1993. 140-1.

20）Kopelman MD. Disorders of memory. Brain. 2002; 125: 2152-90.

21）Douaud G, Lee S, Fidel Alfaro-Almagro F, et al. SARS-CoV-2 is associated with changes in brain structure in UK Biobank. Nature. 2022; 604: 697-707.

22）American Psychiatric Association. Diagnostic and statistical manual of mental disorders. Fifth edition, text revision (DSM-5-TR). Washington DC: American Psychiatric Association Publishing; 2022.（日本精神神経学会，監修．DSM-5-TR 精神疾患の診断・統計マニュアル．東京：医学書院；2023.）

23）田渕　肇．てんかん性健忘．高次脳機能研究．2016；36：183-90.

24）古茶大樹．高齢者の幻覚・妄想．日老医誌．2012；49：555-60.

25）Bradley VA, Kapur N, Evans J. The assessment of memory for memory rehabilitation. In: Halligan PW, Wade DT, ed. Effectiveness of rehabilitation for cognitive deficits. New York: Oxford University Press; 2005. p.115-34.

［海野聡子］

Chapter 2　記憶

B　検査の実際

1. WMS-R（Wechsler Memory Scale-Revised: ウェクスラー記憶検査改訂版）

　ウェクスラー記憶検査改訂版（以下 WMS-R）は，前向性健忘について短期記憶と長期記憶，言語性記憶と非言語性記憶，即時記憶と遅延記憶など記憶の側面を総合的に測定する評価法である．1987 年に WMS の改訂版として出版された．日本版は 2001 年に標準化版が出版された．検査時間はおよそ 45 分〜1 時間である[1]．言語性記憶，視覚性記憶，一般的記憶，注意/集中力，遅延再生について指標が得られる．指標の平均値は 100 であり，標準偏差は 15 である．16 歳から 74 歳を対象とし，年齢群別の指標にもとづいて判定する．

　検査課題は「情報と見当識」，言語性と視覚性の記憶に関する下位検査「精神統制」「図形の記憶」「論理的記憶 I」「視覚性対連合 I」「言語性対連合 I」「視覚性再生」「数唱」「視覚性記憶範囲」，および 4 つの遅延再生検査「論理的記憶 II」「視覚性対連合 II」「言語性対連合 II」「視覚性再生 II」で構成される．

　「情報と見当識」は本人に関すること，見当識，および長期記憶から引き出された一般的知識の質問からなり，記憶障害のスクリーニングも目的としている．他の下位検査とは独立に採点される．

　この下位検査得点から「一般的記憶」と「注意・集中力」の合成得点が得られる．

　一般的記憶の「言語性記憶」課題には言語性対連合と論理的記憶の 2 課題が含まれる．言語性対連合課題は，被検者に 8 組の単語を対提示後，一方の単語を提示して，他方を答えさせる（手がかり再生法）．その対は「金属—鉄」のように意味的に関連がある 4 つの対語と「粉砕—夕暮れ」のように無関連な 4 つの対語からなる．完全に反復できるまで，最高第 6 提示まで行う．第 3 提示までを採点する．論理的記憶課題では 2 つの短い物語を被検者が聞き，それぞれの物語の後で，再生する．

66　　JCOPY　498-22913

一方，視覚性課題には図形の記憶，視覚性対連合，視覚性再生の3課題が含まれる．図形の記憶課題は被検者に抽象的な模様を提示し，記憶するよう求める．最初の設問では1個の模様を5秒間提示し，3個の選択肢から，第2問以降は3個の選択肢を15秒提示し，9個の選択肢から，それぞれ見た模様を選択する．遅延再生はない．視覚性対連合課題では被検者に6つの抽象的な線画と色を組み合わせて覚えるよう求める．1枚につき3秒ずつ提示し，6枚をすべて提示した後で，線画を見せて，色を選択させる．6つの対をすべて正しく答えるまで最高6回実施する．第3施行までを採点する．視覚性再生課題では簡単な幾何学図形を10秒間提示し，見本を取り去った後に記憶を頼りに描画する．

これらの言語性，視覚性の4課題は，30分後に遅延再生課題を実施する．

短期記憶検査の注意・集中力の下位検査には精神統制，数唱，視覚性記憶範囲課題が含まれる．精神統制は，20から1までの逆唱，「あ」から「ほ」までの五十音，1から数字を2つおきに言う課題で，たいていの健常者は難なく実施できる．数唱は一連の数字を検査者と同じ順序，あるいは逆の順序で復唱する．視覚性記憶範囲は数唱課題を視空間性課題に置き換えた系列課題である．WMS-Rは記憶機能に影響する注意・集中力を併せて測定できることから広く使用される．一方，言語性の再認課題は含まれないことから，記憶障害の包括的評価に限界がある．日本版の標準化はされていないが，これらの問題を改善したWMS-IVが2009年に出版されている．

WMS-III（1997）に続いて開発されたWMS-IVでは適用年齢が90歳まで引き上げられた[2]．実施する評価は16歳から69歳のAdult Batteryと65歳から90歳のOlder Adult Batteryに分けられる．WMS-Rの下位検査について情報と見当識，精神統制，図形の記憶，視覚性対連合，数唱，視覚性記憶範囲が削除された．新たに3つの下位検査が追加された．空間加算（Spacial Addition）では4×4の格子上の円の色と位置を覚え，再生する．符号スパン（Symbol Span）では一列に配置されたシンボルとその位置を覚えて再生する．デザイン記憶（Design Memory）では4×4の格子の中に無意味なデザインが描かれており，被検者はそのデザインのカードを選んで正しい位置に置く．被検者はそのデザインのカードを選んで正しい位置に置く．

Chapter 2 記憶

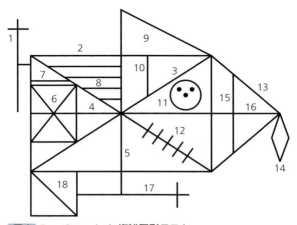

図1 Rey-Osterrieth 複雑図形テスト
(Meyers JE, et al. Clin Neuropsychol. 1995; 9: 63-7[3] より)

符号スパンと デザイン記憶は Adult Battery のみで実施する．指標の言語性記憶は聴覚性記憶に変更された．判定には聴覚性記憶，視覚性記憶，視覚性ワーキングメモリー，即時再生，遅延再生の 5 つの指標を用いる．

2. ROCFT（Rey-Osterrieth Complex Figure Test: Rey-Osterrieth 複雑図形テスト）

スイスの Rey A によって考案され，さまざまな研究者によって発展されてきた視覚性記憶の評価法である[3]．まず，被検者に 18 のコンポーネントからなる幾何学図形 図1 を提示し，模写させる．模写の終了後，見本を取り去り，記憶をたよりにその図形を再現させる．標準的手順では，非意図的な偶発的学習検査であることが特徴である．すなわち，模写をする際，記憶検査であることを知らせない．

1941 年に発表した検査では模写と 3 分後の再生で構成されていた．Strauss ら[4]は，これまでの報告における検査手順を，(1) 模写-30 分後遅延再生，(2) 模写-直後再生-30 分後遅延再生，(3) 模写-3 分後再生，(4) 模写-3 分後再生-30 分後遅延再生の 4 つに分類しているが，英語圏では，(4) の

後に再認課題を追加した PAR（Psychological Assessment Resources）版[5]が標準となっている（なお PAR 版では 3 分後再生を 3 分直後再生とよんでいる）．現在もっとも標準的に実施される施行手順は，模写，3 分後再生，30 分後遅延再生である．再認では 30 分後遅延再生の後に，刺激図版を構成するコンポーネントと類似の図形からなる 24 の選択肢を用いる．

模写課題のパフォーマンスに視覚処理，構成，計画，問題解決方法などの認知過程が反映される．構成が低下した場合は，模写課題から得点が低下するため，遅延再生の得点は意味をなさない．また，模写の手順を観察することにより，再生や記銘の方略を知ることができる．模写の方略がうまく立てられない場合の描き方は断片的（piecemeal approach）となる[6]．

最も一般的な採点法は，Taylor[7]による正確さの採点（36 点法）である．18 の各コンポーネントにつき，形と位置が正しいものに 2 点，いずれかが正しいものに 1 点，形も位置も正確ではないがそれと認識ができるものに 0.5点を与える 表1 ．質的特徴の評価法もあり，分裂，計画，構成，さまざまな特徴の存在と正確さ，配置，サイズのゆがみ，保続，的外れの作図，回転，均整，対称性，即時保持および遅延保持などを採点する．模写は視空間の知覚と組織化を，3 分後再生はコード化された情報量を，遅延再生は貯蔵と再生された情報量を反映する．遅延再生の低下は貯蔵の問題を示唆し，再認が再生よりも高い場合は再生の問題が示唆され，臨床上重要な知見である．3 分後再生と 30 分後遅延再生，再認とも低い場合は注意力の低下の可能性がある．また記憶容量を超えた複雑な構造を有するため，視覚的イメージに障害を有する場合，言語的方略によって補うことはできないことが知られている．標準値はさまざまな報告が散見され，年齢と知的レベルの影響を受けるが，性別および教育レベルの影響については見解が一致していない．本邦の標準値は，山下[9]が，18〜76 歳について報告している 表2 ．

3. AVLT（Rey's auditory verbal learning test：Rey の聴覚性単語学習検査）

Rey A が 1958 年に発表した単語の学習能力を評価する検査法である[8]．短

Chapter 2 記憶

表1 ROCFT の 18 ユニットとその採点基準

ユニット	図中の構造	模写	3分後 再生	30分後 遅延再生
1	大きな長方形の外，左上隅の十字形			
2	大きな長方形			
3	大きな長方形の内部の対角線			
4	大きな長方形の内部の水平線			
5	大きな長方形の内部の垂直線			
6	大きな長方形の内部，左側の小さい長方形			
7	大きな長方形の内部，左側の小さい長方形の上方の短い横線			
8	大きな長方形の内部，左上の4本の水平線			
9	大きな長方形の右上に接した小さい三角形			
10	大きな長方形の内部，右上の小さい三角形の下の垂直線			
11	大きな長方形の内部，3個の点を含む円			
12	大きな長方形の内部の右下，対角線と交差する5本の平行線			
13	大きな長方形の右側に接した三角形			
14	(13) の三角形に接した菱形			
15	(13) の三角形の内部の垂直線			
16	(13) の三角形の内部の水平線 (4と接続している)			
17	大きな長方形の下方，5の垂直線に接続している十字形			
18	大きな長方形の外，左下方に接している正方形			
	計			

採点基準	得点
形態，位置ともに正しく描けている	2点
形態は正しいが，位置が正確でない	1点
形態が歪んでいるか，または不完全であるが，位置は正しい	1点
形態が歪んでおり，位置も不正確である	0.5点
形態の認識が不能あるいは図が欠けている	0点

(Lezak MD, et al. Neuropsychological assessment. 5th ed. New York: Oxford University Press; 2012[8])

表2 各年齢群の模写，3分後再生，30分後遅延再生の成績

	平均（SD）					
	18〜24歳 （N=24）	25〜34歳 （N=24）	35〜44歳 （N=24）	45〜54歳 （N=24）	55〜64歳 （N=24）	65〜74歳 （N=24）
模写得点	35.8（0.5）	35.8（0.4）	35.8（0.5）	35.8（0.5）	35.8（0.5）	35.7（0.8）
3分後再生得点	25.7（5.7）	24.6（5.3）	23.7（5.6）	23.3（5.1）	21.1（4.2）	19.0（3.6）
再生率(%)	71.8（15.9）	68.8（14.9）	66.1（15.3）	65.1（13.9）	59.0（11.7）	53.2（10.1）
30分後再生得点	24.8（5.4）	23.4（5.3）	22.7（6.0）	22.1（5.3）	19.9（4.0）	17.9（3.7）
遅延再生率(%)	96.9（6.9）	95.1（5.5）	95.0（6.9）	94.8（6.0）	95.0（7.7）	94.3（10.0）

（山下　光. 精神医学. 2007; 49: 155-9[9]）より）

期記憶容量を超えた単語を音声提示し，そのつど再生を求める．繰り返しによる学習曲線から学習能力と方略の有無を明らかにする．学習能力低下例では，新近性効果のみが認められる．健常者では新近性効果に加え初頭効果が認められ，新しい単語が追加された場合を除いて，各施行間で一定の想起パターンを示すことが多い．干渉後の再生，遅延再生，再認から，逆向性と順向性の干渉傾向と，記憶課題における混乱や作話傾向を引き出すことができる．わが国では使用する単語リストや施行法が統一されていないが，田中[10]の単語リストを使用した実施法[11]が最も普及している．

　最初に，15個の単語リストAを音声提示し，そのつど再生を求める **表3** ．これを5回繰り返す．第6試行では別の15個の単語リストB（干渉課題）を呈示し，再生後，単語リストAを想起（干渉後再生）させる．

　30分後に遅延再生（リストA）を行う．第6試行のリストAの成績が第5試行より3語以上低下した場合は，再認課題を実施する **表4** ．50個の単語を視覚的または聴覚的に提示し，リストAの単語をできるだけ多く見つけるように求める．50個の単語にはリストAとリストBに含まれるすべての単語と意味的に関連する単語と音韻的に関連する単語が含まれる．これにより，同時に学習された別の情報を識別する能力を明らかにできる．特に前頭葉損傷例の想起の障害の検出に対して臨床的価値が高い．公式な日本版がなく基準データといえるものはないが，大沢ら[12]が物忘れ外来を受診した342名の高齢者

Chapter 2 記憶

表3 AVLT の単語リスト

リスト A	リスト B
雨	机
学校	帽子
太陽	手紙
薬	山
家	窓
時計	本
風	財布
鉛筆	酒
桜	羊
秋	月
魚	車
鏡	雷
顔	子供
船	靴
電話	海

（田中康文. Annu Rev 神経. 1998. p.50-8[10]）
より一部改変）

表4 AVLT の単語再認リスト

船	夏	本	靴	窓
川	机	家	雲	椅子
学校	桜	先生	風	車
嵐	台風	太陽	耳	冬
月	足	羊	魚	財布
薬	靴	帽子	電車	親
壁	山	医者	手紙	病気
顔	雨	海	鏡	電話
遠足	体操	時計	砂糖	杖
子供	鉛筆	牛	秋	酒

（田中康文. Annu Rev 神経. 1998. p.50-8[10]）
より一部改変）

（平均年齢 74.1±4.8 歳）の，疾患ごとのデータ（健常，軽度認知障害，アルツハイマー病，血管性認知症，レビー小体病，前頭側頭型認知症）を報告している．

4. BVRT（Benton visual retention test：ベントン視覚記銘検査）

　Benton が 1945 年に発表した視覚性記憶の検査法である[13]．視覚認知・視覚記銘および視覚構成能力を評価する．日本語版は 1966 年に出版された．複数の図形が描かれた図版 10 枚を提示し，被検者はそのつど，図版と同じ大きさの白紙に，記憶を頼りに図形を再生する **図2**．10 枚 1 組になっており，施行を重ねるごとに，図形が複雑になる．3 つの図版形式（形式I・II・III）があり，再検査では別の図版形式を使用する．施行方式は提示時間と再生まで

図2 ベントン視覚記銘検査
(本検査の著作権は株式会社三京房に帰属します)

の時間により，4種類ある．施行Aではそれぞれの図版を10秒間提示後に直後再生，施行Bではそれぞれの図版を5秒間提示後に直後再生，施行Cは模写，施行Dでは図版を10秒間提示し，15秒後に再生する．各施行で正確数（正解した試行数：0〜10）と誤謬数（誤りの数）を採点する．誤謬は省略，ゆがみ，保続，回転，置き違い，大きさの誤りの6つに分類され，1枚のカードに対して複数の誤りが生じることがある．誤謬の分析から，視覚認知・視覚記銘および視覚構成機能について情報が得られる．すなわち，即時再生や注意の障害では単純化，半側空間無視では無視側の図形の一貫した省略，視空間と構成の障害では描画の組織化の障害が生じる．成績の解釈は，該当する年齢に応じて施行法Aの正確数と誤謬数の基準を用いる．施行法Bでは施行法Aの基準に1点を加えて判定する．施行法Cでは年齢や知的機能に関連なく，誤謬数の標準データを用いる．施行法Dの正確数は，施行法Aより平均0.4低い．

5. RBMT（The Rivermead Behavioural Memory Test：日本版リバーミード行動記憶検査）

従来の記憶検査の成績は日常生活上の記憶障害を反映するとは限らない．本評価法は日常記憶の障害の特定，重症度の検出，記憶障害に対する治療効果判定を目的に1985年に開発された[14]．対象は成人である．日常生活で要求される記憶能力の評価を目的とした課題で構成される．下位検査には言語性記憶では「姓名」と「物語」の直後再生と遅延再生，視空間性記憶では「未知相貌

Chapter 2　記憶

（顔写真）」と「日用物品（絵）」の再認および「道順」の直後再生と遅延再生，「展望記憶（持ち物，約束，用件）」，「見当識と日付」が含まれる．展望記憶は未来に実行すべき予定や約束の記憶である．ある行為をタイミングよく思い出すという意図の記憶であることから，それをうまく機能させることができて初めて，安定した日常生活や他者とのコミュニケーションを確保できる[15]．また，本評価法では，患者と介護者が生活健忘チェックリストを用いて，日常生活上の記憶障害の問題を評価できることも特徴である．

　採点は標準プロフィール得点とスクリーニング得点があり，normal, poor memory, moderately impaired, severely impaired の 4 段階に分類される．日本版では各得点に年齢群別のカットオフ値がある[16]．2023 年増補版[17]では実施方法・採点方法に関する情報が充実し，RBMT を用いた文献を紹介する冊子「RBMT の臨床活用と研究サポートのための文献ガイド」が新たに付属している．基本となる RBMT に加えて，RBMT-II（一部の課題を修正），RBMT-C（小児版）や課題の難易度や適用年齢を拡大した The Rivermead Behavioral Memory Test-Extended (RBMT-E)[18], The Rivermead Behavioral Memory Test-III (RBMT-III)[19] の 5 つのバージョンがあり，広範な日常記憶が評価できるよう工夫されている．RBMT-III は軽度の日常記憶の障害を検出するために開発され，適用年齢は 89 歳までである．RBMT のいくつかの下位検査を修正し，新奇課題（Novel Task）では新しいスキルの学習という下位検査を含めることによって，より総合的な検査を目指した．この課題では検査者が 6 つの色のさまざまな形のピースを星形の型盤にはめてみせた後に被検者が直後再生（3 試行）と遅延再生を行う．判定について下位検査には基準得点（平均値 10，標準偏差 3），合計得点に対して総合記憶指数（平均値100，標準偏差 15）が用いられる．現在，日本版を作成中である．

6.　SP-A（Standard verbal paired-associate learning test：標準言語性対連合学習検査）

　標準言語性対連合学習検査（SP-A）[20] は言語性記憶を把握するための代表的な検査法の一つで，広く用いられる．その理由として，記憶素材が日常使用

しているわかりやすい言葉で，実施方法が容易であり，検査時間も10分程度と比較的負担が少ないことがあげられる．16〜84歳を対象とする．わが国独自の検査としては従来，三宅式記銘力検査（東大脳研式記銘力検査）があった．しかし，現在入手可能な組み合わせが1セットしかないこと，時代や臨床現場に対応した単語対の選択や単語属性の統制の必要性などから，本評価方法が開発された．

有関係対語試験，無関係対語試験それぞれ10個の単語対からなり，1セットを構成する．3セットが含まれる．検査はまず，有関係対語試験から始め，関係のある単語対を10対読み上げるので，覚えるように教示する．単語対の提示の間隔は2秒程度とする．次に同じ順序で最初の単語を読み，他方の回答を求める．被検者の回答には何も言わない．第3施行まで実施する．有関係対語試験終了後10秒程度の間隔を置いて，無関係対語試験を実施する．この時全く関係のない言葉の対を読み上げるので，覚えるよう教示し，有関係対語試験と同じ方法で再生する．

各試験の3回目の成績について，年齢群別に基準値が設定されている．成績判定は有関係対語試験，無関係対語試験ごとに「低下」「境界」「良好」に分類され，最終的には総合判定により判定される．

■文 献

1) 杉下守弘，訳．日本版ウエクスラー記憶検査法（WMS-R）．東京：日本文化科学社；2001．

2) Psychological Corporation: Wechsler Memory Scale-Fourth Edition, Manual. San Antonio, TX: Pearson; 2009.

3) Meyers JE, Meyers KR. Rey Complex Figure Test under four different administration procedures. Clin Neuropsychol. 1995; 9: 63-7.

4) Strauss E, Sherman EMS, Spreen O. A compendium of neuropsychological tests: administration, norms, and commentary. 3rd ed. New York: Oxford University Press; 2006.

5) Meyers J, Meyers K. Rey Complex Figure and Recognition Trial: professional manual. Odessa, FL: Psychological Assessment Resources; 1995.

6) 大竹浩也，藤井俊勝．記憶障害の評価．In: 田川皓一．神経心理学評価ハンドブック．東京：西村書店；2004. p.133.

Chapter 2　記憶

7) Taylor EM. Psychological appraisal of children with cerebral defects. Cambridge: Harvard University Press; 1959.

8) Lezak MD, Howieson DB, Bigler ED, et al. Neuropsychological assessment. 5th ed. New York: Oxford University Press; 2012.

9) 山下　光. 本邦成人における Rey-Osterrieth 複雑図形の標準データ. 特に年齢の影響について. 精神医学. 2007; 49: 155-9.

10) 田中康文. 記憶の神経心理学的検査法. Annu Rev 神経. 1998; 50-8.

11) 石合純夫. 高次脳機能障害学. 第 2 版. 東京: 医歯薬出版; 2012. p. 204-8.

12) 大沢愛子, 前島伸一郎, 種村　純, 他 "もの忘れ外来" を受診した高齢者の言語性記憶に関する研究. 高次脳機能障害. 2006; 26: 320-6.

13) 高橋剛夫, 訳. ベントン視覚記銘検査使用手引き. 増補 2 版. 京都: 三京房; 1966.

14) Wilson BA, Cockburn JM, Baddeley AD. The Rivermead Behavioural Memory Test. Bury St. Edmunds: Thames Valley Test Company; 1985.

15) 梅田　聡. 展望記憶とその障害. Brain med. 2014; 26: 25-9.

16) 綿森淑子, 原　寛美, 宮森孝史, 他. 日本版 RBMT リバーミード行動性記憶検査. 東京: 千葉テストセンター; 2002.

17) 綿森淑子, 原　寛美, 宮森孝史, 他. 日本版 RBMT リバーミード行動記憶検査. 2023 年増補版. 東京: 千葉テストセンター; 2023.

18) Wilson BA, Clare L, Baddeley AD, et al. The Rivermead Behavioural Memory Test-Extended Version. Bury St. Edmunds: Thames Valley Test Company; 1988.

19) Wilson BA, Greenfield E, Clare L, et al. The Rivermead Behavioural Memory Test-third edition. London: Pearson Assessment; 2008.

20) 日本高次脳機能障害学会: 標準言語性対連合学習検査. 東京: 新興医学出版社; 2014.

［太田信子］

Chapter 3

注意・意欲

A 注意障害

　「注意」は，一般的にもよく使用される言葉で，誰もが知り日々身をもって
その変化を体験している．睡眠不足や飲酒，体調不良などの覚醒度や身体機能
に影響されるのは，日常よく経験する．高次脳機能の障害の中では，特別の脳
損傷がない人でも経験できるものといえよう．

　本稿では，全般性注意（generalized attention）を中心に取り上げる．その
特徴，関わっている脳システムについて述べ，注意障害でみられる症状や，疾
患によってどのような注意障害が知られているかについてまとめる．

1. 注意とは

　覚醒や意識とも関連する，さまざまな認知機能の基盤をなす機能で，物を見
る機能を持つ目，音を聞く機能を持つ耳のように，注意の機能を担う単一器官
があるわけではない 図1 ．選択や抑制などの，行動や思考にバイアスをか
ける働きの総称が注意である．各種神経心理機能は階層性の関係があり，注意
はその土台を担い，これを基盤として記憶，言語，行為といったさまざまな認
知機能が働く．このため，注意の正常な働きなしには，情報を得て取捨選択
し，選択したものを維持・保持し，考え，判断し，行動する，という精神身体
活動を思い通りに行うことはできない．

Chapter 3 注意・意欲

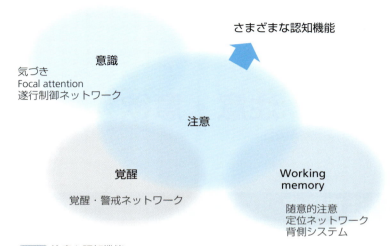

図1 注意と認知機能

　William James は 1890 年に，注意を，「一連の対象物や思考から一つを取り出し明確に心にとどめることで，取り出した一つに対して効率的に対処するために他のものは心にとどめなくさせること」と定義している[1]．目，耳，皮膚などの全身の感覚器を通してもたらされる膨大な外的情報や，記憶・思考によって得る内的情報から，特定の有用・重要な情報を選択し，その選択している状態を維持する働きを持つ．また，選択されなかった情報の処理を抑制し，選択した情報を効率的に優先処理する．注意には処理容量の限界（limited capacity）があるため，情報を認識したり記憶と比較して意味的にカテゴリー化したりという高次の処理を，絶えずもたらされる膨大な外的・内的情報すべてに対して行うことはできない．高次の処理を行う情報を選別し，それを維持する「選択と持続」が注意の本質的な機能である．

　混雑した人ごみの中で友人と会話する場面を考えてみよう．せわしなく行きかう人々が目に入り，にぎやかで，広場では演奏を行う用意が行われている．近くの飲食店からは香ばしいにおいが漂ってくる．このような，さまざまな周囲の環境刺激からの情報を抑制するとともに友人の声や姿などの特定の情報を選択し，処理を優先し，維持・持続するために会話ができるのである．

逆に，夢中で会話している最中でも，突然大音量で演奏が始まったら気づくだろう．本来は必要でなかった情報（＝雑踏）に特定の情報（＝演奏）が出現した際に気づくことができるのも，意識に上らなくとも常に周囲に向けて注意が働いているためである．きたるべき何かに備え，内部および周囲の環境を絶えず監視し，際立つものがあればその位置と特性を定位し，優先的に処理するのも，注意の機能である．

2. 注意の分類

a) 感覚様式による分類

視覚的注意，聴覚的注意など，それぞれの感覚様式に対して注意が存在している．

b) 随意性の観点からの分類

注意には内因性（endogenous），外因性（exogenous）という2つの制御様式があり，それぞれ次の注意とかかわる．

意図的・内発的注意，随意的注意：ポストを探すときに赤いものに注目するような，自分の意思でコントロールできるもので，行動の目標に合致するような対象物に注意を能動的に向ける際に働く．内因性注意制御がかかわり，目標志向的（goal-directed）制御，トップダウン制御ともよばれる．

非意図的・外発的注意，不随意的注意：突然フラッシュが光ったり大きな音が鳴ったりするとついひきつけられるようなコントロールしがたいもので，際立った変化など環境中の刺激によって誘導される．外因性注意制御がかかわり，刺激駆動型（stimulus-driven）制御，ボトムアップ制御ともよばれる．

c) 方向性の観点からの分類

方向性注意（directed attention）：刺激の選択において，その空間的な意図の定位として主にかかわる．半側空間無視は方向性注意の障害である．

全般性注意（generalized attention）：周囲の刺激を受容・選択し，それに対して一貫した行動をするための基盤となる機能．複雑性注意と同義である．

Chapter 3　注意・意欲

3. 全般性注意の分類

　全般性注意の分類は諸家によりさまざまあるが，Sohlberg と Mateer の分類[2] がよく利用される．これは昏睡から脳損傷患者が回復する注意過程をもとにしたもので，5つに分けられている．

a) 焦点的注意 (focused attention)

　意識を明瞭に焦点化する働きで，特定の刺激に対して個別に反応するもの．

b) 選択的注意 (selective attention)

　さまざまな刺激の中である特定の刺激に注意を向けるもの．随意性の観点から，随意的注意（トップダウン様式），不随意的注意（ボトムアップ様式）に分けられる[3]．これが障害されると，必要な事項を選べない，不要な刺激を取り入れてしまうようになる．探しものを見つけるのに時間がかかったり，うるさい中では人としゃべりにくくなったりする．

c) 持続的注意 (sustained attention)

　持続的・反復的な活動をしている間に一貫した行動を維持するもの．これが障害されると，一定時間集中が持続しなかったり，短時間しか集中できなくなったりする．このため，作業量が減ったり，すぐに飽きてやり続けられなくなったりして，作業効率が低下する．

d) 転換的注意 (alternating attention)

　ある認知活動をいったん中断し別な認知活動を行うもの．これが障害されると，注意を向けていたものから他の刺激に注意を切り替えにくくなる．例えば，作業中に話しかけられたときにすぐに返事を返すことが難しくなる．

e) 配分的注意 (divided attention)

　同時に複数の刺激に注意を向ける・注意を配分する・作業を行うもの．これが障害されると，2つ以上の事柄を同時に行えなくなる．話を聞きながらメモ

を取る，運転や料理などが困難になる．

このうち，転換的注意と配分的注意はより高度な注意機能であり，遂行機能とかかわりが深い．さらにこれら要素的な注意を制御する，supervisory attentional system といった高次の注意機能も想定されている[4]．

4. 注意についての心理学的研究——視覚的注意・空間的注意

心理学的研究により，初期には聴覚的注意で，その後視覚的注意，空間的注意でその性質が詳しく調べられてきた．何らかの視覚対象に視点を向ける・向け続ける「注視」を利用し，眼球運動や反応時間を測定・定量化することで，さまざまな特性が判明してきた．その代表的な課題が Posner 課題と視覚探索課題である．

Posner 課題[5] は，スクリーン中央を固視しながら，標的（固視点とは別の場所に出てくる）が呈示されたらすぐに反応する課題である．この場合は単純反応時間が測定できる．標的に先立ち矢印が呈示される場合，矢印の向きと標的が同じ方向にある場合（一致条件），矢印の向きが標的と反対になる場合（不一致条件），両矢印の場合（対照条件，標的が左右に出現するのは半分の確率）といった条件の差で反応時間の違いをみる．このとき，一致条件では対照条件に比べ反応時間が短縮し，不一致条件では対照条件に比べ反応時間が延長する．

視覚探索課題では，多くの妨害刺激の中から１つの目標を探索し，その効率を測定する．探索の仕方には特徴探索，結合探索の２つがある．特徴探索は単一の特徴で目標が定義されるもので，妨害刺激の数に左右されず，視覚的ポップアウトがきいている．結合探索は複数の特徴の組み合わせで目標が定義されており，妨害刺激の数に左右される．つまり，妨害刺激の数に左右されたら結合探索をしていると考えてよい．このような視覚探索現象を説明するものとして，視覚情報は２段階の処理を経るとする特徴統合理論[6] が提唱されている．

このような課題を利用した研究から，ある情報に注意を向けているときには

Chapter 3 注意・意欲

別な情報がほとんど処理されない「非注意による見落とし（inattentional blindness）」や「注意の瞬き（attentional blink）」，ある時間内に同じ位置に何度も注意を向けないようにする「復帰の抑制（inhibition of return）」という性質のあることがわかってきた．注意が向いた点はスポットライトやズームレンズにたとえられ，空間的にバイアスをかけた位置は視空間処理の促進を受け，逆に注意を向けないようにした位置は処理が抑制される[7]．このスポットライトは形状を変えたり，何箇所かに分割することもできたりするようで，working memory の容量と関連するといわれているが，注意の機能を考えると，厳密には注意を複数の箇所に分割することは困難といえる[8]．

5. 注意に関連する脳部位，脳内ネットワーク

a) 視床

注意に関連する脳部位として，まず視床があげられる．視床網様核（the thalamic reticular nucleus: TRN），視床枕（pulvinar），視覚情報については外側膝状体（lateral geniculate body: LGB），聴覚情報については内側膝状体（medial geniculate body: MGB）が注意に関与する神経核である．視床は嗅覚を除く各感覚受容器から得られた情報全般の中継核で，情報を選択して大脳皮質に出力する機能を持っており（視床ゲート機構 thalamic gating），意識しない時にもバックグラウンドで情報選択を行い注意そのものの機能に関与している[9]．

ボトムアップ式の注意では，必要な情報にスポットライトを当てる LGB，大脳皮質や LGB から投射された情報のうち背景の情報を抑制してスポットライトの明るさを際立たせる働きを持つ TRN による情報選別が重要である．前頭葉，側頭葉，頭頂葉からのトップダウン制御を主に受ける部位は視床枕で，トップダウン様式の注意を増強したり，行動を円滑に行ったりという機能を持つ．

視床は大脳皮質と密に線維連絡があるため，大脳病変で視床の血流が低下するなど大脳皮質の機能低下が注意に大きく影響することや，視床病変で失語や半側空間無視が生じることがある．TRN・視床枕の制御機能低下，thalamo-

82

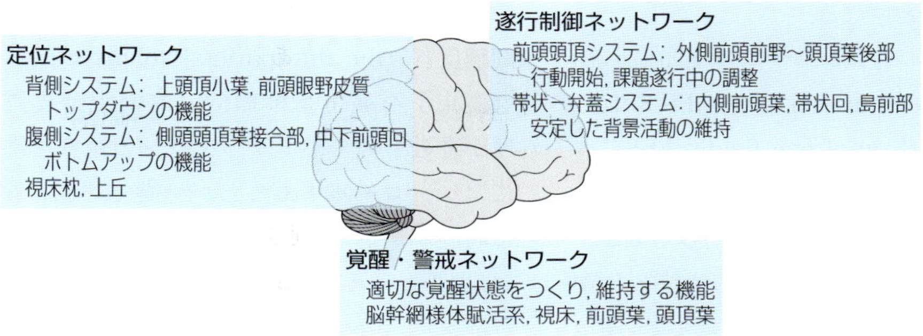

定位ネットワーク
　背側システム：上頭頂小葉，前頭眼野皮質
　　トップダウンの機能
　腹側システム：側頭頭頂葉接合部，中下前頭回
　　ボトムアップの機能
　視床枕，上丘

遂行制御ネットワーク
　前頭頭頂システム：外側前頭前野～頭頂葉後部
　　行動開始，課題遂行中の調整
　帯状－弁蓋システム：内側前頭葉，帯状回，島前部
　　安定した背景活動の維持

覚醒・警戒ネットワーク
　適切な覚醒状態をつくり，維持する機能
　脳幹網様体賦活系，視床，前頭葉，頭頂葉

図2 注意の脳内ネットワーク

cortical diaschisis による帯状回・前頭前野の皮質機能の低下が注意障害に大きく関与している[10]．

b) 注意にかかわる脳内ネットワーク

　Petersen と Posner[11] は，以下の3つのネットワークを提唱している **図2** ．

▶ 覚醒・警戒ネットワーク（alerting network）

　覚醒状態を保ち，刺激に備えて警戒・準備し，それを維持する働きを持つ．解剖学的には覚醒状態を維持する脳幹網様体賦活系や視床，前頭葉，頭頂葉が，神経伝達としては脳幹の青斑核から前頭葉や頭頂葉背側視覚路に投射するノルアドレナリン投射系が強く関連している．左右大脳半球で刺激への備え方が違い，右では全般的な覚醒を上昇させる持続的な（tonic）警戒を，左では手がかりが現れたタイミングで一過性に覚醒を上昇させる一時的な（phasic）警戒を行うとされる．

▶ 定位ネットワーク（orienting network）

　特定の情報を選択する機能を持ち，視床枕や上丘，頭頂葉が主に関連する．背側システム（dorsal attention system）と腹側システム（ventral attention system）に分けられ，両システムの橋渡しを上縦束IIや下前頭後頭束が行う

とされる.

　背側システムは上頭頂小葉/頭頂間溝皮質（the intraparietal sulcus/superior parietal lobe: IPS/SPL）から上縦束Iを経て上前頭回，前頭眼野皮質（frontal eye fields: FEF）へと処理が進むもので，トップダウンの選択を準備・適用する機能を持つ．意識的にコントロールすることが可能で，ボトムアップの選択よりも効果が出るのに時間がかかり，working memory の容量が関係する．左右半球とも機能はほぼ同等と考えられる.

　腹側システムは側頭‐頭頂葉接合部皮質（the temporoparietal junction: TPJ）から上縦束III，弓状束を経て中・下前頭回（the ventral frontal cortex: VFC）へと処理が進むもので，ボトムアップ的入力の際，注意を再指向して検出する機能を持つ．意図的にコントロールすることが困難で，目立つものや急激に変化したものにひきつけられる機能に関連する．腹側ネットワークは背側ネットワークに割り込み，青斑核からの調整を受けながら新たに出現したものへと注意をシフトさせる．TPJ は難易度が高いなど課題の要求が大きい場合や，背側システムが関与している際に活動が低下することも知られている[12]．Working memory の容量との関連は少ない．右半球優位と考えられている.

▶ 遂行制御ネットワーク（executive network）

　目標を発見した瞬間の気付き（focal attention）や，情報を保持しながら操作を同時に行うこと，これを安定して効率よく遂行すること，このようにできるように計画を立てたり，注意を配分したりするなどのトップダウンの制御を行い，遂行機能系にかかわる．Focal attention は意識の入口のようなものともいえる．このネットワークは，社会的痛み，競合解消やその観察，報酬処理，心の理論でも多くの場合に島前部と共同して働くと考えられている．意識と頻繁に関係する作業領域を生み出すため，内側前頭前野や帯状回，前頭葉背外側面，頭頂葉など広範囲の脳部位が働く．帯状‐弁蓋システム（the cingulo-opercular system）と前頭頭頂システム（the frontoparietal system）が想定されている.

　帯状‐弁蓋システムは内側前頭葉皮質，帯状回皮質，両側島前部が含まれ，

課題遂行中，安定した背景活動の維持に働く．内側前頭前野が大きく障害されると無動性無言となる．

前頭頭頂システムは外側前頭前野～頭頂葉後部を中心とした，定位ネットワーク（orienting network）から区別されたシステムで，行動や課題を変更・開始するときや，課題遂行中の調整に働く．外側前頭前野の損傷では保続がみられる．

上記のほか，次のネットワークも注意との関連が指摘されている．

▶ デフォルトモードネットワーク（default-mode network：DMN）

主に大脳内側正中部（cortical midline structures：CMS）に存在する前頭葉内側部，後部帯状回，脳梁膨大部近傍，楔前部（頭頂葉内側部）が中心的部位のネットワークである．機能的MRI（fMRI）研究から明らかにされた．計算や遂行機能課題など，特定の目標に向かって注意を集中し認知処理を行う際に前頭葉外側部や頭頂側頭外側部の領域は賦活されるが，DMNの領域では活動が減弱する．自伝的記憶の想起，内省，未来予想や過去を振り返ることなどに関与している．近年の研究から，DMNの活動は，課題中の認知の変化を反映することが判明してきた．多人数の脳活動を平均化するグループ解析より，dorsal medial subsystem（外側側頭葉，背側前頭前野，頭頂葉の領域），medial temporal subsystem（側頭葉内側，頭頂葉外側の領域），core subsystem（前頭葉内側，頭頂葉内側の領域）という空間的に異なる3つのサブシステムに分けられる．また，個人における安静時の機能的結合解析から，DMNは単一のネットワークではなく，隣接した部位に，別個でありながら複雑に絡み合った構造を持つ少なくとも2つのサブネットワークで構成されていることが示唆されている[13]．

6. 注意と関連する臨床症状

これまで見てきたように，大脳半球から基底核，脳幹まで幅広い脳領域が注意に関連しており，脳損傷が生じれば，多かれ少なかれ注意に影響が生じると

Chapter 3　注意・意欲

いっても過言ではない．全般性注意障害や，全般性注意と関連の深い臨床症状
を取り上げる．

a) 注意に影響を与える要因

　注意は一定の機能を常に持つのではなく，寝不足で十分機能が発揮できな
かったり，興味あることには時を忘れて没頭したりするように容易に変容しや
すい．注意の評価の際は影響因子を考慮しなければいけない．影響を与える要
因を，内的，外的に分けてとらえるとよい．

内的要因: 意識の水準が覚醒から昏睡までのどのレベルにあるか，自発性や病
識の低下，周囲の状況を把握するための視力や聴力などの感覚器の障害があげ
られる．悩みや悲しみ，怒りなどで感情や情動が大きく揺れ動くことでも注意
はそがれる．睡眠，疲労，痛み，しびれ，発熱や電解質異常などの体調の変
化，使用薬剤，空腹や満腹感なども影響を与える．

外的要因: 部屋の明るさや対象物の配置，大きさなどが判断しやすいか，騒々
しいなど注意を散らしやすいかなどの環境が影響する．

b) 意識の評価

　注意に限らず，すべての認知機能を評価するためには意識の評価が必要であ
る．意識の水準は覚醒から昏睡まであり，以下の2つの評価スケールが頻用
される．

▶ **Japan Coma Scale（JCS）**（p.40 **表1** 参照）

　日本で使用されている．覚醒の程度で分類したもので，分類の仕方から
3-3-9度方式ともよばれる．数値・桁が大きくなるほど意識障害が重い．

▶ **Glasgow Coma Scale（GCS）**（p.41 **表2** 参照）

　欧米でよく用いられている評価法．JCSとは逆に，数値が低いほど意識障害
が重い．

86

c）全般性注意障害

　全般性注意はすべての認知的処理の土台となる機能である．この障害では，処理容量が減少し処理速度が低下し，処理を続けることが難しくなり，ほかの認知機能の遂行を低下させる．ぼんやりしている，反応が遅くなる，思考や行動に時間がかかる，一貫性に乏しい言動を示す，失敗しやすい，失敗を繰り返し気づきにくいといった症状を呈する．やや複雑な事項の理解や記銘，それに対して反応することが困難となる．自分や周囲へ無関心であることが多い．喚語・呼称，系列指示理解，書字や描画，構成能力は注意障害の影響を受けやすく，図形模写や読みは影響を受けにくい．複合的で複雑な認知機能ほど注意障害の影響を受けやすく，症状 – 病巣対応性が悪くなりやすい．

　特殊な病態として，せん妄（delirium），急性錯乱状態（acute confusional state）がある．可逆性の注意と意識の障害で，数時間から数日といった短期間に出現し，1日のなかでも重症度が変動する傾向がある．認知症や脳梗塞などの器質性脳疾患や感染症などの全身疾患，アルコールや乱用薬物などの中毒などを背景に生じる．右半球の広範な障害では遷延しやすく，半側空間無視との関連も指摘されている[14]．

d）スリップ（slip）

　職場より先の駅で降りようとしていたのに職場のあるいつもの駅で降りる，カードキーでロッカールームに入るのにロッカーの鍵を出す，などの，高度に自動化された行動に誤りが生じるものである．こういったヒューマンエラーを，Reason はプランニング，記憶，実行の3段階に分けている[15]が，この実行の段階で生じるエラーをスリップという．注意の低下や動揺，操作の結果生じる意図しない行動で，「そんなつもりじゃなかった」というものである．持続的注意の欠如に起因しており，健常人でも生じるが，外傷性脳損傷における前頭葉や白質の損傷に伴って起こりやすい[16]．

e）保続

　保続は recurrent perseveration（再帰性保続），stuck-in-set perseveration（セット固執型保続），continuous perseveration（連続性保続）の3型

Chapter 3 注意・意欲

に分類される[17]. 前頭葉の損傷では, トップダウンのコントロールによって形成された注意の構えの切り替えが難しくなり, 保続がみられる. 書字では, mamma を mammma と記載するなど, 連続性保続による保続性失書がみられることがある[18]. 日本語の漢字の場合, 「冬」の最後の2画の点を多く書くように, 漢字の一部を繰り返すことがある.

7. 疾患でみられる注意障害

a) 脳梗塞, 脳出血

注意そのものの機能に関与している視床の血管障害で注意障害が生じる. 右視床出血では左に比較し対側の半側空間無視の出現頻度が多いが, そのほかは日常生活上, 病変の左右で明らかな注意障害の差はないようである. また, 視床梗塞のなかでも髄板内核群の損傷で複雑な注意障害が生じるといわれている[10].

また, 多発ラクナ梗塞, 白質病変などの細動脈硬化症が原因で認知症を発症する場合もあり, 皮質下血管性認知症とよばれる. 歩行障害, 排尿障害のほか遂行機能障害, 処理速度の低下, 全般性注意障害といった認知機能低下が生じる. 前頭前野と大脳基底核, 視床と大脳皮質の間の連絡が障害されるためと考えられる[19].

b) 認知症（major cognitive impairment）, 軽度認知障害（mild cognitive impairment: MCI）

アメリカの DSM-5-TR（Diagnostic and Statistical Manual of Mental Disorders. Fifth edition, text revision）では認知症（神経認知障害群）は, 6項目の認知機能のうち, 1項目の機能低下で診断しうる. 詳細は他項にゆずるが（Ch. 6-A 参照）, この認知機能の中に複雑性注意が含まれるようになり, 注意に対する評価が重要となっている.

認知症では原因疾患によらず, 比較的早期から全般性注意のなかでも持続, 選択性, 配分が障害されることが多く, さまざまな個別の認知機能に影響する. つまり, ぼんやりする, うっかりミス, 保続, し忘れる, 反応が遅い, 同

時に2つのことを覚えにくいといった症状をよく認める．日常生活場面と検査場面で記憶力が乖離することも多い．原因疾患によって脳の障害部位に特徴があるため，注意障害にも差のあることが知られている．

アルツハイマー病（Alzheimer's diseases: AD）では，記憶障害のほか，遂行機能障害，視空間認知障害，注意障害，睡眠障害，言語障害などが出現する．頭頂連合野，後部帯状回など，脳の後方領域の障害による working memory の低下が強い．定位ネットワークのうち腹側システムは保たれるが背側システムが障害され，分割および選択的注意などのトップダウン過程が著しく損なわれる．持続的注意の障害は，AD 患者の転倒や危険運転増加と関連する[20]．

レビー小体型認知症（dementia with Lewy bodies: DLB）では脳幹から視床にかけて病変があり，コリン系ニューロンの障害から覚醒・警戒ネットワーク（alerting network）の機能が低下し，注意，集中などの認知機能が変動する．ドパミン系ニューロンの関与も指摘されている．注意や覚醒度・明晰さ・意識レベルの著明な変化を伴う認知の動揺は診断基準の中核的特徴にもあげられている．AD と比較し，注意の選択性，分配性，制御機能の低下がより強く，とくに視覚性の選択性注意の障害が強い．持続性注意の障害は比較的軽いとされる．DLB の言語記憶障害の基盤は，注意と実行の障害の特徴である処理速度の低下，ワーキングメモリーと検索における障害に関連している可能性がある[21]．

前頭側頭型認知症（frontotemporal neurocognitive disorder）では，注意の集中性，分配性，制御機能の低下が生じる．前頭前野のトップダウン経路が障害されるためと考えられる．外的刺激に対して反射的に処理，反応してしまうという被影響性の亢進や脱抑制，転導性の亢進は，前方連合野による制御が働かず，後方連合野のもつ状況依存性が解放されたり自らの欲動などの内的刺激に影響されたりした結果と考えられる．AD と比較し，注意障害，脱抑制，心的状態の転換のしがたさが目立つ[22]．

c) 発達障害

自閉スペクトラム障害（autism spectrum disorder: ASD）：社会的相互関

Chapter 3 注意・意欲

係やコミュニケーションが困難で，限局した興味や行動の反復，感覚の偏り（過敏性・鈍感性）が発達早期に現れる．注意障害は本質的障害の一つである．全体の文脈を無視し細部の処理を優先しているような，細部に焦点化された注意，顕著な事象への反応低下が知られている．視覚情報処理は 1 次視覚野からより高次の視覚野まで，腹側視覚路，背側視覚路ともに障害される．しかし注意のネットワークでは，ボトムアップ式注意に対応する腹側システムは保たれる一方，トップダウン式注意に関連する背側システムが障害されている．視覚野，視覚処理過程と注意ネットワークに関連する脳領域の変容の結果，通常とは違う視覚・注意処理を行っていると考えられ，これが特徴的な行動を引き起こしている可能性がある [23]．

注意欠如多動症（attention deficit hyperactivity disorder：ADHD）： 不注意，多動性，衝動性が中核症状である．忍耐の欠如や集中が持続しない，言動にまとまりがないなどの不注意と，不適切な場面で無駄な動きをする，しゃべりすぎるなどの過剰な運動活動性と，見通しを立てず即座に行動する，満足を先延ばしにできないなどの衝動性を示す．成人期まで注意障害は継続し，気分が安定しない，怒りが爆発しやすいなど感情コントロールが困難となる．デフォルトモードネットワーク（DMN）の活動抑制と注意の維持との関連が指摘されており，ADHD ではこの DMN 内の機能的連結の異常が示唆されている [24]．Sonuga-Barke ら [25] は triple pathway model を提唱し，気が散る，集中できないなど前頭前野の症状である「抑制制御の障害」，我慢がきかないという側坐核や縫線核が影響する「遅延報酬の障害」，段取りが悪い，落ち着きがないなど小脳が関与する「時間処理の障害」の 3 つの障害で ADHD を説明している．

　ASD と ADHD は基本的な病態機序が異なる疾患と考えられてきたが，両者の特徴をもつ症例が少なからず存在することから，2013 年の DSM-5 からASD と ADHD の併記が可能になった．ASD 者の多くは ADHD 者と同様の注意障害を示し，ADHD 者は自閉症症状を呈することも多い．オーバーラップする病態として，神経画像をはじめとする研究が行われている [26]．

90

■文 献

1) James W. The principles of psychology. New York: Henry Holt and Company; 1890. vol 1, p.403-4.
2) Sohlberg MM, Mateer CA. Training use of compensatory memory books: a three stage behavioral approach. J Clin Exp Neuropsychol. 1989; 11: 871-91.
3) Posner MI, Dehaene S. Attentional networks. Trends Neurosci. 1994; 17: 75-9.
4) Norman D, Shallice T. Attention to action: willed and automatic control of behaviour. In: Davidson RJ, Schwartz GE, Shapiro D, editors. Consciousness and self regulation. New York: Plenum Press; 1986. p. 1-18.
5) Posner MI. Orienting of attention. Q J Exp Psychol. 1980; 32: 3-25.
6) Treisman AM, Gelade G. A feature-integration theory of attention. Cogn Psychol. 1980; 12: 97-136.
7) Carrasco M, Ling S, Read S. Attention alters appearance. Nat Neurosci. 2004; 7: 308-13.
8) Jans B, Peters JC, De Weerd P. Visual spatial attention to multiple locations at once: the jury is still out. Psychol Rev. 2010; 117: 637-84.
9) Sherman SM, Guillery RW. Functional organization of thalamocortical relays. J Neurophysiol. 1996; 76: 1367-95.
10) Tokoro K, Sato H, Yamamoto M, et al. [Thalamus and Attention]. Brain Nerve. 2015; 67: 1471-80.
11) Petersen SE, Posner MI. The attention system of the human brain: 20 years after. Annu Rev Neurosci. 2012; 35: 73-89.
12) Shulman GL, McAvoy MP, Cowan MC, et al. Quantitative analysis of attention and detection signals during visual search. J Neurophysiol. 2003; 90: 3384-97.
13) Smallwood J, Bernhardt BC, Leech R, et al. The default mode network in cognition: a topographical perspective. Nature Reviews Neuroscience. 2021; 22: 503-13.
14) Ott J, Oh-Park M, Boukrina O. Association of delirium and spatial neglect in patients with right-hemisphere stroke. PM R. 2023; 15: 1075-82.
15) Reason J. Understanding adverse events: human factors. Qual Health Care. 1955; 4: 80-9.
16) Robertson IH, Manly T, Andrade J, et al. 'Oops!': performance correlates of everyday attentional failures in traumatic brain injured and normal subjects. Neuropsychologia. 1997; 35: 747-58.
17) Sandson J, Albert ML. Perseveration in behavioral neurology. Neurology.

Chapter 3　注意・意欲

1987; 37: 1736-41.

18) Menichelli A, Rapp B, Semenza C. Allographic agraphia: a case study. Cortex. 2008; 44: 861-8.

19) Román GC, Erkinjuntti T, Wallin A, et al. Subcortical ischaemic vascular dementia. Lancet Neurol. 2002; 1: 426-36.

20) Hennawy M, Sabovich S, Liu CS, et al. Sleep and attention in Alzheimer's disease. Yale J Biol Med. 2019; 92: 53-61.

21) McKeith IG, Ferman TJ, Thomas AJ, et al. Research criteria for the diagnosis of prodromal dementia with Lewy bodies. Neurology. 2020; 94: 743-55.

22) Stopford CL, Thompson JC, Neary D, et al. Working memory, attention, and executive function in Alzheimer's disease and frontotemporal dementia. Cortex. 2012; 48: 429-46.

23) Yamasaki T, Maekawa T, Fujita T, et al. Connectopathy in autism spectrum disorders: a review of evidence from visual evoked potentials and diffusion magnetic resonance imaging. Front Neurosci. 2017; 11: 627.

24) Uchiyama Y, Momose M, Kondo C, et al. Comparison of parameters of (123) I-metaiodobenzylguanidine scintigraphy for differential diagnosis in patients with parkinsonism: correlation with clinical features. Ann Nucl Med. 2011; 25: 478-85.

25) Sonuga-Barke E, Bitsakou P, Thompson M. Beyond the dual pathway model: evidence for the dissociation of timing, inhibitory, and delay-related impairments in attention-deficit/hyperactivity disorder. J Am Acad Child Adolesc Psychiatry. 2010; 49: 345-55.

26) 加藤元一郎．神経心理学から見た ADHD の不注意症状について．児童青年精医と近接領域．2010; 51: 94-104.

［内山由美子］

B 検査の実際: 標準注意検査法改訂版(CAT-R)と標準意欲評価法(CAS)

　脳損傷患者では，「作業が長く続けられない」，「別のことに注意がすぐ逸れる」，「同時に2つのことが処理，実行できない」といったことが，日常生活やリハビリテーション場面でよくみられる．また，「ベッドの上でじっとして動かない」，「促されないと，自ら行動を起こそうとしない」といったこともよく遭遇する．前者は，注意障害によって生じるものであり，後者は，意欲・発動性の低下によって引き起こされるものである．これらの症状は，記憶・会話・思考などあらゆる認知活動を阻害するため，リハビリテーションを実施するにあたり，優先度が非常に高いものであると考えられている．したがって，これらの症状を正確に評価する必要がある．わが国では，注意および意欲を評価する標準化された検査法として，標準注意検査法改訂版（Clinical Assessment for Attention-Revised: 以下 CAT-R），標準意欲評価法（Clinical Assessment for Spontaneity: 以下 CAS）がある[1]．そこで，本稿では，注意および意欲に関する評価について，CAT-R および CAS を中心に論じることにする．

1. 注意について

a) 注意機能の分類

　注意は1つの機能ではなく，複数の機能で成り立っており，その分類は諸家によって行われている．ここでは，CAT-R に従って，注意の選択機能（selective attention），覚度（vigilance）・アラートネス（alertness）ないしは注意の維持機能（sustained attention），注意による制御機能（control or capacity）という3つの機能について説明する．

　注意の選択機能とは，多くの刺激の中からある特定の刺激に反応する能力を意味する．この機能は，日常生活場面では，図書館で読みたい本を探す，スーパーで買いたい商品をみつけるといったときに用いられる．この機能が障害されると，見落としや聞き落としが多く，あちらこちらに気が散ってしまうため

Chapter 3　注意・意欲

に，行動の一貫性が失われる[1].

　注意の維持機能とは，ある一定時間注意を維持する能力を意味する．覚度・アラートネスも注意の維持機能と同義的に使用されるが，さまざまな刺激に反応するための準備状態をも含んでいる．この機能は，日常生活場面では，クロスワードパズルに1時間取り組むといったときに用いられる．この機能が障害されると，時間の経過とともに，課題のパフォーマンスが低下したり，課題遂行中に，突然数秒間成績が低下したりする[1].

　注意による制御機能には，ある認知活動を一時的に中断して，より重要な刺激に切り替える機能や複数の刺激に同時に注意を向ける機能が含まれる．前者は注意の変換（switching attention）とよばれており，後者は分配性注意（divided attention）とよばれている．注意の変換は，野菜を切っているときに，やかんの沸騰音に気づいてガスを止めるといったときに用いられ，分配性注意は，電話に応対しながらメモを取るといったときに用いられる．この機能が障害されると，より重要な刺激に気づかなかったり，元の作業に戻れなくなったり，1つの認知活動しか取り組めなくなったりするため，日常生活への影響が大きく，ときには重大な危険を引き起こすこともある．

b) 短期記憶・ワーキングメモリー

　注意機能に関係する概念として，短期記憶（short-term memory）がある．短期記憶とは，一度に覚えられる記憶，10〜30秒程度の短期間の記憶を意味し，容量としては7±2桁の数字の範囲といわれている．また，短期記憶を発展させた概念として，情報を一時的に保持しそれに操作を加えるワーキングメモリー（working memory）があり，読書，暗算，推論などあらゆる認知活動で用いられている．これは，注意による制御機能とも密接に関連している．

2. 注意に関する評価法

a) CAT-R について

　CAT-Rは，初版CATから，Symbol Digit Modalities Test（SDMT）とPosition Stroop Test（上中下検査）の2つの検査が削除されるとともに，

表1 CAT-R の下位検査

1. Span
   ① Digit Span（数唱）
   ② Tapping Span（視覚性スパン）
2. Cancellation and Detection Test（抹消・検出検査）
   ① Visual Cancellation Task（視覚性抹消課題）
   ② Auditory Detection Task（聴覚性検出課題）
3. Memory Updating Test（記憶更新検査）
4. Paced Auditory Serial Addition Test（PASAT）
5. Continuous Performance Test 2（持続性注意検査 2，CPT 2）

Continuous Performance Test（CPT）のソフトウェアのバージョンアップが行われた．したがって，CAT-R は，**表1** に示すように，① Span，② Cancellation and Detection Test（抹消・検出検査），③ Memory Updating Test（記憶更新検査），④ Paced Auditory Serial Addition Test（PASAT），⑤ Continuous Performance Test 2（持続性注意検査2，CPT 2）という5つの下位検査で構成されている．①〜④の下位検査は，対象年齢が20歳代から70歳代の範囲にあり，年齢代別に各下位検査の健常例の平均値，標準偏差およびカットオフ値が示されている．⑤については，今回の改訂版で80歳代まで対象年齢が拡大されるとともに，結果が自動的に表示されるようになっている．

CAT-R を実施するにあたっては，普段眼鏡や老眼鏡を使用しているかを確認するとともに，聴力障害の程度や有無を把握しておく必要がある．また，失語（Ch. 7 参照）や半側空間無視（Ch. 10 参照）も CAT-R の成績に影響を与えるため，これらの症状の有無も検査実施前に把握しなければならない．もし可能ならば，MMSE（Ch. 6 参照）など，簡易的な認知機能検査を実施して，上記の点を確認した後，CAT-R を施行するのが望ましいと考えられる．

以下では，CAT-R の下位検査の内容および実施・採点時の留意点について説明する．

Chapter 3 注意・意欲

▶ Span

① Digit Span（数唱）

　検査者が読み上げた数系列をそのままの順序で答える順唱（forward）課題と逆から答える逆唱（backward）課題からなっている．本課題は，WAIS-IV（Ch. 5 参照）や WMS-R（Ch. 2-B 参照）の下位検査にも含まれているが，実施方法が異なっている．CAT-R では，両課題とも第 1 系列で正答したら次の桁へ進むが，WAIS-IV や WMS-R では，第 1 系列の正答，誤答に関係なく，各桁とも第 2 系列まで実施する．また，CAT-R では，逆唱課題で同じ順序で解答した場合，逆順であることを再度教示して，第 2 系列を実施することが示されているが，WAIS-IV や WMS-R では，2 回目の練習問題以降は，説明を与えないことになっている．

② Tapping Span（視覚性スパン）

　検査者が検査図版にある 9 個の正方形を順に指で示すのを見て，被検者がすぐに同じ順序で指し示す（forward）課題と，逆の順序で指し示す（backward）課題からなっている．本課題は，検査者が指で示す場所を迷うと，被検者のパフォーマンスに影響するので，施行前によく練習しておく必要がある．

▶ Cancellation and Detection Test（抹消・検出検査）

① Visual Cancellation Task（視覚性抹消課題）

　干渉刺激の中に含まれたターゲットとなる目標刺激をできるだけ速く見落としがないようにチェックしていく課題である．目標刺激は図形 2 種類，数字，仮名の 4 つがある．本課題では，「左端→右端→左端→」と進むと所要時間に影響するため，施行前にどの行とも必ず左端から右端へ進むことを強調しておかなければならない．また，採点にあたり，確認のための見直しは禁じているものの，ターゲット以外の刺激を抹消したことに気づいて自己修正した場合は誤りとしないことや，見落としに気づいて後戻りした場合，計時中であれば，正答とすることも理解しておく必要がある．

② Auditory Detection Task（聴覚性検出課題）

CD で呈示される「ト」，「ド」，「ポ」，「コ」，「ゴ」の5つの語音刺激の中から，ターゲットとなる刺激「ト」に対して，机をたたくなどして合図する課題である．本課題では，「ト」と「ポ」の違いがわかりにくいため，本試行が開始される前によく練習して，各語音刺激を認識できるようにしておかなければならない．採点時，「ト」以外のターゲットに反応した後で違ったと自己修正した場合も，誤りとみなすことを把握しておく必要がある．

▶ Memory Updating Test（記憶更新検査）

検査者が読み上げる数系列のうち，末尾3つ（3スパン課題）もしくは末尾4つ（4スパン課題）をそのままの順序で答える課題である．課題を呈示するとき，桁数の手がかりを与えないために，できるだけ一定の高さで読み上げるよう練習しておかなければならない．

▶ Paced Auditory Serial Addition Test（PASAT）

CD で連続的に聴覚呈示される1桁の数字を聞きながら，それぞれの前後の数字を足していく課題で，数字の呈示間隔が2秒の場合（2秒条件）と1秒の場合（1秒条件）がある．本検査では，被検者が言った答えに次に提示される数字を足してしまう誤りが多いため，練習問題でその点を理解させておかなければならない．また，本検査は難度が高いので，課題途中であきらめてしまわないよう説明しておくことも重要である．

▶ Continuous Performance Test 2（持続性注意検査2，CPT 2）

パソコンの画面上にランダムの間隔で呈示される数字の中で，ターゲットとなる数字が出現したときにスペースキーを押す課題である．本検査は，⑦のみが呈示され，それに反応する反応時間課題（SRT 課題），①から⑨の中で，⑦が呈示されたときに反応する X 課題，①から⑨の中で，③の直後に⑦が出現したときに反応する AX 課題の3つの課題がある．本検査は約50分かかるので，単独で実施してもよいとされている．各課題とも，スペースキーの上に人差し指を置くことになっているが，課題遂行中にスペースキーを正しく押せて

Chapter 3　注意・意欲

いるか，押したままの状態になっていないかを観察しておく必要がある．CPT
2 では，各課題に練習問題があるので，課題内容の把握とともに，キーの押し
方についても指導することができる．また，キーを 5 回連続で押さなかった
場合には，自動的に検査が中断される仕様になっており，装置の不具合による
ものなのか，被検者の理解不十分によるものなのかを確認できる．さらに，反
応時間と総誤反応数から「正常」，「境界」，「異常」の判定が自動的に表示され
るようになっている．しかし，結果の解釈には変動係数も重要であり，各課題
の 2 SD もしくは 3 SD を超える変動係数を認めた場合には，実際のグラフを
参考に，課題の後半に反応時間のばらつきが大きくなっていないかなどを確か
めておく必要がある．

b）CAT–R の結果解釈

　各下位検査について，カットオフ値以下もしくは平均値より 1 標準偏差以
下であれば，その検査が測定している注意機能が低下していることを意味して
いる．

　Span は，短期記憶を測定する課題で，数唱課題は言語性短期記憶を，視覚
性スパン課題は視覚性短期記憶を測定することができる．

　抹消・検出検査は，注意の選択機能を測定する課題で，視覚性抹消課題は視
覚的な注意の選択機能を，聴覚性検出課題は聴覚的な注意の選択機能を測定す
ることができる．また，視覚性抹消課題において一側の刺激を見落とす傾向が
あれば，半側空間無視の検出にも役立てることができる．

　記憶更新検査，PASAT は，いずれも注意の変換能力，分配性注意を必要と
する課題で，注意による制御機能を測定することができる．また，記憶更新検
査，PASAT はワーキングメモリーの負荷が高い課題であり，これらの課題を
通してワーキングメモリーの能力を推定することも可能である．

　CPT 2 は，注意の維持機能を測定する課題だが，X 課題では注意の選択機
能を，AX 課題では分配性注意をも測定することができる．

　種村らは，CAT 初版を用いて，CPT を除く 6 つの下位検査の因子分析的検
討を行って，6 つの因子を抽出している[2]．第 1 因子は，視覚性抹消課題およ
び上中下検査の所要時間において高い負荷を示し，「選択的注意に関する処理

速度」と解釈されている．第2因子は，数唱（順唱・逆唱）および記憶更新検査（3スパン・4スパン）において高い負荷を示し，「聴覚性スパン」と解釈されている．第3因子は，視覚性抹消課題の数字・仮名の正答率および上中下検査の正答率において高い負荷を示し，「文字素材に関する視覚的注意」と解釈されている．第4因子は，視覚性抹消課題の図形，数字，仮名の正答率に高い負荷を示し，「選択的注意課題に関する正確性」と解釈されている．第5因子は，PASATの2秒条件，1秒条件に高い負荷を示し，「PASATに関する特殊因子」と解釈されている．第6因子は，聴覚性検出課題の的中率と正答率に高い負荷を示し，「聴覚的検出課題に関する特殊因子」と解釈されている．

　この結果に基づくと，注意による制御機能を測定する検査であっても，記憶更新検査とPASATは課題の性質が異なることや，記憶更新検査は，注意による制御機能の中でも聴覚性スパンとの関連が深いことを考慮する必要がある．また，視覚性抹消課題には処理速度と正確性という2つの因子が存在するため，被検者にとってどちらの因子が問題となっているのかを検討しておかなければならない．

　この他にも，CAT-Rの結果を解釈するにあたり留意すべき要因として，加齢や教育歴があげられる．CAT-Rの下位検査はすべて加齢の影響を受けており，年齢が高くなるにつれて成績が低下している．このため，加齢に伴う能力の低下を考慮して，注意障害の診断を行わなければならない．また，CAT-Rの標準化作業において，聴覚性検出課題（的中率），記憶更新検査（正答率），PASAT（2秒条件）と教育歴との間に有意な相関が認められている．このことは，注意機能，特に注意による制御機能が，教育歴の影響を受ける可能性があることを示唆しており，結果の解釈にあたっては，これらの要因を考えておく必要がある．

　さらに，テストバッテリーとして，WAIS-IVやWMS-Rを実施した場合には，これらの検査に含まれる同種の検査成績と比較することも，CAT-Rの結果を解釈する上で重要である．もし，CAT-Rとその他の検査成績が異なり，反応に一貫性がない場合には，その原因について考察しておかなければならない．

Chapter 3　注意・意欲

　上記のことに加え，CAT-R の結果を解釈するにあたり留意すべき点には，注意機能と脳部位の関係があげられる．例えば，覚度については，脳幹網様体との関連性が論じられており，注意による制御機能については，前頭葉，特に前頭前野の背外側部（ブロードマンの 46 野など）の関連性が論じられている．したがって，画像所見と検査結果とを比較し，損傷部位から検査結果を説明できるかどうかも検討しておく必要がある．

　そして，何より重要なことは，注意障害の程度から日常生活上の問題を予測し，支援につなげることである．例えば，データを入力する仕事を行うにあたり，選択的注意の正確性に問題があるときには，入力ミスが多くなることが考えられるため，必ず見直しをするよう指導することや，周囲の人に作業結果を確認してもらえる環境を整える支援が求められる．それに対し，選択的注意に関する処理速度に問題があるときには，入力作業に時間を要するため，データを入力する量を少なくして 1 日の仕事量を減らすなどの支援が求められる．

c）その他の注意検査

　CAT-R 以外にも，現在わが国で用いられている主な注意に関する検査としては，かな拾いテスト[3]，D-CAT 注意機能スクリーニング検査[4]，Trail-Making Test 日本版[5]（Ch. 4-B 参照）があり，いずれの検査も注意機能を簡便に評価することができる．また，日常生活場面における注意機能を評価する検査としては，日常生活観察における注意評価スケール[6]，注意障害の行動評価尺度[7]がある．

3. 意欲について

a）意欲とは

　デジタル大辞泉によれば，意欲とは「進んで何かをしようと思うこと．また，その心の働き」と説明されており，心理学では，主に，やる気や動機づけの範疇で取り上げられることが多い．CAS は「標準意欲評価法」と名づけられているが，主に心理的側面として捉える「意欲」のみならず，身体的側面を含む心身生命過程の駆動力を示す「発動性」も評価対象としており，両者の中

表2 自発性低下の臨床像

① 放置すると何かをするという傾向がほとんど認められない.

② 言語表現のみならず表情,仕草などの非言語的表現にも乏しい.

③ しかし,外からの働きかけがあると,それには最小限の反応を示すことが稀ではない.

④ 自発性の低下はすべての活動に及ぶこともあれば,例えば言語にのみ,あるいは思考にのみ,に限定している場合もある.

⑤ 内的体験としては,多くは,外界で生じている出来事に対して「無関心」であるのが一般的であり,「抑うつ感」や「悲哀感」が訴えられることは,原則としてない.

⑥ 意識障害,認知障害,情動障害には帰着しえない独自な病態であると考えられる.

⑦ 他の認知障害は,原則としてみられないか,あったとしても軽度である.

間的な概念である「自発性」を測定する検査であると考えられている[1].

CAS は,脳損傷の結果生じる自発性低下のレベルを評価するものであり,脳損傷が原因による自発性低下の臨床像としては,**表2** に示すような特徴があるといわれている.ここで重要な点は⑤であり,うつ病の薬物治療などが必ずしも意欲低下に有効とは限らないことから[8],抑うつとの鑑別が大事である.

DSM-5-TR では,うつ病(major depressive disorder)とは,① 抑うつ気分,② 興味・喜びの喪失,③ 体重減少または食欲の減退,④ 不眠,⑤ 焦燥または制止,⑥ 易疲労または気力の減退,⑦ 無価値感または罪業感,⑧ 思考力・集中力減退または決断困難,⑨ 希死念慮の9項目のうち,①・②のいずれかを含む5項目が2週間以上連続して存在する状態を指している[9].しかし,抑うつ気分,悲哀感,焦燥感,罪業感,希死念慮および自殺企図は,うつ病でしか認められないため,これらの症状がみられる場合は,自発性低下の可能性を除外したほうがいいと考えられる.

また,CAS を実施するうえで重要なことは,自発性低下に関連する神経解剖学的部位やその部位が損傷しやすい脳疾患について理解しておくことである.自発性低下に関係する神経解剖学的部位としては,前頭葉−基底核−視床回路が重視されている.前頭葉においては,内側面の前部帯状回が主たる病変

Chapter 3　注意・意欲

表3 CAS の下位検査

① 面接による意欲評価スケール
② 質問紙法による意欲評価スケール
③ 日常生活行動の意欲評価スケール
④ 自由時間の日常行動観察
⑤ 臨床的総合評価

部位として論じられることが多いが，前頭葉背外側部や眼窩部でも自発性低下が生じるため，これらの部位も念頭に置かなければならない．右半球のどの部位が関連しているかは，現時点において解明されていないが，右半球損傷において無関心が生じやすいとされており[10]，注意する必要がある．

　自発性低下に関連する神経解剖学的部位が損傷されやすい疾患については，前頭葉関連であれば，前大脳動脈梗塞，前交通動脈瘤破裂によるくも膜下出血，外傷，前頭側頭葉型認知症があげられる．基底核関連であれば，パーキンソン病，進行性核上性麻痺，視床関連であれば，視床出血や視床梗塞，ウェルニッケ－コルサコフ症候群があげられる．右半球関連であれば，右中大脳動脈梗塞があげられる[11]．

4. 意欲に関する評価法

a) CAS について

　CAS は，意欲・発動性低下を他覚的，自覚的，行動観察的視点から評価し，可能な限り定量化することを目的としており，**表3** に示すように，面接による意欲評価スケール（以下：面接評価），質問紙法による意欲評価スケール（以下：質問紙法），日常生活行動の意欲評価スケール（以下：日常生活行動評価），自由時間の行動観察，臨床的総合評価の5つで構成されている．

　以下では，CAS の評価内容と実施する際の留意点について説明する．

▶ 面接評価

　本評価は，対象者との直接的なインタビューを通じて，意欲状態を把握することを目的とする．面接の内容は「具合はどうですか？」などおおむね定まっ

ているが，呈示順序などは面接者の裁量に任されている．評価項目は，表情，視線（アイコンタクト），仕草，身だしなみ，会話の声量，声の抑揚，応答の量的側面，応答の内容的側面，話題に関する関心，反応が得られるまでの潜時，反応の仕方，気力，自らの状況についての理解，周囲のできごとに対する関心，将来に対する希望・欲求の15項目であり，参照項目として，注意の持続性，注意の転導性（注意が絶えず散乱する）がある．面接場面を通じて，各項目について0から4の5段階で評価する．各項目の点数が高いほど，意欲・発動性低下が高いことを示している．

本面接を実施する際に重要なことは，質問に対し，できるだけ患者に答えてもらうようにし，答えを待つということである．また，　表2　で示したように，自発性低下の内的体験としては「無関心」であることが一般的なことから，「最近身辺で起こった出来事をお聞かせください」「最近どんなことに関心がありますか？」「今，まわりではどんなことが起こっていると思いますか？」という質問に対し，どのように反応しているかということを把握することが重要であると考えられる．

▶ 質問紙法

本評価は，質問紙への回答を通じて，患者自身が意欲・発動性低下をどのように捉えているかを把握するものである．質問内容は，「いろいろなことに興味がある」，「自分の健康状態に関心がある」など全部で33項目あり，各項目について「よくある」を0点，「少しある」を1点，「あまりない」を2点，「ない」を3点の4段階で評定する（なお，8, 16, 18, 21, 22, 24, 28, 32の8項目は逆転項目であり，「よくある」を3点，「少しある」を2点，「あまりない」を1点，「ない」を0点とする）．点数が高いほど，意欲・発動性低下が重度であることを示している．

▶ 日常生活行動評価

本評価は，以下に述べる項目について，看護師，介護士，作業療法士，言語聴覚士といった医療従事者が，病棟やリハビリテーション場面，在宅，施設などで7日間ほど観察して，その平均状態から自発性低下の程度を判断するも

Chapter 3　注意・意欲

のである．項目は，身の回りに対する自発性・活動性に関する5項目，自己の病気の認識に伴う意欲状態に関する2項目，他者や周囲さらには社会への関心およびQOLに関する意欲状態についての9項目の計16項目である．評価は，「段階0: ほぼいつも自発的に行動できる」，「段階1: いつも自発的とは限らず，ときに何らかの促しや手助けが必要で，促されれば行動できる」，「段階2: ほぼいつも何らかの促しや手助けが必要で，促されれば行動できる」，「段階3: 促しや手助けがあってもいつも行動できるわけではなく，行動しないこともある」，「段階4: 多くの場合，促しや手助けがあっても行動しない」の5段階で，得点が高いほど，意欲・発動性低下が重度であることを示している．

　このスケールでは，測定期間内に評価者がどれだけ促し，手助けを行ったかが重要であるため，妥当性の高い評価をするためには，評価者がその頻度をきちんと把握しておかなければならない．また，病前と病後の意欲の変化を測定するため，病前から行っていない項目（難聴により電話をかけない，新聞を読む習慣がないなど）について情報収集しておくことも必要である．

▶ 自由時間の日常行動観察

　決められたスケジュールではなく，自由時間をどう過ごしているかを少なくとも5日間以上観察して，その行為や談話の質を評価するだけでなく，自由時間の中で最も頻回に過ごす場所や行為内容を明らかにすることによって，自発性低下の程度を把握するものである．評価方法は，例えば「午後3時頃」と時間を決めて，その時間に行為する場所（社会生活/家庭生活/施設/病棟内/病室内/ベッド上）と具体的な行為内容を記載する．

　行為の質については，「段階0: 意欲的・能動的・生産的行為，自発的問題解決行為」「段階1: 自発的行為，習慣的行為」「段階2: 依存的生活」「段階3: 無動」の4段階に分類する．談話の質については，「段階0: Remark（自己や他人の具体的な問題に対して，はっきりとした意見がある．）」「段階1: Talk（みずから話をする．世間話で一般的な感想を述べる程度．個人的なはっきりした意見はない．）」「段階2: Crime（相づちを打つ程度．みずから進んで話すことはない．話しかけに対して言葉少なに応答．談話参加を楽しむ．）」

「段階 3: Yes-No（寡黙．問いかけにハイ，イイエなど，一言のみの返事だけ
で，話しかけに関心は低い．）」「段階 4: Mute（発語なし．）」の 5 段階で評価
する．

▶ 臨床的総合評価

これまでの評価をもとに，総合的な印象に基づいて，「段階 0: 通常の意欲
がある」，「段階 1: 軽度の意欲低下」，「段階 2: 中等度の意欲低下」，「段階
3: 著しい意欲低下」，「段階 4: ほとんど意欲がない」の 5 段階で評定する．

b) CAS の結果解釈

各評価スケールとも，年齢代別に平均値，標準偏差，カットオフ値が記載さ
れており，カットオフ値以下であれば，各スケールが評価する場面において，
意欲・発動性の低下が存在することを示唆している．健常例では，質問紙法を
除いて得点が低く，意欲低下がみられないのが一般的で，加齢や教育歴の違い
による得点差もみられないことから，得点が少しでも高ければ，意欲・発動性
の低下があると考えてよい．

また，標準化作業において，質問紙法では左半球損傷の評価点が最も高く，
日常生活行動評価では右半球損傷の評価点が最も高かった．このことから，質
問紙法は左半球損傷の意欲低下に，日常生活行動評価は右半球損傷の意欲低下
に，より感度が高いことも，結果を解釈するときのポイントである．

そして，何より重要なことは，評価結果をもとに，本人の状態に合わせた支
援を行っていくことである．例えば，自宅の中で一日中ボーとして何もしよう
としないケースには，本人と相談して，外出を含めた毎日のスケジュールを決
めていくことが求められる．

■ 文 献

1) 日本高次脳機能障害学会 Brain Function Test 委員会．改訂版 標準注意検査法改訂
版・標準意欲評価法．東京: 新興医学出版社; 2022.
2) 種村 純，矢野有基子，逸見佳代，他．標準注意検査法・標準意欲評価法 CATS の
臨床的意義．In: 日本高次脳機能障害学会教育・研修委員会，編．東京: 新興医学

出版社; 2014. p.27-48.

3) 今村陽子. 臨床高次脳機能評価マニュアル 2000. 東京: 新興医学出版社; 2000.

4) 八田武志, 伊藤保弘, 吉崎一人. D-CAT（注意機能スクリーニング検査）使用手引き. 大阪: FIS; 2006.

5) 日本高次脳機能障害学会 Brain Function Test 委員会. Trail Making Test 日本版: TMT-J. 東京: 新興医学出版社; 2019.

6) 先崎　章, 枝久保達夫, 星　克司, 他. 臨床的注意評価スケールの信頼性と妥当性の検討. 総合リハビリテーション. 1997; 25: 567-73.

7) 豊倉　穣. 脳外傷と認知リハビリテーション. リハビリテーション医学. 2006; 43: 594-601.

8) 加治芳明, 平田幸一.「アパシー」という言葉をよく聞きますが, これについて教えてください. In: 河村　満, 編. 高次脳機能障害 Q&A 症候編. 東京: 新興医学出版社; 2011. p.148-53.

9) American Psychiatric Association. Diagnostic and statistical manual of mental disorders. Fifth edition, text revision (DSM-5-TR). Washington DC: American Psychiatric Association Publishing; 2022.（日本精神神経学会, 監修. DSM-5-TR 精神疾患の診断・統計マニュアル. 東京: 医学書院; 2023.）

10) 山鳥　重. 神経心理学入門. 東京: 医学書院; 1985.

11) 先崎　章. アパシーの薬物治療, リハビリテーション脳損傷後の発動性低下, disorders of diminished motivation（動機減少障害）に対して. In: 日本高次脳機能障害学会教育・研修委員会, 編. 東京: 新興医学出版社; 2014. p.237-62.

［白川雅之］

Chapter 4

遂行機能

A 遂行機能障害

1. 遂行機能とはどんな能力か

　19世紀後半から20世紀にかけて，主に戦争外傷に伴う前頭葉損傷症例の観察に基づき，「前頭葉症候群」という概念が形成された．この概念の中では，性格変化や，情動のコントロール障害，行動の制御の障害などが強調されていた．Goldstein K はこの概念に，範疇的態度，行動の開始，精神的な柔軟さ，といった要素を取り入れ，Luria A は，彼の想定する脳機能の階層性をもとに，ヒトの脳活動を，① 覚醒・動機づけ，② 情報の受容・処理・貯蔵，③ 行動の計画・制御・検証に分け，それぞれの神経基盤として辺縁系や網様体，中心溝より尾側の大脳皮質，前頭葉を想定した．このような前頭葉が担う機能が，いわゆる中枢実行系の機能と考えられ，「遂行機能（executive function）」という用語が生まれる素地になっている．「遂行」とは，何かの課題をやり遂げる意味であり，アメリカ心理学会の編纂した辞典[1]によれば，「遂行機能」とは「計画を立て，決断を行い，問題を解決し，行動を持続し，課題を割り当て統合し，努力してねばりづよく目的を追求し，競合する衝動を抑え，目的の選択に当たり柔軟性をもって目的と相反することを解決する能力」とされる．また，この「遂行機能」には，多くの場合，言語能力，判断能力，抽象化と概念形成能力，論理的推論を必要とするとされている．なお，日本語では「実行機

能」と訳される場合も多いが，「実行」にはそのようなニュアンスは含まれないため，ここでは「遂行」の訳を採用する．

遂行機能は，大きく「メタ認知的遂行機能」と「情動・動機づけに関連した遂行機能」に分けることが可能で，後者は社会的文脈に即した解決策などの選択や不適切な行動の抑制などに関わるとともに，行動への動機づけあるいはその維持に関わる機能も含んだ概念とされ，前頭葉の中でも眼窩面，あるいは内側面の関与が大きいことが示唆され，前者は認知的な問題解決能力・実行能力全般を含んだ概念であり，前頭葉の中では背外側面の関与が大きいと考えられている [2,3]．

このように，「遂行機能」にはさまざまな能力が含まれることになるが，そういった一群の能力の背景に，基盤となる共通の因子があるかどうかについては，さまざまな考え方がある．例えば Shallice T らは，こういった能力の基盤として，前頭葉機能を Supervisory (Attentional) System と定義し，型通りの習慣的な行動ではない行動を計画し実行する際に必要となる能力と考えている [4]．また，Baddeley A は「短期記憶」を考察していく中で，新たにワーキングメモリー (working memory) という概念を考案し，working memory が 3 つの要素からなること，すなわち "phonological loop（言語情報の貯蔵機能)"，"visuospatial sketchpad（非言語情報の貯蔵機能)" を "central executive（中央実行系)" が管理，調整していると提唱し，この中央実行系こそが前頭葉の役割だと述べている [5]．その後この枠組みは改良を加えられ，エピソード記憶を短期記憶に取り出す仕組みとして，episodic buffer が phonological loop, visuospatial sketchpad と並列する仕組みとして付け加えられた [6]．さらにその後の著作の中で，planning（計画)，organizing behaviors（行動のとりまとめ）における問題，disinhibition（脱抑制)，perseveration（保続)，reduced fluency（流暢性の低下)，および initiation（行動開始）の問題を "dysexecutive syndrome" とよぶことを提唱した [7]．また，Duncan J は，こういった前頭葉の能力が，いわゆる一般的認知機能 "g" として抽出可能ではないかと提案している [8]．

さまざまな遂行機能障害検査の結果を解析することで，共通する因子を探る試みもされている．Miyake ら [9] は，遂行機能障害に含まれる能力のうち，さ

まざまな研究で検討され，かつ，より（計画を立てる能力などと）下位に位置する能力と想定されるものとして，「セットシフト（mental set-shifting）」「情報の更新と監視（information updating and monitoring）」「生じやすい反応の抑制（inhibition of prepotent responses）」の3つの下位機能に分け，これらの概念がどれぐらい独立しているのか，あるいは共通しているのかについて検討を行った．具体的には，137名の健常被験者（大学生）に対して，3つの下位機能に対応すると考えられる遂行機能検査を3つずつ，さらにより複雑な遂行機能検査を5つ行い，検査結果をうまく説明できる説明モデルを，確証的因子分析（confirmatory factor analysis）および潜在変数分析（latent variable analysis）を用いて検討した．結果として，下位機能として3つすべての機能を想定するほうが，検査結果をよりよく説明できることがわかり，また latent variable analysis では，分けられた3つの下位機能には，その根底に共通する基盤的能力を想定するほうが，結果をうまく説明できることがわかった．

2. 遂行機能障害の特徴

　さて，それでは「遂行機能」が障害されるとどのようなことが生じるだろうか．先にも引用したアメリカ心理学会の辞典によれば，「遂行機能障害」とは，「抽象的に考える，計画を立てる，問題を解決する，情報を統合する，複雑な行動を開始し維持し停止する，といった能力における障害」を指し，前頭葉あるいは前頭葉と結びついた皮質下核との回路の障害と関連が深いとされる．

　実際の症例を診察する上では，遂行機能が，Shallice ら[4]の指摘するように「習慣的ではない（新奇な）状況下で習慣的ではない行動を遂行する」際に特に必要とされる能力であることは，覚えておく必要がある．例えば，外来診察において，「どうでしたか？」と問うと，「いつも通り普通に暮らしていました．特に困ることはありませんでした」と答える患者は多いが，彼ら・彼女らが遂行機能障害をもたないかというと，そうとは限らない．つまり，「いつも通りの」「普通の生活」をしている限りは，遂行機能への負荷はそれほどかからず，結果として「困っていない」ということになるからである．遂行機能障

Chapter 4　遂行機能

害に限った話ではないが，要求される能力水準に応じて障害が露呈しやすい．
つまり，「病院のような保護的な環境下」＜「毎日の慣れた日常生活」＜「仕
事などの新しい状況への対応が必要となる生活」で，障害が露呈しやすいとい
うことになる．したがって，どのような生活の中で困っている（あるいは困っ
ていない）のか，ということを把握する必要がある．

　以下では，まず，Miyake ら[9] にしたがって，遂行機能の 3 つの下位機能に
ついて解説とともに症例を提示し，その後，Miyake らの分類に含まれない機
能についても多少の解説と症例提示を行う．

3.　Miyake 下位分類

　以下の症例提示の中では，本分類に重要な検査項目以外については，説明を
省略している．それぞれの検査の詳細については，「Ch.4-B　検査の実際」な
どを参照のこと．

a) Information updating and monitoring（Updating）

　この機能は，ワーキングメモリーと関連が強いと考えられている．次々に
入ってくる情報を，現在行っている課題との関連を元に取捨選択し，保持，更
新していく能力と考えられる．ワーキングメモリーの容量そのものも影響する
が，保持している情報の操作のほうがより高度な能力と考えられ，前者すなわ
ち情報の貯蔵・保持に関しては頭頂葉も関与していることがわかっているが，
後者すなわち情報の操作には，主に背外側前頭前野が関連していることがわ
かっている．複雑な課題になればなるほど，その段階で必要な情報は変化して
いく．したがって，すでに利用して不要となった情報は捨て去り，現在必要な
情報に更新するという作業ができなければ，作業の遂行は途絶してしまい，結
果としてうまく遂行できない．

症例 1

- 症例: 受診時 16 歳　右利き男性
- 現病歴: 9 歳時，起床時に頭痛・吐き気を生じ，近医で精査の結果，右前頭

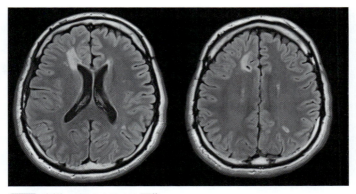

図1 症例1のMRI FLAIR画像
この図では右が左脳, 左が右脳

葉の脳梗塞とその原因であるもやもや病を指摘された．翌年，まず脳梗塞を生じた右半球に対して血行再建術を施行されたが，その後左の頭頂葉にも脳梗塞を生じ，左半球に対しても血行再建術を施行されている．高校生になり，学校の勉強についていくことが難しくなった，ということで脳神経外科の主治医から紹介され神経心理外来を受診．

- 神経画像所見： 図1 図2

右の前頭葉，左頭頂葉から後頭葉にかけて，古い脳梗塞像を認め，^{123}I-IMP-SPECTでは血管の閉塞を反映して，前頭葉から頭頂葉，後頭葉の広い範囲に脳虚血を認めている．

- 神経心理学的所見：

Wechsler Adult Intelligence scale-III（WAIS-III） 言語性64 動作性64 言語理解61 知覚統合63 作動記憶72 処理速度102

Wechsler Memory Scale-Revised（WMS-R） 言語性56 視覚性90 一般記憶58 注意集中77 遅延再生73

Behavioural Assessment of Dysexecutive Syndrome（BADS） 年齢補正した標準化得点97（標準）

Clinical Assessment for Attention（CAT）（一部のみ記載）（カッコ内は20歳代の平均）

Chapter 4 遂行機能

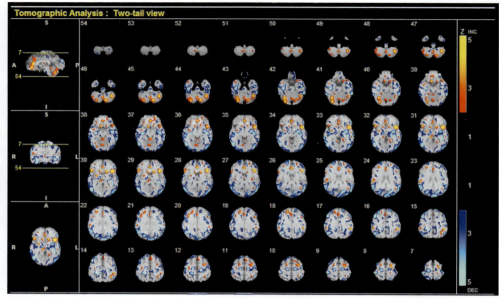

図2 症例1の機能画像
123I-IMP-SPECT

　　Memory Updating Test　3スパン50%（96.4）　4スパン38%（85.0）
　　Memory Updating Testは，もともとMorris Nらによってワーキングメモリーと関連して詳細に検討された課題で[10]，聴覚提示された数列の内，末尾3桁または4桁のみを復唱させる課題である．情報の取捨選択，つまり不要な情報は捨てながら必要な情報を拾う能力を検討する課題で，日本では標準注意検査（Clinical Assessment of Attention: CAT）の一部検査として利用可能である．
● Updating能力の低下に伴う遂行能力の障害について：
　この症例は，中学卒業までは通常学級に何とか適応していたが，教示に記載されている漢字がしばしば読めないなど，おそらく，小学校の段階から学習面に問題があったことが示唆された．診察時の会話では，やや幼い印象を与えるものの，明らかな知能低下の印象は全くなく，神経心理検査の結果として認められる知能の低下は，少なくとも一部は学習が十分にできなかったこ

とによると考えられた．BADS では低下を認めなかったものの，WMS-R や Memory Updating Test の結果からは，一度に処理できる情報量が限られ，少なくとも長期記憶に移行する前の段階で急速に情報が失われてしまうこと，逆に長期記憶に移行すれば，ある程度情報が保持可能であることが示唆された．

　生活上では，それまでアルバイトをしてはすぐに解雇される，ということを繰り返し，本人はなぜ辞めさせられたかあまり理解していなかったが，疾病教育を経て，「いろいろ言われるとどうしてよいかわからなくなる」，「だから 1 個ずつ伝えてもらえるようにお願いしました」という発言があり，最初の状態からはずいぶんと改善を認めている．一方で，金銭管理などより複雑なことはまだ十分にできているとは言い難い．

b) Inhibition of prepotent response (Inhibition)

　刺激に対して，より自動的な，より強力に生じる反応を抑制する能力を指す．その時の目的や状況に応じて，自動的に生じやすい決まりきった行動パターンを意図的に抑制する能力であり，go/no-go 課題のような認知的負荷の少ない課題から，Stroop 課題のようなより認知的負荷の強い課題までさまざまなものが考案されている．Go/no-go 課題は，その名の通り提示刺激ごとにボタンを押す，押さないというルールを決めておき，いわゆる「おてつき」をしないかどうかを検討する検査である．例えば標準注意検査（CAT）では，画面に 1〜9 の数字が提示され[11]，"7" が提示されたときだけボタンを押すことが要求される．一方で，Stroop テストは，その名の通り Stroop により考案された検査で，オリジナル版では色名をさまざまな色で表示することにより，視覚情報としての色彩と，意味情報としての色名の干渉効果が検討された[11]．例えば赤色で「青」と書かれると，意味情報処理が優先されるため，つい「あお」と答えたくなるが，検査では「何色で書かれているか」を解答するため，「あか」が正解となる．つまり，優先される自動的な認知処理を抑制し，解答を出すという意味で，抑制能力の評価課題として利用される．Lhermitte F は，利用行動（Utilization behavior）や模倣行動（Imitation behavior）などの環境依存症候群（Environmental Dependency Syndrome）についても，

Chapter 4 遂行機能

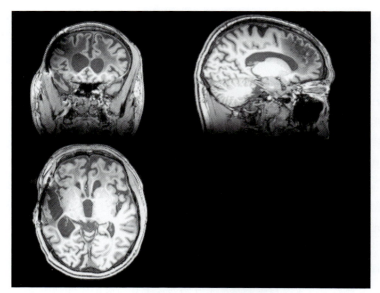

図3 症例2のMRI T1強調画像
この画像では右が右脳，左が左脳

こういった前頭葉の抑制能力の障害に基づいて生じると論じている[12]．前頭葉の眼窩面から腹内側面が主に関連していると想定されている．

症例2

- 症例：受傷時25歳　右利き男性
- 現病歴：バイク運転中にトラックに衝突し，外傷性脳損傷を受傷．救急病院搬送時，意識レベルはJCSⅢ-200．急性硬膜外血腫のためmid-line shiftがあり，緊急に血腫除去を行った後，脳平温療法を1週間ほど行った．約1カ月半かけて，徐々に意識状態が改善．外傷後健忘期間は3カ月以上に及んだ．
- 神経画像所見： 図3
MRI画像では，両側前頭葉に広範な脳挫傷，右側頭葉にも粗大な脳挫傷を認め，T2*やSWIで脳内の深部白質に点状出血斑を認める．神経学的には，

嗅覚の脱失，右半身不全麻痺などの症状を認め，以上のことから，損傷のタイプは，局所脳損傷とびまん性軸索損傷の合併例，と考えられる．

● 神経心理学・精神医学的所見：

WAIS-Ⅲ　言語性 65　動作性 76

　　　　　言語理解　78　知覚統合 87　作動記憶 56　処理速度 54

WMS-R　言語性 68　視覚性 60　一般記憶 60　注意集中 73　遅延再生 50
　　　　　未満

BADS　年齢補正した標準化得点 65（障害あり）

語流暢性検査　音韻 5 個　カテゴリー 15 個

Trail Making Test　A 109 秒　B 216 秒

ピッツバーグ睡眠質問票　4 点（5.5 点以上で睡眠障害あり）

チャルダー疲労尺度　23 点（25.2 点以上で易疲労性あり）

やる気スコア　24 点（16 点以上でアパシー）

Beck Depression Inventory　18 点

　Beck Depression Inventory（BDI）は，1961 年に Beck AT により発表され [13]，1993 年に改訂版（BDI-I Amended: BDI-IA），1996 年に第 2 版（BDI-Ⅱ）が発表された自記式の抑うつ評価尺度である．抑うつ気分や意欲，食欲や睡眠などについて過去 2 週間の状態を 0〜3 点（大きいほど重症）で評価し，17 点以上の場合抑うつ状態があると判定される（17〜20：軽度，21〜30：中等度，31〜40：重度，41 点以上：極度）．ただし，意欲の項目を含むため，必ずしもアパシー症候群の可能性は除外できない．

● Inhibition 能力の低下に伴う遂行能力の障害について：

この症例は，重症の頭部外傷症例であり，身体症状に加え，高次脳機能障害として健忘症候群，知能の低下，遂行機能障害，処理速度の低下などの多彩な症状がみられる．実際の行動上の問題としては，Inhibition 能力の低下を反映したいくつかの異常行動が認められる．

1）ため込み行動

　落ちている缶やペットボトルをカバンに詰め込んでいたり，作業所のはさみなどの文房具を勝手にとってリュックにしまい込んだりする行動が認められ，作業所のほうでも，帰宅の際に荷物のチェックをするなどの対処を行っ

Chapter 4　遂行機能

ていた．リュックは，そのような不要なもので膨らみ，いつも重いリュックを抱えて通院している．

2) 電車の乗り換え

クリニックへの通院の際も，1度乗り換えが必要だが，降りたホームでとりあえず来た電車の扉があくと乗ってしまうことがある．反対方向への電車に乗ってしまい，数駅行ってからようやく気がつくことも多く，結果として診察に大幅に遅れてくることがたびたび生じている．

（この症例の記載は文献 14 を改変引用した）

c) Mental set shifting（Shifting）

ある刺激に対してふるまう一連の行動を task sets とよび，繰り返し練習すればするほど，あるいは直近で練習していればしているほど，失敗せずに遂行できることが知られている．また，そのように刺激に対してふるまおうと，行動の主体側で用意がある状況を mental sets とよぶ[15]．言い換えれば，ある刺激に対して，「どのような一連の反応的行動（task sets）を行おうとしているか」についての心の準備のようなものを mental sets とよぶわけである．しかしながら，ある刺激に対する反応行動として適切なものは，状況に応じて変化する．したがって，良い結果を得るためには，時にこの sets をほかの sets に変更する必要が生じる．このように状況に応じて sets を変更する能力は，遂行機能の中でも重要なものと考えられている．主に前頭葉の内側面が関連していると想定され，内側面と機能的関連が深い基底核の機能低下を伴うパーキンソン病でも研究が多くされている．

症例 3

● 症例: 受傷時 30 歳　右利き男性
● 現病歴: 30 歳時，仕事で屋根の上で作業中に転落．およそ 3 m ほどの高さだったとのこと．救命救急センターに運ばれ，開頭血腫除去，減圧術などを受けた．約 1 週間の逆向性健忘，約 2 カ月の外傷後健忘期間を認めている．その後，約 4 カ月回復期リハビリテーション病院ですごしたのち退院．42 歳時に，高次脳機能障害の精査と書類の作成を求めて当院の神経内科を受診

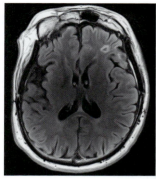
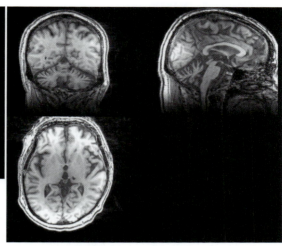

図4 症例 3 の MRI 画像　左は FLAIR, 右は T1 強調画像
この図では右が右脳, 左が左脳

し, そこで精神科を紹介されて受診となった.

- 神経画像所見：**図4**

  小脳を含め, 脳全体の明らかな萎縮を認めている. 右の視床には外傷によって生じたと考えられる出血のあとがあり, FLAIR 画像では右前頭葉皮質下白質に, 外傷性変化を認めている. 脳梁の菲薄化は, 肉眼的には明らかとはいえない. 以上より, 外傷性脳損傷のタイプとしては, 主にび漫性軸索損傷と考えられる.

- 神経学的所見：

  右半身に優位に小脳性の失調性運動障害を認め, 不器用さも目立つ. 次足歩行は困難で, 注視方向性眼振を認める. 右手は一度力を入れると, 力を抜くのが難しい.

- 神経心理学・精神医学的所見：

  WAIS-Ⅲ　言語性 80　動作性 86
  　　　　　言語理解 84　知覚統合 91　作動記憶 88　処理速度 52
  WMS-R　言語性 93　視覚性 104　一般記憶 95　注意集中 94
  　　　　　遅延再生 51

Chapter 4　遂行機能

BADS　年齢補正した標準化得点 88

些細な刺激で泣いたり笑ったりすることが目立ち，診察室でも頻繁に冗談を言うなど，ふざけ症（モリア）と類似した症状を認める．

● Shifting 能力の低下に伴う遂行能力の障害について：

この症例も症例 2 と同様，重症の頭部外傷症例であるが，主な症状としては，健忘症候群と情動の調節障害を認めている．また，家族の観察ではこだわり傾向が強く，一つのことややり方に固執すると，失敗してもそれを続ける傾向にあるという．例えば，食事の際の配膳の位置にこだわりを示したり，最初はこぼさないようにということでお椀を自分から少し離れたところに置こうとし，離れたところに置くことにこだわるあまり，結局こぼしてしまうなどの行動を認めている．つまり，一つのやり方に固執し，それが失敗しそうになっても（あるいは失敗した後でも）同じ行動パターンを選んでしまうことが続いている．

4.　Fluency

Miyake ら[9] が，若年齢層を対象として遂行機能の下位要素を同定しようと試みたのに対し，Fisk JE らは高齢者にまで対象を広げ，遂行機能がどのような構成要素からなるかについての検討を行っている[16]．具体的には，20 歳から 81 歳までの 95 名の健常被験者に対して 12 の遂行機能検査を行い，その結果について主成分分析を行っている．結果として，Miyake らが提示した 3 つの構成要素以外に，fluency（流暢性）が独立した構成要素として取り出せたと報告している．彼らはこの能力を，「長期記憶を効果的に取り出す能力」と考え，遂行機能の独立した構成要素として提案している．fluency は決められた時間内に取り出し，算出される情報の量によって測定され，letter fluency（頭文字を指定した fluency），category fluency（カテゴリーを指定した fluency），design fluency（非言語性の fluency）に分けられる．損傷研究では，流暢性は背外側前頭前野の損傷に伴って報告されていることが多い．

5. より高次の遂行機能

ここまでは，主に神経心理学的検査で検討できるような，より下位に位置すると考えられる遂行機能の要素について解説を行ってきた．しかしながら，実際の社会生活の中で，特に仕事を行うというような場合には，より複雑な遂行機能が要請される．さまざまな変化する情報の中で取捨選択を行い，目的に応じた適切な情報をもとに計画を立て，場合によっては予期せぬ出来事に伴い計画を随時修正しながら遂行する，というような場合である．このような能力は複雑すぎるため，ある特定の要因だけを検査して検討する，といった方法が適していないことが多く，問診により生活における失敗などを聞き出すことによって明らかになることも多い．計画を随時訂正するためには，現在行っている行動が適切なものかをモニターする能力が必要であり，最近ではさまざまな研究から右の背外側前頭前野が担っているのではないか，と考えられている[17]．

こういった高次の遂行機能に対する考え方の一つとして，平成13年度から開始された高次脳機能障害支援モデル事業においてまとめられた報告を紹介する．高次脳機能障害とは，このモデル事業によって集積された情報を分析した結果として策定された行政用語であり，主に「記憶障害」「注意障害」「遂行（実行）機能障害」「社会的行動障害」などの認知障害からなるとされている．遂行機能障害はさらに2つに分けられる．すなわち，

① 目的にかなった行動計画の障害：目的を定め，それを達成するための計画を立てることが困難で，結果として行動を開始することができないこともある．実行する能力は有していることもあるため，段階的な方法で指示されれば活動を続けることができる．

② 目的に適った行動の実行障害：自分の行動をモニターして行動を制御することの障害である．自分の行動と環境とを客観的に眺め，選択肢を分析し，その時々に応じて適切な選択肢を選び，行動を修正していく能力である．
（国立障害者リハビリテーションセンターホームページ「高次脳機能障害者支援の手引き改訂第2版」から一部改変）

Chapter 4 遂行機能

　このように分類することで，日常生活上に認められる遂行能力の低下が，その計画段階における問題なのか，実施段階における問題なのかを弁別し，症例にあった援助を提供することが可能になると考えられる．

症例 4

- 症例：発症時 47 歳　右利き女性
- 現病歴：47 歳時に右上肢のけいれんあり．翌年に右半身の脱力と失語の一過性脳虚血発作を生じ，精査の結果もやもや病と判明．同年，左の中大脳動脈領域に直接および間接バイパス手術，その翌年に右側にも同様の手術を行った．さらに 52 歳時には両側前頭部の間接バイパス術を施行されている．脳神経外科は他院にかかりつけであったが，父の死をきっかけに不安が増し，体重も減少したことを契機に，リハビリテーションを再開したいという希望で当科を受診となった．
- 神経画像所見： 図 5

MRI 画像では，左＞右で主に背外側前頭前皮質に虚血性変化を認めており，脳萎縮が認められる．

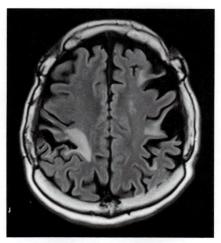

図 5 症例 4 の MRI FLAIR 画像
この画像では右が左脳，左が右脳

- 神経心理学的所見：

  時に左右がわからなくなる，二けたの足し算が暗算では難しいなどの左頭頂葉症状が残存している．

  Trail Making Test A 3 分 25 秒　B 5 分 14 秒

  BADS　年齢補正した標準化得点 88

- 行動上の問題：京都市内に在住し，孫に会うために大阪に住む子供のところに出かけたいが，どう乗り換えていいかわからない．特に，いつもと違うプラットフォームから電車が発車したりすると，混乱してしまう．そのため，大阪に行く際は，常に決まったやり方で行くようにしている．途中で，計画通りいかない場合は，混乱してしまうために，引き返してきて，その日は諦める．煩雑な書類の申請などはどうしてよいかわからず，当院のスタッフ（作業療法士やケースワーカー）の支援が必要．

- 計画の遂行上の問題：もやもや病の多くの症例で，このように，計画が途中でうまくいかなくなった場合に極端に混乱してしまう，という症状を認める．予定外のことが生じることで混乱し，「どうしてよいかわからない」状態となるため，この症例の場合，日常生活は 1 週間をかなり決まった形で過ごすようにしている．ある程度適切な内省があり，「私は臨機応変にできへんからやり方を決めているの」といった発言が認められ，必ずしも最適とはいえないが，大きく失敗はしないような行動パターンをとるような習慣が形成されている．

  　時間的に余裕があり，落ち着いて考えることで，行動の計画は何とか立てることができるが，実行の段階で何らかの予定外のことが生じると，遂行することが困難となる．このような場合，混乱した状態で新たな行動の選択肢を選ぶと大きな失敗につながりやすい．したがって，遠回りのように思えるが，この症例のように「いったんスタート地点に戻る」といった決まった解決策をとることは，ある意味で自らの能力にあった適切な方法といえるかもしれない．

  （この症例の記載は文献 14 に加筆修正した）

Chapter 4　遂行機能

まとめ

　遂行機能障害について，その概念の歴史的変遷，下位構成要素などについて，症例を交えて解説した．繰り返しになるが，神経心理検査で測定される遂行機能は，社会生活で必要とされる遂行機能と比較すると簡易な能力をターゲットとしており，神経心理検査の結果のみで遂行機能障害の有無の判断をすることはできない．これは遂行機能障害に限った話ではなく，例えば，行動無視検査（Behavioural Inattention Test: BIT）では正常と判断されるような症例でも，繁華街の雑踏の中では左側のものにぶつかったりすることがある．神経心理検査全般が，日常の複雑な課題をより単純にしたものであり，検査室という特殊な環境の中で測定されたものだということは，常に考えておく必要がある．日常生活，社会生活上で遂行機能に関わる失敗のエピソードがあるのにもかかわらず，検査で検出できなければ「遂行機能障害はない」という判断を下すとすれば，それは本末転倒といえるだろう．したがって，遂行機能障害をもつ症例の診療においては，その症例の生活がどれぐらい複雑なものなのか，そしてその複雑さの中でどの程度の失敗のエピソードがあるのかについて，詳しく問診を重ねる必要がある．日常生活の多くの部分が，繰り返しの慣れ親しんだ行動で構成されている場合には，Shallice ら[4]のいうような Supervisory system の機能を要しないということもあり，たまにしか生じないような特別な状況・環境下でどのように行動できたか（あるいはできなかったか）を聴取する必要がある．当たり前のことではあるが，① 日常生活上の困難についての聴取（問診），② その困難の基盤となる要素的能力の検討（神経心理学的検査），③ 能力低下を生じる基盤としての脳損傷の所見（神経放射線検査など）を総合して，臨床上の判断を下していく必要があるといえるだろう．

■文　献

1) American Psychological Association. APA Dictionary of Psychology. Second Edition. Washington DC: American Psychological Association; 2015.
2) Ardila A. On the evolutionary origins of executive functions. Brain Cogn. 2008; 68: 92-9.
3) Seniów J. Executive dysfunctions and frontal syndromes. Front Neurol Neurosci. 2012; 30: 50-3.

4) Shallice T, Burgess P. The domain of supervisory processes and temporal organization of behaviour. Philos Trans R Soc Lond B Biol Sci. 1996; 351: 1405-11; discussion 1411-2. Review.

5) Baddeley A. The concept of working memory: a view of its current state and probable future development. Cognition. 1981; 10: 17-23.

6) Baddeley A. The episodic buffer: a new component of working memory? Trends Cogn Sci. 2000; 4: 417-23.

7) Baddeley A. Working memory. Oxford: Oxford University press; 1986.

8) Duncan J. Frontal lobe function and general intelligence: why it matters. Cortex. 2005; 41: 215-7.

9) Miyake A, Friedman NP, Emerson MJ, et al. The unity and diversity of executive functions and their contributions to complex "Frontal Lobe" tasks: a latent variable analysis. Cogn Psychol. 2000; 41: 49-100.

10) Morris N, Jones D M. Memory updating in working memory: the role of the central executive. Br J Psychol. 1990; 81: 111-21.

11) Stroop J R. Studies of interference in serial verbal reactions. J Exp Psychol. 1935; 18: 642-62.

12) Lhermitte F. Human autonomy and the frontal lobes. Part II: Patient behavior in complex and social situations: the "environmental dependency syndrome". Ann Neurol. 1986; 19: 335-43.

13) Beck AT, Ward CH, Mendelson M, et al. An inventory for measuring depression. Arch Gen Psychiatry. 1961; 4: 561-71.

14) 上田敬太. 脳損傷とこだわり. 臨床精神医学. 2017; 46: 973-8.

15) Monsell S. Task switching. Trends Cogn Sci. 2003; 7: 134-40.

16) Fisk JE, Sharp CA. Age-related impairment in executive functioning: updating, inhibition, shifting, and access. J Clin Exp Neuropsychol. 2004; 26: 874-90.

17) Stuss DT. Functions of the frontal lobes: relation to executive functions. J Int Neuropsychol Soc. 2011; 17: 759-65.

［上田敬太］

Chapter 4　遂行機能

B　検査の実際

1. 遂行機能検査の種類

　遂行機能（executive function）は日常定型的で，答えが1つに決まっているような課題には関係しない．標準的検査は誰にとっても課題の意味は同じになるように作られているので，遂行機能障害を示す者は多くの神経心理テストでは正常であり，自分で行動を管理することに障害が表れる[1]．遂行機能障害は以下の諸検査に障害が現れる．

1) ワーキングメモリーを要するテスト：じゃんけんで後出しをして負けるようにする，聴覚的に数字を与え前の数字を覚えておいて足し算をする，ストループテスト（Stroop test）などがある．

2) 構造化されていない，手がかりもない課題：遂行機能障害症候群の行動評価（BADS）に含まれる時間判断課題，修正6要素課題がある．

3) 語彙，図柄，アイデアの産出量を測る流暢性検査：生産性や自己制御の能力を測定する．

4) 高次の保続に関する検査：前頭葉損傷者では保続が出現する．保続とは以前の課題では正答であった反応が，その後不適切な状況で再び出現することで，固執性につながっている．ウィスコンシンカード分類検査（Wisconsin card sorting test: WCST）では，正答基準が変わっても以前の基準で反応しつづける，という行動が観察される．

5) 抽象的な概念の形成能力を検討する検査：一連の刺激に含まれている共通した原則を見つけ出すことが要求される．WAIS の類似問題，ことわざの説明課題が用いられる．ヴィゴツキーテスト（Vygotsky test）は色，形，高さ，大きさの異なる積木を，概念を組み合わせることによって分類する概念形成検査である．

6) 計画性の評価方法：図形を模写する時の紙面上の空間の使い方，積み木を組み立てる際に試行錯誤するなどの取り組み方，迷路で正解の経路からの逸脱など，Bender-Gestalt Test の配置，WAIS の積み木，WISC の迷路，

ハノイの塔（Tower of Hanoi）がある.

7) **目標行動の検査**: ティンカートイ検査（Tinkertoy Test）は部品を自由に組み立てる課題で, 非構造的な自由構成課題で, 発散的思考を問い, 復職の成績と相関を示す.

8) **遂行機能検査バッテリー**: 遂行機能障害の行動評価（BADS）があり, 目標の設定, 計画の立案, 計画の実行, 効果的な行動の遂行に関する6課題から成っている.

2. 遂行機能評価の手順

スクリーニング検査として, Frontal Assessment Battery（FAB）がよく用いられる. FAB は類似性, 語の流暢性, 運動系列, 葛藤指示, Go/No Go 課題, 把握行動の6項目からなる. 軽度認知症などでは他の検査に比べて FAB が特異的に低下し, 鋭敏な検査である.

次には 遂行機能の各側面を網羅した遂行機能障害の行動評価（BADS）を行い, その後特に問題となる領域の検査を行う. BADS は目標の設定, 計画の立案, 計画の実行, 効果的な行動の遂行に関する諸課題から成っている. ストループテストとトレイルメイキングテスト（Trail Making Test）ではワーキングメモリーが必要になる. 課題認知的推定課題と Multiple Errands Test は構造化されていない, 手がかりもない課題である. 語や図形, アイデアの流暢性検査があり, 高次の保続についてはウィスコンシンカード分類検査によって測定できる. WAIS の類似問題とヴィゴツキーテストは抽象的な概念の形成能力を検討できる. 計画性の評価には迷路課題とハノイの塔が用いられる. ティンカートイ検査では目標行動を観察できる.

3. FAB 図1

前頭葉機能を短時間で簡易に評価できるバッテリーで, Dubois ら[2] が開発し, わが国には小野[3] が紹介した. 以下の6問（18点満点で, 最も重度だと0点となる）から成る.

Chapter 4　遂行機能

氏名：　　　　　　様（　　才　男・女）　疾患名：　　　　　　　　　　病巣：右・左（　　　）

	方法・手順	得点	採点基準	
類似性	◇概念化 「次の 2 つは, どのような点が似ていますか?」 ①バナナとオレンジ　　　　　　（果物） ②机と椅子　　　　　　　　　　（家具） ③チューリップとバラとヒナギク（花） ①のみヒント可：完全な間違いの場合や「皮がある」など 　部分的な間違いの場合は「バナナとオレンジはどちらも 　…」とヒントを出す. ②③はヒントなし	3	3 つとも正答	《回答》 ① ② ③
		2	2 つ正答	
		1	1 つ正答	
		0	正答なし	
語の流暢性	◇柔軟性 「'か'で始まる単語をできるだけたくさん言ってください. ただし, 人の名前や固有名詞は除きます」 制限時間は 60 秒. 最初の 5 秒間反応がなかったら「例え ば, 紙」とヒントを出す. さらに 10 秒間黙っていたら「か で始まる単語なら何でもいいですから」と刺激する. 同じ単語の繰り返しや変形（傘, 傘の柄など）, 人の名前, 固有名詞は正答としない.	3	10 語以上	《回答》
		2	6〜9 語	
		1	3〜5 語	
		0	2 語以下	
運動系列	◇運動プログラミング 「私がすることをよく見ておいてください」 検者は左手で Luria の系列「拳 fist−刀 edge−掌 palm」を 3 回実施する.「では, 右手で同じことをしてください. はじ めは私と一緒に, 次は独りでやってみてください。」と言う. 《メモ》	3	被検者独りで, 正しい系列を 6 回連続してできる	
		2	被検者独りで, 正しい系列を少なくとも 3 回連続してできる	
		1	被検者独りではできないが, 検者と一緒に正しい系列を 3 回連続してできる	
		0	検者と一緒でも正しい系列を 3 回連続ですることができない	
葛藤指示	◇干渉刺激に対する敏感さ 「私が 1 回叩いたら, 2 回叩いてください」 被検者が指示を理解したことを確かめてから, 次の系列 を試行する：1−1−1 次は,「私が 2 回叩いたら, 1 回叩いてください」 被検者が指示を理解したことを確かめてから, 次の系列 を試行する：2−2−2 そして, つぎの系列を実施する 　　　　　　1−1−2−1−2−2−2−1−1−2	3	間違いなく可能	《メモ》
		2	1, 2 回の間違いで可能	
		1	3 回以上の間違い	
		0	被検者が 4 回連続して検者と同じように叩く	
Go/No-Go	◇抑制コントロール 「私が 1 回叩いたら, 1 回叩いてください」 被検者が指示を理解したことを確かめてから, 次の系列 を試行する：1−1−1 次は,「私が 2 回叩いたら, 叩かないでください」 被検者が指示を理解したことを確かめてから, 次の系列 を試行する：2−2−2 そして, つぎの系列を実施する 　　　　　　1−1−2−1−2−2−2−1−1−2	3	間違いなく可能	《メモ》
		2	1, 2 回の間違いで可能	
		1	3 回以上の間違い	
		0	被検者が 4 回連続して検者と同じように叩く	
把握行動	「私の手を握らないでください」 被検者に両手の手掌面を上に向けて膝の上に置くよう指 示する. 検者は何も言わないか, あるいは被検者の方を見 ないで, 両手を被検者の手の近くに持っていって両手の 手掌面に触れる. そして, 被検者が自発的に検者の手を握 るかどうかをみる. もし, 被検者が検者の手を握ったら,「今 度は, 私の手を握らないでください」と言って, もう一度繰 り返す.	3	被検者は検者の手を握らない	
	◇環境に対する被影響性	3	被検者は検者の手を握らない	
		2	被検者は戸惑って, 何をすればいいのか尋ねてくる	
		1	被検者は戸惑うことなく, 検者の手を握る	
		0	被検者は握らなくともいいと言われた後でも, 検者の手を握る	
検査者：		合計	/18	

図1 Frontal Assessment Battery（FAB）

（小野　剛. 脳の科学. 2001; 23: 487-93[3]）

1) **概念化**: 前頭葉損傷者では抽象的思考が障害される. カード分類, 諺の解釈, 類似性課題が用いられるが, FAB では「類似性課題」が採用されている (得点は 0〜3).

2) **精神的柔軟性**: 前頭葉損傷者は習慣化されていない状況で認知方略を作り上げることが困難である.「語の流暢性」では, 通常は意味的手がかりから語彙の記憶を検索するのが, 新規な方法で語彙を検索することになる (0〜3).

3) **運動のプログラミング**: 前頭葉損傷者は継続した動作の時間的組織化, 維持, 実行に困難を示す. Luria の拳—手刀—掌課題を単純化して用いる (0〜3).

4) **干渉刺激に対する敏感さ**: 行動の言語的自己制御の障害には, ストループ検査のような言語命令が感覚刺激と矛盾する「葛藤指示」が用いられる. 本検査では検査者が叩く回数と異なった回数を叩くことで, 前頭葉損傷者の模倣行動を抑制する (0〜3).

5) **抑制的制御**: 衝動性の制御に関して「Go/No-Go」課題を行う (0〜3).

6) **環境に対する被影響性**: 環境刺激への過剰な依存傾向は模倣行動や使用行動として現れる. 本検査では手掌に対する刺激で「把握行動」が出現するかどうかを評価する (0〜3).

　FAB の検査得点はウィスコンシンカード分類検査の保続エラーと相関し, MMSE の点数との間に相関を認めなかったことから前頭葉機能の評価に有効だとされる. また, Mattis 認知症評定尺度と高い相関を示した. この検査は模倣, 概念形成, 注意を測定し, 前頭葉損傷者で低下する機能を含んでおり, 本検査の併存的妥当性を示している. 健常統制群とアルツハイマー病, パーキンソン病, 前頭側頭型認知症の前頭葉機能のスクリーニングに有用である. 60 歳以上では類似性の理解と Go/No-Go 課題の点数が低下するが, これは高年齢層の前頭葉機能の特徴に近似している[2]. 前頭葉機能は加齢による影響を受けるためである. また, 健常者と Mattis 認知症評定尺度で認知機能障害が認められた患者との間で判別分析を行うと, 89.1％の正判別率を示した. 前頭側頭型認知症と進行性核上麻痺の患者の判別には類似問題と把握行動が有効で, 69.7％の正判別率を示した. 17 名の患者に対して 2 名が FAB を評価した

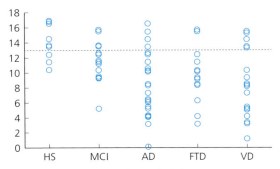

HS：健常者，MCI：軽度認知障害，
AD：アルツハイマー病，FTD：前頭側頭型認知症，
VD：血管性認知症

図2 各症例群における FAB 合計得点
(前島伸一郎, 他. 高齢者に対する Frontal assessment battery (FAB) の臨床意義について. 脳と神経. 2006; 58: 207-11[4] より改変)

ところ評価者間信頼性は 0.87 であった．121 名の患者の FAB 成績のクロンバックの α 係数は 0.78 で，良好な内的整合性を示した[2]．

前島ら[4] は在宅高齢者 82 名に FAB，MMSE，仮名ひろいテスト，RCPM（レーブン色彩マトリックス検査）を実施した **図2**．FAB 得点は健常者群および MIC 群に比べ，認知症群で有意に低下した．また，MMSE，仮名ひろいテスト，RCPM が高得点でも FAB で異常を認めた症例も多く，FAB の鋭敏性が確認された．寺田ら[5] は 20 歳代から 70 歳代までの対象者により，FAB 成績の年齢による効果を検討した．20，30，40 歳代と比べて 60 歳代以上では有意に点数が低く，下位検査では類似性の理解と Go/No-Go 課題に有意な点数の低下を認めた．

4. BADS: 遂行機能障害症候群の行動評価　日本版[6]

目標の設定，計画の立案，計画の実行，効果的な行動の遂行に関する諸課題からなる遂行機能検査バッテリーである．

① 「規則変換カード検査」では最初は赤のトランプに「はい」と答え，黒には「いいえ」と答え，次には直前のカードと同じ色に「はい」と答え，直前のカードと違う色なら「いいえ」と答える，というように，規則の変換に対応できるかどうかを評価する．

② 「行為計画検査」では，水，コルク，ビーカーを用いて，管の底にあるコルクを取り出す．管の底にあるコルクを，直接触れたり，持ち上げたりせずに，道具を用いて取り出す課題で，計画能力を評価する．

③ 「鍵探し検査」は広場のどこかで鍵をなくしたので，探し歩く道筋を描く．これによって組織的な探索ができるかどうかを評価する．

④ 「時間判断検査」では，やかんの湯が沸騰する時間など，明確な正答が存在しない時間的長さを推定してもらう．

⑤ 「動物園地図検査」は，いくつかのルールに従って，所定の場所を通る経路を計画する課題である．

⑥ 「修正6要素検査」では10分間に計算，呼称，口述それぞれ2種類，全6課題すべてに少しずつ手をつけ，効率よく時間配分することが求められる．

　BADS には日常生活上の遂行機能障害をとらえるための DEX 質問紙がある．本人用と家族用があり，両評価の相違から病識に関する情報が得られる．
　用稲ら[7] の因子分析的研究では規則変換カード，行為計画，動物園地図の3課題が1つの因子を構成し，鍵探しと時間判断が第2の因子をなしていた．そして修正6要素はいずれの因子とも関連が弱かった．第1の因子は計画性，第2の因子は構造化されない課題における推論と解釈された．2因子の下位尺度得点と知能，記憶，注意検査成績との関係では，行動計画能力が知能，記憶，注意検査など認知機能全般と関連を示し，推定能力はワーキングメモリーや認知的な判断能力との関連が示唆された．原田ら[8] は前頭前野に病変を有する脳腫瘍患者を対象に病変別の成績を比較した．BADS 得点は髄膜腫，転移性脳腫瘍，低悪性度神経膠腫で臨床症状の改善とよく相関し，いずれの群でもリハビリ過程で BADS 得点の改善を認めた．特に BADS 下位検査中，鍵探し検査，時間判断検査，修正6要素検査で高い改善を認めた．また前頭葉内側障害群においては BADS 成績は FAB，ハノイの塔による評価と相関した．山

Chapter 4　遂行機能

岸ら[9]では，BADSの行為計画検査と鍵探し検査は，MMSEの成績が正常レベルに保たれた高齢脳損傷患者においても，神経心理学的遂行機能検査としての構成概念妥当性を有することが示された．

　認知症およびパーキンソン病の症例におけるBADS適用研究が行われている．伊勢ら[10]はアルツハイマー病（AD）患者の遂行機能障害の質問表（DEX）**表1**を，AD患者の家族を対象に調査した．DEXの20項目中，Alzheimer's disease assessment scale（ADAS）の観念運動課題およびFrontal Assessment Battery（FAB）と相関がみられた13項目を認知症患者のためのDEX短縮版（DEX-D）とした．DEX-D得点とADASの下位項目の単語再生，見当識，観念運動がFAB得点と有意な相関が見られた．DEX-DはADにおけるADL上の遂行機能障害に関する質問表として有用であった．関谷ら[11]は高齢アルツハイマー病患者におけるBADSの行為計画検査と鍵探し検査は遂行機能検査としての妥当性は有していることを示したが，ADL上の遂行機能障害を十分には予測できていなかった．及川ら[12]はDEX総得点と種々の臨床情報，重症度，認知機能障害との関係を検討し，年齢，罹病期間，認知症の全般重症度，MMSE得点，ADAS減点との間に有意な相関を認めた．DEXによって検出されるADLの障害には，遂行機能とともに近時記憶と見当識の障害が影響している可能性が示唆された．中薗ら[13]では，パーキンソン病（PD）症例はDEXの20項目中8項目，遂行機能検査は全課題で有意差が認められた．次にPD群の中でDEX8項目中，遂行機能検査と有意な相関がみられた6項目を抽出した．DEX6項目とKWCSTが遂行機能評価の上で重要な因子であった．

5. ストループテスト

　同時に提示される2つの刺激，多くは色と色名単語，が干渉する[14]．すなわち，24個の刺激が赤，青，緑，黄という色名が色名とは違う色で印刷されている．課題は色名単語を音読しないようにしてインクの色を言うことである．コントロール課題は2種あり，24個の同じ4色で印刷された丸で，色名を言ってもらう．もう1種類のコントロール条件は山など色名以外の文字が4

表1 DEX 質問紙（本人・家族）（Dysexecutive Questionnaire）（本人用と家族用）

20 項目の質問紙で，「全くない」から「いつも」の 5 段階評価.

1. 単純にはっきり言われないと，他人の言いたいことの意味が理解できない．→抽象的思考の障害

2. 考えずに行動し，頭に浮かんだ最初のことをやる．→衝動性

3. 実際には起こっていない出来事やその内容を，本当にあったかのように信じ，話をする．→作話

4. 先のことを考えたり，将来の計画を立てたりすることができない．→計画性の障害

5. ものごとに夢中になりすぎて，度を越してしまう．→多幸

6. 過去の出来事がごちゃまぜになり，実際にはどういう順番で起きたかわからなくなる．→時間的順序の障害

7. 自分の問題点がどの程度なのかよくわからず，将来についても現実的でない．→病識の欠如と社会的気づきの障害

8. ものごとに対して無気力だったり，熱意がなかったりする．→無気力と意欲低下

9. 人前で他人が困ることを言ったりやったりする．→脱抑制

10. いったん何かをしたいと本当に思っても，すぐに興味が薄れてしまう．→衝動制御の障害

11. 感情をうまくあらわすことができない．→情動的反応の浅さ

12. ごくささいなことに腹を立てる．→攻撃性

13. 状況に応じてどう振る舞うべきかを気にかけない．→無関心

14. 何かをやり始めたり，話し始めると，何度も繰り返して止められない．→保続

15. 落ち着きがなく，少しの間もじっとしていられない．→多動

16. たとえすべきでないとわかっていることでも，ついやってしまう．→反応抑制の障害

17. 言うこととやることが違っている．→知識と反応の解離

18. 何かに集中することができず，すぐに気が散ってしまう．→転導性の亢進

19. ものごとを決断できなかったり，何をしたいのか決められなかったりする．→判断能力の欠如

20. 自分の行動を他人がどう思っているのか気づかなかったり，関心がなかったりする．→社会的規則の無関心

色で印刷されていて，色名を言う．評価は色と色名の干渉条件と他のコントロール条件との作業時間の差を用いる[15]．色名を読んでしまうエラーや，その自己修正で作業時間が延長することをストループ効果という．標準注意検査法（CAT）では，位置に関するストループテストが用いられている．機能画像研究からはストループテストの遂行には背側前部帯状回と前頭葉背側部が重

Chapter 4 遂行機能

視されている[16].

平澤ら[17]はストループテストを6〜20歳までの健常児者に検査を行ったところ，干渉効果に関する各指標の年齢による変化を認めた．各指標成績が示す最良値は16〜17歳代であった．

本検査は認知症例に適用されている．内山ら[18〜20]では認知症を有する高齢者もストループ効果が生じ，認知症が重症になるにつれ，その効果は大きかった．また，HDS-R各設問とストループ効果誘発課題遂行時間との関係を評価し，長期記憶，言葉の流暢性を評価する項目の寄与が最も強く，時間見当識，数字の逆唱，言葉の遅延再生も返答時間の延長に寄与した．健常高齢者では色・色名干渉課題の返答には長く時間がかかり，認知症検査成績と高く相関した．また，健忘症例と軽度認知症例の間で，ストループ効果では違いが明らかであった．

さまざまな方法で実施されているが，筆記式のものが公刊されている[21].

6. ウィスコンシンカード分類検査（WCST）

わが国では慶應版ウィスコンシンカード分類検査[22]が使用されている．本検査は，概念の変換と維持に関する能力を検討する分類検査である．被検者は1枚ずつ示されたカードがどの分類カテゴリーに属するのか類推し，回答する．カードは48枚で，分類カテゴリーは「色」（赤・緑・黄・青），「数」（1〜4個），「形」（三角形・星型・十字型・丸）である．評価は達成カテゴリー数，保続およびセットの維持の3種の観点からなされる．達成カテゴリー数は6連続正答した分類カテゴリー数で，概念変換の程度を表す．保続とは以前の課題では正答であった反応が，その後不適切な状況で再び出現することで，固執性につながっている．保続性誤りは，分類カテゴリーが変わったにもかかわらず，前に達成された分類カテゴリーにとらわれ，誤反応するMilner型の保続と，直前に誤反応した分類カテゴリーにとらわれ，誤反応する保続をNelson型の保続の2つに分類する．セットの維持困難については，2以上5以下の連続正答数の後に生じた誤反応数によってカテゴリーを見失う程度を表す．

中山ら[23]は各種神経疾患および健常者95名に慶應版ウィスコンシンカード分類検査を施行し，加齢による前頭葉機能の変化を検討した．WCSTの評価項目のうち達成カテゴリー数（CA），誤反応数（TE），および保続が年齢と有意に相関した．安部ら[24]はウィスコンシンカード分類検査・慶應版（KWCST）の健常中高年者における標準値を明らかにするため45～74歳の76名について測定を行った．KWCSTは教育年齢と相関していた．

7. 流暢性検査

流暢性検査では，語彙，図柄，アイデアの産出量などの生産性や自己制御の能力を測定する．Word Fluency（語流暢性検査）では「あ」，「し」，などで始まる音や特定のカテゴリー（動物，花など）を1分間に言ってもらう．伊藤ら[25]は18～91歳の健常成人762名を対象に，言語流暢性の成績を検討した．性別では成績差を認めず，年齢と教育歴別では有意差を認めた．50歳以上で生成語数は減少し，教育歴が長いものほど生成語数が多かった 表2 ．

Idea Fluency（アイデアの流暢性検査）では空き缶の使用法などアイデアの数とその内容を考える．空き缶の容器としての用途からどの程度かけ離れた発想が，どの程度豊富に賛成されるか，を評価する．質的評価基準として空き缶の形，性質に着目した課題依存的な回答，空洞などの容器としての性質に着目した課題変形の回答および容器としての性質を無視し，空き缶の部分的な特徴のみに着目した部分再生の回答に分類する[26]．

Design Fluency（非言語性の流暢性検査）は，4点を通る抽象図形を5分間で描いてもらう．4点をそのまま結ぶと正方形になるが，正方形から，どの程度かけ離れた図形が，どの程度豊富に描かれるか，が評価される．正方形にとらわれた課題依存の回答，正方形を主体としているが単なる幾何学的発想でない課題変形の回答，4点の絵の要素または要所として利用した部分再生の回答に分類する[26]．

Chapter 4 遂行機能

表2 言語流暢性課題別成績（平均生成語数・標準偏差）

課題 変数	あ M (SD)	か M (SD)	し M (SD)	動物 M (SD)	職業 M (SD)	スポーツ M (SD)
年齢						
30 歳未満	11.2 (3.5)	12.6 (3.0)	10.3 (3.5)	18.0 (3.6)	14.6 (3.3)	16.1 (3.6)
30 歳代	9.4 (3.4)	11.8 (3.7)	9.3 (3.8)	19.2 (4.7)	12.9 (3.7)	15.4 (3.3)
40 歳代	9.6 (4.2)	11.6 (4.8)	8.9 (3.9)	18.2 (4.8)	12.3 (4.2)	14.9 (3.9)
50 歳代	8.5 (3.7)	9.5 (3.5)	7.4 (3.5)	16.7 (4.4)	11.2 (4.2)	13.3 (3.7)
60 歳代	7.2 (3.1)	7.9 (3.2)	5.6 (2.9)	14.3 (4.6)	9.3 (3.6)	10.7 (3.3)
70 歳代	6.8 (3.1)	7.2 (3.2)	4.9 (3.0)	11.8 (4.4)	7.2 (3.3)	7.8 (3.3)
80 歳以上	6.9 (2.4)	7.1 (3.5)	5.1 (2.3)	11.6 (5.5)	7.3 (3.1)	8.2 (3.7)
教育歴						
10 年未満	6.5 (2.8)	7.3 (3.0)	4.9 (2.7)	12.7 (4.4)	7.6 (3.2)	9.1 (3.4)
10〜12 年	8.2 (3.4)	9.0 (3.6)	6.8 (3.3)	15.4 (4.8)	10.5 (4.0)	11.7 (3.9)
13〜15 年	9.6 (3.6)	11.2 (4.1)	8.9 (3.9)	17.5 (4.1)	12.4 (3.6)	14.7 (3.5)
16 年以上	10.8 (4.2)	12.3 (3.8)	10.1 (3.9)	20.0 (5.0)	14.2 (4.3)	16.5 (3.7)
性別						
男性	7.6 (3.9)	8.7 (4.1)	6.5 (4.1)	15.5 (5.8)	10.2 (4.8)	12.4 (5.1)
女性	8.3 (3.5)	9.3 (3.8)	6.9 (3.5)	15.5 (4.8)	10.5 (4.1)	11.8 (4.1)
地域別						
都市部	9.2 (3.6)	10.6 (3.9)	8.2 (3.7)	16.9 (4.8)	11.6 (4.1)	13.3 (4.1)
郡部	7.0 (3.3)	7.7 (3.4)	5.5 (3.2)	13.8 (5.1)	8.9 (4.2)	10.4 (4.4)
総合平均	8.1 (3.6)	9.1 (3.9)	6.8 (3.7)	15.5 (5.2)	10.4 (4.4)	12.0 (4.5)

（伊藤恵美, 他. 神経心理学. 2004; 20: 254-63[25]）

8. ハノイの塔

　計画性の評価に関する代表的な検査である[27]．本検査では3つの木釘にはまっている大きさの異なった積木を，最初の位置から目標の位置まで動かす．その際，3つの規則があり，① 1回に1つだけ動かす，② 棒から棒へ動かす，③ 下から大きな順になっていること，を守らなければならない．課題の制限時間は2分で，その間は何回動かしてもよい．ゴールを達成できたかどうか，所要時間，移動回数および規則違反の反応と回数について評価する．この検査は最も効率的な移動順序を計画するプランニング力が必要になる．手続き記憶のテストとしても使用される．

9. そのほかの遂行機能検査

a) ワーキングメモリーを要するテスト

　トレイルメイキングテストはランダムに配列された数字を順に結ぶ課題で，Aでは数字のみであるが，Bでは数字とあいうえお順の仮名文字を交互に結んでいく課題である．本課題パートAは注意の選択性，パートBでは注意の分配能力が検査される．パートAの成績が良く，パートBが不良である場合，遂行機能障害が示唆される．2018年に日本高次脳機能障害学会によって標準化された日本版が公刊された[28]．このトレイルメイキングテスト日本版では年代ごとの所要時間と平均および標準偏差と成績を比較し，誤反応の回数と併せて「正常，境界，異常」の判定がなされるようになっている．

b) 抽象的な概念の形成能力を検討する検査

　一連の刺激に含まれている共通した原則を見つけ出す．WAISの類似問題では2つの単語を包摂する上位概念を見いだす．ヴィゴツキーテストでは色，形，高さ，大きさの異なる積木を大きさと高さの概念を組み合わせることによって4つのグループに分類する概念形成検査である[27]．4つのグループに分けるには，大きさと高さを組み合わせた分類を考え出す必要がある．

Chapter 4　遂行機能

c）目標行動の検査

　ティンカートイ検査は部品を自由に組み立てる．非構造的な自由構成課題で，発散的思考を問う[27]．使用部品数，目標物を明確に意識しているか，作品が目標物に似ているか，などについて評価する．

10.　遂行機能検査のリハビリテーションへの意義

a）遂行機能訓練の進め方

　注意，記憶にも問題があればそれらの訓練を先行させる．遂行機能訓練では知的機能に問題がなければ各種の計画，問題解決訓練および外的補助手段の使用訓練を行う．われわれは遂行システムの直接訓練として，① 計画課題，② 課題特異的な手段の教育，特定の場面に適応する行動を教える，③ 言語的媒介による行動の調整（自分で自分に対して命令することで，一定の行動を自立させる），④ 問題解決訓練（複雑な課題をより操作しやすい部分へと分解して解決する，集団療法で社会的スキルを学習していく），といった課題集を開発している[29]．遂行機能にかかわる諸課題は比較的困難で，注意，記憶の機能がある程度回復した後に行う．本教材の一部はアンドロイドタブレット用にアプリ化されている[30]．知的機能の障害を併せもつ症例では生活環境を構造化し，日々の生活上の習慣を確立させていく．

　廣田ら[31] は頭部外傷で入院した 16 歳以上の症例を対象に，遂行機能検査と知能・記憶検査の結果と比較した．受傷後 3 カ月以内の早期と，以降 3 年間の後期の両時期に検査を行った．全項目を行い得た 95 症例を対象にした結果，知能・記憶障害については，特に軽症群では早期から障害は軽度で後期には健常者平均にまで回復したが，遂行機能障害は軽症群・非軽症群ともに改善はするものの不良なままであり，約 4 割の症例で障害が残存していた．

b）遂行機能検査成績と社会復帰

　用稲ら[32] は脳損傷者の社会復帰の判断指標となる神経心理学的検査を検討した．高次脳機能障害者を就労群と非就労群に分類し各種テストの成績を比較した．その結果，仮名ひろいテスト，標準注意検査法の Tapping Span forward, Visual Cancellation Task 2, Memory Updating Test 4 span, ウェクスラー記憶検査の視覚性再生 II, BADS 年齢補正得点, 修正 6 要素検査において有意に非就労群が成績低下を示し, 特に修正 6 要素検査は作業能力を直接的に反映すると考えられた. 注意, 記憶検査に加え, 遂行機能検査が社会復帰の判断指標に有用である.

蜂須賀[33]は外傷性脳損傷などにより生じる高次脳機能障害の発症率と職場復帰の要因を研究した. Web 調査を実施し, リハビリテーションの適応となる中等度高次脳機能障害の発症は 1 年間に 2.3 人/人口 10 万人であった. 神経心理学的検査の評価値は「一般就労 > 福祉的就労 > 非就労」の関係があり, BADS のみ「一般就労 ≒ 福祉的就労 > 非就労」であった. WAIS, WMS-R, RBMT は一般就労が有意に非就労よりも高値であり, 遅延再生では福祉的就労も非就労より有意に高値であった. 職場復帰要因としては知能と記憶が重要であった.

赤嶺ら[34]は認知リハビリテーション前後の神経心理学的検査成績と就労・復職実績との関係を検討した. 注意力の改善を目的とした認知訓練後に WAIS-III, WMS-R, WCST, BADS が有意に改善した. 就労状態を予測するのは, 達成カテゴリーの変化量, 認知訓練後の積木, 認知訓練前の遅延であった. 認知訓練によって遂行機能が大きく改善することが就労につながる指標となり得る.

c) 小児期受傷の外傷性脳損傷者における遂行機能

野村ら[35]は小児期受傷群と成人期受傷群とを比較検討した. ウェクスラー成人知能検査の動作性 IQ の平均値は小児期群が 64.1 で, 成人期群の 80.7 と比較して低かった. 日本版ウェクスラー記憶検査では「言語性記憶」,「視覚性記憶」,「一般的記憶」の領域での小児期群の値が低かったが, 全体のパターンには違いはみられなかった. トレイルメイキングテストでは両群とも標準値より延長していたが, 両群間には差はなかった. BADS では小児期群が成人期群に比べ有意に悪かった. 来所から平均 22 カ月後の調査では, 小児期群での一般就労が 18.8%, 成人期群では 46.2% で, 小児期群での一般就労の率は低かった.

Chapter 4　遂行機能

むすび

　遂行機能検査は認知症例で低下を示すが，全般的知的機能とは独立していた．脳損傷者の社会復帰，特に職業復帰に遂行機能検査成績は強く関連する．主体的，目的的な行動管理能力は社会活動に不可欠である．発達途上で脳損傷を受傷した場合に遂行機能成績が不良で，就労成績にもかかわることは他の認知機能に比べて遂行機能が青年期に至って発達することを示している．社会復帰に向かって目的に合わせて遂行機能検査を活用することは意義深い．

■文 献

1) Lezak MD. Neuropsychological assessment. 3rd ed. 1995. 鹿島晴雄, 総監修. 三村　将, 村松太郎, 監訳. レザック神経心理学的検査集成. 遂行機能と運動行為. 東京: 創造出版; 2005. p.375-94.

2) Dubois B, Slachevsky A, Livtan I, et al. The FAB: a frontal assessment battery at bedside. Neurology. 2000; 55: 1621-6.

3) 小野　剛. 簡単な前頭葉機能テスト. 脳の科学. 2001; 23: 487-93.

4) 前島伸一郎, 種村　純, 大沢愛子, 他. 高齢者に対する Frontal assessment battery (FAB) の臨床意義について. 脳と神経. 2006; 58: 207-11.

5) 寺田達弘, 小尾智一, 杉浦　明, 他. Frontal Assessment Battery (FAB) の年齢による効果. 神経心理学. 2009; 25: 51-6.

6) Wilson AB, Alderman N, Burgess PW, et al. 鹿島晴雄, 監訳, 三村　将, 田渕　肇, 森山　泰, 他. 他訳. 遂行機能障害症候群の行動評価. 新興医学出版社; 2003.

7) 用稲丈人, 狩長弘親, 山本陽子, 他. 脳損傷者に実施した遂行機能障害症候群の行動評価 (BADS 日本版) 成績による遂行機能障害の因子分析的検討. 高次脳機能研究. 2009; 29: 247-55.

8) 原田薫雄, 横田　晃, 西村　茂, 他. 前頭前野に病変を有する脳腫瘍患者の遂行機能障害評価: BADS (Behavioural Assessment of the Dysexecutive Syndrome) 得点の有用性. 脳神経外科ジャーナル. 2008; 17: 386-94.

9) 山岸　敬, 二木保博, 林　耕司, 他. BADS の行為計画検査, 鍵探し検査の妥当性: MMSE 得点が正常範囲の高齢脳損傷患者群における検討. 老年精神医学雑誌. 2013; 24: 1151-9.

10) 伊勢可奈子, 及川尚美, 佐藤　厚, 他. アルツハイマー病における Activity of Daily Living (ADL) 上の遂行機能障害について: Frontal Assessment Battery (FAB) を用いた検討と Dysexecutive Questionnaire for dementia (DEX-D) の作成. 神経心理学. 2007; 23: 124-31.

11) 関谷みのり, 加藤　梓, 田口万里子, 他. 高齢アルツハイマー病患者における BADS の行為計画検査: 鍵探し検査の妥当性. 老年精神医学雑誌. 2016; 27: 1325-34.

12) 及川尚美, 小栗涼子, 佐藤　厚, 他. アルツハイマー病における Activity of Daily Living (ADL) 上の遂行機能障害について: Dysexecutive Questionnaire (DEX) による検討. 神経心理学. 2006; 22: 138-45.

13) 中薗寿人, 松永　薫, 中島雪彦, 他. パーキンソン病における日常生活遂行機能の検討: dysexecutive questionnaire (DEX) の評価から. 高次脳機能研究. 2011; 31: 401-10.

14) Stroop JR. Studies of interference in serial verbal reactions. J Exp Psychol. 1935; 18: 643-62.

15) 加藤元一郎. 前頭葉損傷における概念の形成と変換について. 慶應医学. 1998; 65: 861-85.

16) 船山道隆. ストループテスト. In: 山内俊雄, 鹿島晴雄, 編. 精神・心理機能評価ハンドブック. 東京: 中山書店; 2015. p.133-5.

17) 平澤利美, 眞田　敏, 柳原正文, 他. 改訂版 Stroop テストの年齢別標準値および干渉効果に関する指標の発達的変化. 脳と発達. 2009; 41: 426-30.

18) 内山尚志, 郭　怡, 福本一朗. 軽度痴呆評価に対する Stroop 効果の有用性の検討: 健常高齢者における HDS-R との関係. 電子情報通信学会技術研究報告 (ME とバイオサイバネティックス). 2002; 102: 17-20.

19) 内山尚志, 郭　怡, 陶　永暉, 他. Stroop 効果と HDS-R 各問との関連. 電子情報通信学会技術研究報告 (ME とバイオサイバネティックス). 2003; 103: 91-6.

20) 内山尚志, 福本一朗. 痴呆高齢者における Stroop 効果の研究: 刺激色数および痴呆重症度と Stroop 効果の相関. 人間工学. 2005; 41: 106-11.

21) 箱田裕司, 渡辺めぐみ. 新ストループ検査 II. 福岡: トーヨーフィジカル; 2005.

22) 鹿島晴雄, 加藤元一郎, 編. 慶應版ウィスコンシンカード分類検査 (KWCST). 京都: 三京房; 2013.

23) 中山温信, 大澤美貴雄, 丸山勝一. 前頭葉機能の加齢変化: 新修正 Wisconsin Card Sorting Test による検討. 脳と神経. 1990; 42: 765-71.

24) 安部光代, 鈴木匡子, 岡田和枝, 他. 前頭葉機能検査における中高年健常日本人データの検討: Trail Making Test, 語列挙, ウイスコンシンカード分類検査 (慶応版). 脳と神経. 2004; 56: 567-74.

25) 伊藤恵美, 八田武志, 伊藤保弘, 他. 健常成人の言語流暢性検査の結果について: 生成語数と年齢・教育歴・性別の影響. 神経心理学. 2004; 20: 254-63.

26) 斎藤寿昭. Fluency Test (流暢性テスト). In: 山内俊雄, 鹿島晴雄, 編. 精神・心理機能評価ハンドブック. 東京: 中山書店; 2015. p.135-6.

27) 鹿島晴雄, 加藤元一郎, 本田哲三. 認知リハビリテーション. 東京: 医学書院; 1999.

Chapter 4 遂行機能

28) 日本高次脳機能障害学会. Trail Making Test 日本版（TMT-J）. 東京: 新興医学出版社; 2019.

29) 種村　純, 椿原彰夫. 教材による認知リハビリテーション: その評価と訓練法. 大阪: 永井書店; 2009.

30) 川崎医療福祉大学. 認知リハあらた. https://play.google.com/store/apps/details?id=jp.ac.kawasaki_m.w.coreha.training.trial&hl=ja&gl=JP

31) 廣田　晋, 富田博樹, 戸根　修, 他. 頭部外傷後の高次脳機能障害: 神経心理学的検査上の特徴. 神経外傷. 2010; 33: 180-6.

32) 用稲丈人, 狩長弘親, 山本陽子, 他. 脳損傷者の社会復帰状況と知能, 注意, 記憶, 遂行機能検査との関係. 高次脳機能研究. 2008; 28: 416-25.

33) 蜂須賀研二. 高次脳機能障害のリハビリテーションと職場復帰. 認知神経科学. 2012; 13: 203-8.

34) 赤嶺洋司, 平安良次, 上田幸彦. 高次脳機能障害者の就労と神経心理学的検査成績との関係. 総合リハビリテーション. 2015; 43: 653-9.

35) 野村忠雄, 柴田　孝, 早川俊秀, 他. 小児期受傷の外傷性脳損傷による高次脳機能障害. 総合リハビリテーション. 2011; 39: 577-83.

［種村　純］

Chapter 5

全般性知能検査

A 知能検査の概要

1. ウェクスラー知能検査（WAIS, WAIS-R, WAIS-Ⅲ, WAIS-Ⅳ）

　ウェクスラー・ベルビュー知能検査は，米国の臨床心理学者 Wechsler D によって 1939 年に開発された知的能力全般を評価するテストであり，その後，時代の変化に沿って改訂が行われ，1955 年に WAIS（日本版の刊行は 1958 年），1981 年に WAIS-R（日本版 1990 年），1997 年に WAIS-Ⅲ（日本版 2006 年），2008 年に WAIS-Ⅳ（日本版は 2018 年 8 月に発売）が作成されている．WAIS は，特に神経心理学のために開発された検査ではないが，高次脳機能障害の臨床では，被検者の知的機能の特徴を把握するための中核的な検査として利用されている．

　WAIS-Ⅳは，日本では，発売されて間もないため，臨床の現場では，まだ WAIS-Ⅲを継続して使用しているところも多いと思われる．そこで，本稿では，WAIS-Ⅲを中心に，WAIS-Ⅳにおける変更点を織り交ぜて解説を行う．

a) WAIS-Ⅲ の概要

　検査は 7 つの言語性下位検査と 7 つの動作性下位検査からなり　図1　，そこから IQ と群指数が算出される．各下位検査は，平均 10，1 標準偏差（SD）が 3 の評価点に尺度化されており，±1SD は 7〜13，±2SD は 4〜16 の範囲

Chapter 5　全般性知能検査

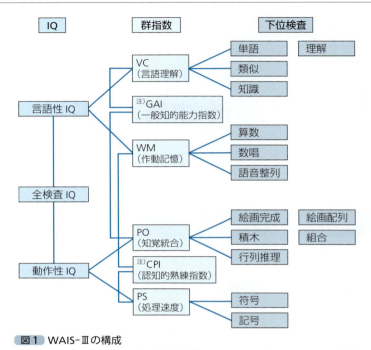

図1 WAIS-Ⅲの構成
注）一般知的能力指数と認知的熟練指数はWAIS-Ⅳで付け加えられた指数

になる．IQと群指数は，平均が100，1標準偏差（SD）が15の測定基準に尺度化されており，±1SDは85〜115，±2SDは70〜130になる．検査の適用年齢は，16〜89歳で，後期高齢者にも対応できる．具体的な手順については，「日本版WAIS-Ⅲ　実施・採点マニュアル」[1]を熟読し，それに沿って検査を実施していく．

b) 結果の解釈

▶ IQの検討

言語性IQ、動作性IQという区分は，Wechsler Dの直感に基づくものであり，知能因子理論的な根拠に乏しく，ある意味でごちゃ混ぜのパフォーマンスを合算した得点になりかねない．そのため，WAIS-Ⅲでは，言語性・動作性

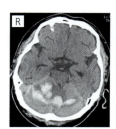

WAIS-Ⅲ		
群指数	下位検査	累積パーセンテージ

言語理解 80
知覚統合 110
作動記憶 92

算　　数 7
数　　唱 12
語音整列 7

順唱 8 桁（5.9%）
逆唱 4 桁（100%）
（0%: 最高値～100%: 最低値）

図2 小脳出血後に高次脳機能障害を呈した 53 歳事例の WAIS-Ⅲの結果
群指数の水準が特定の下位検査（順唱）の結果に影響されている

IQ よりも，群指数が注目されるようになり，WAIS-IVでは，エビデンス重視の傾向から，言語性と動作性 IQ は廃止されることになった[2]．

▶ 群指数の検討

　WAIS-Ⅲでは，言語的知識および推理力を測定する「言語理解（Verbal Comprehension: VC）」，視覚情報に関する知識および推理力を測定する「知覚統合（Perceptual Organization: PO）」，問題を解決するために必要な情報を記憶に留めながら，その情報を処理する能力を測定する「作動記憶（Working Memory: WM）」，視覚情報の処理速度を測定する「処理速度（Processing Speed: PS）」の 4 種の群指数が付加されており，それによって被検者の知的構造の特徴を捉えるようになっている．ただし，この分析は，群指数内の下位検査の評価点に大きな個人内差があり，群指数の水準が特定の下位検査の結果に影響されている場合は，解釈に際して注意が必要となる．例えば，WAIS のマニュアルでは，作動記憶指数の算出に順唱，逆唱の合計点を用いているが，実際は，単純な情報の保持である順唱（即時記憶）と，情報の保持と認知的処理を同時に行う逆唱（ワーキングメモリー）は分けて評価すべき項目である．**図2** は，小脳出血後に高次脳機能障害を呈した 53 歳の事例の WAIS-Ⅲの結果であるが，作動記憶の指数は 92 で，平均よりも若干下の水準にあるが，数唱の評価点が 12 と他の下位検査よりも抜きんでて高く，さらにその中身をみると順唱が 8 桁（累積パーセンテージは 5.9%：0% が最高値～100% が最低値）と逆唱 4 桁（100%）を大きく上まわっている．すなわち，

143

Chapter 5　全般性知能検査

ワーキングメモリーと対応する逆唱や語音整列の成績が低くても，即時記憶に対応する順唱の成績が非常に高いと，結果として数唱の成績，ひいては作動記憶の指数も高めてしまうことになる．このように，指数などの合成得点にまとめてしまうと，逆に，事実とは異なる結果が出てしまうことがある点に留意しなければならない．

　さらに WAIS-IV では，新たに 2 つの指数が付け加えられている．ひとつは，「一般知的能力指数（General Ability Index: GAI）」という「言語理解」と「知覚統合」を統合した群指数で，知識習得力や推理能力などの，いわゆる被検者の"持っている力"が数値として表れる．「言語理解」と「知覚統合」の間の得点差が小さければ，この一般知的能力指数は全検査 IQ よりも的確に全般的知的水準を反映するとされる．もう一つの指数である「認知的熟練指数（Cognitive Proficiency Index: CPI）」は，「作動記憶」と「処理速度」を統合した群指数で，これが高いことは，ワーキングメモリーや処理速度が良好で，作業を行う際，それらに集中して円滑にテキパキと処理できる能力が高いことを意味する．認知的熟練指数で測定される処理の熟達は，一般知的能力指数で測定される知識習得力や推理能力を十分に発揮するための，いわゆる"活かす力"に相当する．　図3　に，17 歳で交通事故で多発性脳挫傷となり，入院中に高校への復学支援，退院 1 年後には大学への入学支援を行った事例の WAIS-III の継時的変化を示した．このケースでは，言語性，動作性 IQ については，一見すると順調に改善しているように思えるが，群指数は，一般知的能力指数へと統合される言語理解・知覚統合と，認知的熟練指数に統合される作動記憶・処理速度の間で，明らかな乖離が生じており，持っている力（知識）は高いが，それを有効に活かす力（円滑処理）が低いと考えられる．発達障害でも，このようなパターンを示す事例が多いとされている．

▶ プロフィール分析

　プロフィール分析表を用いて，複数の下位検査で共有される能力および影響因を解釈していく方法で，ある下位検査群の得点が一貫して評価点平均以上であった場合には，その強い能力は何であるのか，あるいはその得点を高くしている影響因は何かを，逆に，評価点平均以下であった場合には，弱い能力は何

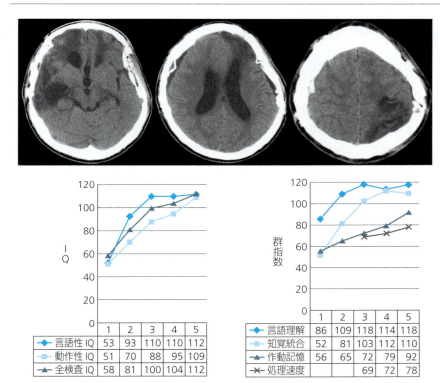

図3 17歳で交通事故で多発性脳挫傷（両側前頭葉・右側頭葉・左頭頂葉）となり，復学支援を行った事例のWAIS-Ⅲの経時的変化

左図がIQ，右図が群指数
初期の評価では，処理速度の下位検査は未実施

か，あるいは得点を低くしている影響因は何かについて，仮説を検討していく．具体的な手順に関しては，「日本版　WAIS-Ⅲの解釈事例と臨床研究」[3]に詳しく記載されている．

しかしながら，詳細なプロフィール分析は，臨床現場で過剰な誤検出の解釈になりがちであるという理由で，WAIS-Ⅳでは，あまり用いられなくなっている[4]．

Chapter 5　全般性知能検査

▶ プロセス分析

　一般に，包括的な検査課題を実行する時には，数多くの能力を必要とするため，検査得点から具体的な行動的，認知的特徴を推し量るのが難しくなる．検査課題がシンプルであるほど検査得点の意味が明確になるため，WAIS-IVでは，より要素的な知的能力を測定するようになってきている[2]．また数値だけでなく，質的情報も動員して情報処理プロセスを分析し，被検者の特性をより掘り下げて捉えるようになってきている．代表的なのは，Kaplan E らによるBoston Process Approach[5] で，この方法では，単に数値に着目するだけでなく，補助問題との条件間の比較や，行動観察などの質的情報により，なぜそのような数値になったのか，どのような情報処理のプロセスの障害が，そのような数値をもたらしたのかを明らかにすることを重視する．また，個々の被検者に合わせて補助的検査を選択・修正して施行するが，その際，その修正が検査の標準的施行を損なわないように配慮されているため，標準化された検査結果との比較も可能になる．

　例えば，WAIS-III の「絵画配列」でプロセス分析を行うとすれば，まずはマニュアルに即して施行し，決められた採点基準にしたがって粗点を求めるが，被検者が制限時間になっても配列し終えていない場合は，さらに時間を延長することで，真にその課題が遂行し得ないのか，反応全般の緩徐化や視覚走査の問題であるかを検討する．また，誤答の場合は，配列したあとに，あらすじを説明してもらい，「間違った配列に対して，それなりに整合性のあるあらすじを述べるのか」「配列を間違い，説明も筋が通っていないのか」「細部の見誤りや見落としがあるのか」「無関係な要素に注目しているのか」などを確認し，配列を誤った要因を明らかにしていく．失点としては同じであっても，説明の筋が比較的通っている場合と，全く物語の論理性がない場合では，当然，誤りの質における重みも異なってくる．WAIS-III では，すでに「符合」にプロセス分析が採用されており，補助問題を追加して，符合が低得点であった場合の原因の判別が行えるようになっている．

表1 WAIS-Ⅲ簡易実施法の概要

下位検査	粗点(スパン)	評価点 2検査版	評価点 4検査版	累積%
行列推理				
知識				
数唱				
順唱の最長スパン				
逆唱の最長スパン				
最長スパンの差				
符号				
対再生				
自由再生				
視写				
評価点合計				
推定全検査 IQ				

GAI（一般知的能力指数）に含まれる下位検査：行列推理・知識

CPI（認知的熟練指数）に含まれる下位検査：数唱〜視写

即時記憶：順唱の最長スパン　ワーキングメモリー：逆唱の最長スパン・最長スパンの差　近時記憶（偶発学習）：対再生・自由再生　作業速度・書記技能：視写

推定 GAI（2検査版）　推定 GAI＋CPI 下位検査（4検査版）

c) WAIS-Ⅲ簡易実施法 [3] 　表1

　WAIS-Ⅲの全検査実施には1時間以上を要するため，他の神経心理検査とバッテリーを組むと，かなりの時間が必要になる．そのために開発されたのが2検査版（所要時間は15分程度）と4検査版（所要時間は24分程度）の簡易実施法で，これらに切り替えると，被検者の負担はかなり軽減する．2検査版は，「行列推理」「知識」という一般的知的能力指数に属する下位検査を用いるため，その値は，実質的には一般知的能力指数を推定するものとなる．一方，4検査版では，「行列推理」「知識」に加えて，認知的熟練指数の下位検査である「符号」「数唱」を用いているため，一般知的能力指数と知的熟練指数を合算した推定値になる．したがって，2検査版と4検査版の成績を比較することで，一般的知的能力指数と認知的熟練指数の相対的な高低も推定できるというメリットがある．また「数唱」の順唱・逆唱の累積パーセンテージからは即時記憶やワーキングメモリー，「符号問題」の対再生・自由再生・視写の累積パーセンテージからは，偶発学習による近時記憶，作業速度，書記技能など

Chapter 5　全般性知能検査

の認知機能を評価することができる.

d) WAIS を実施するにあたっての留意点

　まず事前にいくつかの神経心理学的検査を行い,　検査対象となる被検者にどのような高次脳機能障害があるのか診断をつけてから,　その知的機能の特徴を捉える目的で WAIS を実施するのが正しい順番といえる.　また WAIS は,　被検者・検査者の双方にとって相当の負荷がかかる検査であるため,　それで IQ しかわからない,　というのではあまりにも効率が悪い.　検査から得られる得点は,　患者のどのような能力を反映した結果であるかを解釈し,　それをリハビリテーションや支援に活かすことで,　はじめて検査に費やした努力が報われるということを銘記したい.

2.　Japanese Adult Reading Test（JART）[6]

　神経心理学的アセスメントでは,　何らかの方法で病前の知的機能を推定し,　それを基準にして,　病後の知的機能を評価しなければならない.　推定手法として,　最も実用的なのは,　患者の学歴や職歴,　社会的地位,　生活状況に関する情報を本人もしくは近親者から聴取し類推することである.　しかし,　教育歴や職歴と IQ との関連は,　わが国では十分に検証されておらず,　エビデンスのない指標にすぎないという指摘もある [6].　そこで,　より客観的な病前知能の推定検査として開発されたのが,　英国の National Adult　Reading　Test を参考にして,　日本人の被検者で標準化を行った Japanese Adult Reading Test（JART）である.

a) JART の概要

　漢字熟語の音読は,　認知症発症後も保持される機能で,　かつ知能ともよく相関するため,　病後の音読能力の程度がわかれば,　病前知能をある程度まで推定できるとされている.　JART では,　2 文字（例: 捏造・烏賊）もしくは 3 文字（例: 卓袱台・案山子）の漢字を提示し,　正しく音読できた成績を,　予測全検査 IQ,　予測言語性 IQ,　予測動作性 IQ に変換できる.　通常は 50 語を音読す

148　　JCOPY 498-22913

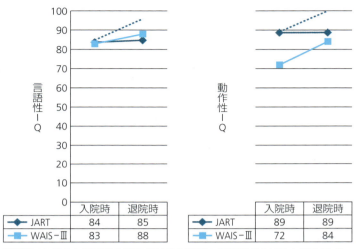

図4 49歳の右視床出血例における入院時と退院時のJARTとWAIS-Ⅲ
点線の説明は本文参照

るJART-50を用いるが，評価に多くの時間を割けない場合は，25語を音読するJART-25を用いる．おおむねMMSEで20点以上の認知症の初期であれば，JARTによる病前IQの推定が可能だが，中等度以上の認知症では，音読能力も低下するため，妥当性は低くなる．

b）結果の解釈

図4 は，49歳の右視床出血事例に実施した入院時と退院時のJARTとWAIS-Ⅲの結果である．JARTの成績は入退院時とも不変で，この値は，病前の推定知能として妥当と考えられる．WAIS-Ⅲについては，言語性IQは入院時の時点で病前推定知能と同水準だが，動作性IQは，入院時には病前推定知能よりも低下しており，退院時にはほぼ病前のレベルに回復したと考えられる．しかし，もし 図4 の点線で示すように，JARTの成績も上がってしまうと，このような解釈は成立しなくなる．WAIS-Ⅲで知能指数の経時的変化を追う場合は，それにあわせてJARTも繰り返し実施するほうが，検査結果を正しく読み取ることができる．そのためにも，再検査した時に影響がでないよう，JARTでは被検者に正答を教えることは控えておくべきであろう．

Chapter 5　全般性知能検査

3.　コース立方体組み合せテスト（Kohs）[7]

　コース立方体組み合せテスト（Kohs）は，赤，青，黄，白に彩色された積木を並べて，模様図と同じものを構成させるもので，見よう見まねで十分に教示が理解され，反応も積木を並べ替えるだけなので，検査全体を通じて言語性要因が介入しない．本来ろう児や難聴児のように聴覚に障害がある児童の知能を測定するために開発された動作性検査であるが，手続きが簡便なため多様な被検者に実施することができる．Kohs は視覚構成能力を調べるために有用であるが，知能検査という観点からは，WAIS などに比べて，かなり特殊で限定的な IQ を算出する検査と考えられる．

a）Kohs の概要

　練習用模様図を呈示して，被検者が検査のやり方を理解したのちに本試行に入る．模様構成に用いる積木が 4 個，9 個，16 個と増えることで難易度が上がるが，積木模様の図柄によっても難しさが異なり，与えられた見本図を 1 つの積木の面に対応するようにイメージ上に分割してから再構築しなければならない課題で困難さが増す．課題は 2 問連続して失敗するとそこで検査が打ち切られ，施行が困難な場合ほど短時間に終わるため，被検者の心理面への負担は少ない．個々の模様図を完成するまでに要した時間に応じて得点を与え，制限時間内に遂行できなければ得点を与えない．採点は検査に附属の得点算出表を用い，合計得点を算出する．この合計点を，精神年齢換算表に当てはめて，精神年齢を求める．次に被検者の暦年例を算出し，暦年齢修正表によって修正する．最後に精神年齢を修正暦年齢で除して知能指数（Kohs IQ）を計算する．本検査では，暦年例 18 歳以上は，すべて 16 歳に修正されるので，暦年例が 25 歳であれ 75 歳であれ，すべて 16 歳として計算されるという問題点がある．したがって，現行の Kohs から得られた IQ が，本来の知能指数としての妥当性を持つのは一般成人までで，高齢者を対象とした厳密な標準化は行われていない点に留意が必要である．

150　　JCOPY　498-22913

b）結果の解釈

　定量的評価では，Kohs IQ 140以上が非常に優れている，115〜140が優れている，90〜115が普通，66〜90が劣っている，66以下が非常に劣っているにそれぞれ判定される．高齢者における評価点の標準化はなされていないが，参考になる資料としては，Mini-Mental State Examination（MMSE）が28点以上の正常高齢者28名（70.8±8.7歳）に実施したKohs IQの平均が83.3±15.7という報告[8]がある．被検者が，積木構成を行う過程に対する定性的評価も重要で，以下の点にも着目する[5]．① 4分割されるデザインのどの領域から構成を開始するか，② デザインの左側と右側のどちらを先に完成させるか，③ 右手利きの被検者が通常行う方向（左から右へ，上から下へ）で積木を並べているか，④ 積木の回転を，どこで行っているか（構成途中の積木に接触させながら行っているのか，それとも，空で行っているのか），⑤ デザインを，2×2，3×3のマトリックスに分割して構成しているか，⑥ 完成したデザインが鏡像や倒立像になっていないか，⑦ デザインに保続が認められないか．特に脳損傷者に対して積木模様検査を行った検討では，左右半球損傷間で，誤りや遂行過程に差異が存在することが示唆されている[9]．右

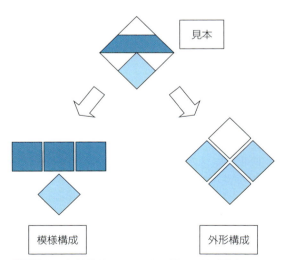

図5 積木模様構成における模様構成と外形構成の例

Chapter 5　全般性知能検査

半球損傷例の場合，左半側の脱落，積木の右側への積み重ね，見本の右側と左側にあるデザインの混乱などがみられる．さらに特徴的なものとして，見本内部の模様にとらわれ，外側の輪郭を正方形に構成できない誤りが指摘されている（模様構成）　図5　（左）．また，実際の構成活動の際には，巨視的観点を欠き，細部断片からとりかかる反応様式（piecemeal approach）を採用し，その行為にはためらいがなく，粗雑で余分な動作が多いのが特徴的とされる．一方，左半球損傷例では，デザインの混乱には右半球損傷例のような特有さはなく，外側の輪郭を正方形にまとめることはできるが，内部の模様が見本と違ってしまう点が特徴的とされる（外形構成）　図5　（右）．実際の構成活動には，左半球損傷では全体的であるが大ざっぱな反応様式（gross approach）をとり，行為には躊躇やためらいがみられることが多い．また，構成の誤りについて指摘や注意をされることによって成績が改善される可能性も指摘されている．

　本検査には，知能低下の他，構成障害や半側空間無視などの高次脳機能障害も影響するため，成績の低下が何によるのかを特定するためには，他の検査を併用する必要がある．半側空間無視については Behavioural Inattention Test，構成障害については立方体模写，知能低下については改訂版長谷川式簡易知能評価スケールもしくは WAIS-Ⅲ の言語性検査などを実施しておくことで，Kohs が低得点となった原因を明確にすることができる．

■文　献

1) 日本版 WAIS-Ⅲ刊行委員会．日本版 WAIS-Ⅲ実施・採点マニュアル．東京: 日本文化科学社; 2006.
2) 大六一志．心理学の立場から—知能検査が測定するものは何か？　認知神経科学．2009; 11: 239-43.
3) 藤田和弘，前川久男，大六一志，他．日本版 WAIS-Ⅲの解釈事例と臨床研究．東京: 日本文化科学社; 2011.
4) 小海宏之．ウェクスラー式成人知能検査．In: 小海宏之．神経心理学的アセスメントハンドブック．東京: 金剛出版; 2015. p.45-8.
5) Milberg WP, Hebben N, Kaplan E. The boston process approach to neuropsychological assessment. In: Grant I, Adams KM, editors. Neuropsychological assessment of neuropsychiatric disorders. New York: Oxford University

Press；1986. p.65-86.

6）松岡恵子，金　吉晴．知的機能の簡易評価実施マニュアル：Japanese Adult Reading Test（JART）．東京：新興医学出版；2006.

7）大脇義一．コース立方体組合せテスト使用手引き．改訂増補版．3版．東京：三京房；1996.

8）長濱康弘．Kohs 立方体組合せ検査．In：日本臨増刊号　痴呆症学 1―高齢社会と脳化学の進歩．東京：日本臨牀社；2003. p.221-5.

9）平林　一．コース立方体組合せテスト．In：小山充道，編．必携臨床心理アセスメント．東京：金剛出版；2008. p.237-9.

［平林　一］

Chapter 5　全般性知能検査

B　日本版 WAIS-IV

1.　日本版 WAIS-IV の概要

　日本版 Wechsler Adult Intelligence Scale-Fourth edition（WAIS-IV）[1, 2] は，日本版 WAIS-III の改訂版として 2018 年に刊行された個別実施型の知能検査バッテリーである．WAIS-IV の適用年齢は 16 歳から 90 歳で，WAIS-III の上限である 89 歳よりも延長された．原版の WAIS-IV[3, 4] は 2008 年に刊行された．WAIS-IV の特徴は，個人間差と個人内差の視点から，個人の知能あるいは認知機能を総合的かつ多面的に評価することができることである．

　WAIS-IV の下位検査は，10 の基本検査と，5 つの補助検査で構成されている 図1 ．通常は 10 の基本検査を実施することで，全検査IQ（Full Scale IQ: FSIQ）と 4 つの指標得点の算出が可能となる．FSIQ は全般的な認知機能を推定する指標で，指標得点はその指標に特有の認知機能を推定する指標である．WAIS-IV の指標得点は，言語理解指標（Verbal Comprehension Index: VCI），知覚推理指標（Perceptual Reasoning Index: PRI），ワーキングメモリー指標（Working Memory Index: WMI），処理速度指標（Processing Speed Index: PSI）である 図1 ．これらの基本的な指標得点に加えて，補助的な指標である一般知的能力指標（General Ability Index: GAI）を算出することができる [2] 図1 ．GAI は，FSIQ からワーキングメモリーと処理速度の影響を減じた指標で，知識と推理力の推定に利用できる．

　標準的な実施時間は 60〜90 分程度とされる．日本版 WAIS-IV に対する医科診療報酬点数は「操作と処理が極めて複雑なもの」に相当する 450 点（根拠 D283-3）である．

　WAIS の歴史は古く，1939 年の Wechsler-Bellevue I に遡る．WAIS-III から WAIS-IV への改訂は，理論的基盤の更新，発達的な適切性の向上，使いやすさの向上，臨床的有用性の向上，心理測定特性の改善のために行われた [2]．その結果，VIQ と PIQ は廃止され，IQ は FSIQ のみとなった．その他，適用年齢の上限延長，図版の拡大，運動要求の減少，教示の明確化，ならびに，中

154　　　JCOPY 498-22913

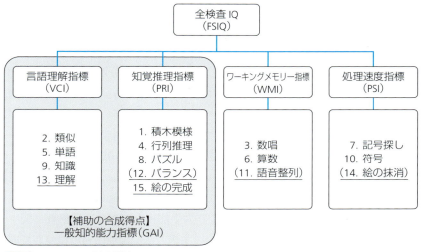

図1 WAIS-IV の基本構造

・数字は下位検査の標準的な実施順序
・下線は補助検査（FSIQ ならびに指標得点の算出には，通常，基本検査を使用）
・（ ）内の補助検査は，16～69 歳の受検者に対してのみ実施
(Wechsler D. 日本版 WAIS-IV 実施・採点マニュアル. 東京: 日本文化科学社; 2018. p.3[1] 図 1.1 および，Wechsler D. 日本版 WAIS-IV 理論・解釈マニュアル. 東京: 日本文化科学社; 2018. p.137-45[2] の記述をもとに日本文化科学社より許可を得て作成)

止条件の短縮化などの改良も行われた．

　WAIS-IV の結果解釈では，最新の知能理論である Cattell-Horn-Carroll (CHC) 理論を参考にすることができる．CHC 理論は，Cattell, Horn, Carroll という 3 人の学者の名に由来する理論で，今日の知能検査の解釈における主要な理論的基盤のひとつとなっている[5]．WAIS-IV の下位検査は，CHC 理論の結晶性能力 (Gc)，視覚処理 (Gv)，流動性推理 (Gf)，短期記憶 (Gsm)，処理速度 (Gs) を反映すると考えられている[6,7]．指標得点との関連としては，VCI は Gc，PRI は Gv と Gf，WMI は Gsm，PSI は Gs を主に反映すると考えられる[8]．

Chapter 5　全般性知能検査

2.　日本版 WAIS-IV の実施における留意点

a) 使用者の責任を果たす

　WAIS-IV の使用者は，検査の実施と解釈に関する十分な教育・訓練を受ける必要がある．これは最も基本的な使用者の責務である．WAIS-IV の実施，解釈およびアセスメントの手順は複雑で，使用者には高い検査者能[9,10] が求められる．日本版 WAIS-IV の出版社である日本文化科学社のホームページ (https://www.nichibun.co.jp/usage/ 閲覧日 2023/07/05) によると，この検査の使用者レベルは，最も高度な「レベル C」である．レベル C は，「保健医療・福祉・教育等の専門機関において，心理検査の実施に携わる業務に従事する方」という「レベル A」の基準と，「大学院修士課程で心理検査に関する実践実習を履修した方，または心理検査の実施方法や倫理的利用について同等の教育・研修を受けている方」というレベル B の両方の基準を満たすと同時に，「心理学，教育学または関連する分野の博士号，心理検査に係る資格（公認心理師，臨床心理士，学校心理士，臨床発達心理士，特別支援教育士），医療関連国家資格（医師，言語聴覚士等）のいずれかを有する方，あるいは国家公務員心理職（家庭裁判所調査官等），地方公務員心理職（児童心理司等）の職で心理検査の実施に携わる方」という条件を満たす者を指す．

　検査内容の機密保持も検査者の責務である．問題の公開は，検査結果の信頼性や妥当性を毀損する可能性があるので制限されている．検査問題，記録用紙，換算表その他の検査用具は著作権で保護されているため，複写ないし複製する場合は，米国 Pearson 社または日本文化科学社の書面による承認を受ける必要がある[1]．唯一の例外は，資格を有する別の専門家に受検者の記録を伝達することを目的とした記入済み記録用紙の複写である[1]．ここでいう専門家とは，医療現場の場合，公認心理師，臨床心理士の資格を持つ心理専門職や，知能検査のセキュリティの重要性を十分に理解している医療従事者を指す．

b) 実施の必要性を判断する

　検査の実施判断も使用者の責務である．医療機関では医師の指示を受けて公認心理師等の心理専門職が検査を実施するのが一般的だが，検査者は，検査時

の患者の状態によって実施の可否を判断する責任がある．下位検査の中には，課題が要求する感覚・運動機能が十分でないと実施困難なものもあり，患者の身体状況によっては，WAIS-IV の実施が適さない場合もある．1 時間以上かかる神経心理検査バッテリーを受けることは，多くの患者にとって身体的にも心理的にも負担が大きく，検査を受けること自体が患者の自尊心を傷つけるなど侵襲的な体験となることもある．これらの点に留意して検査実施の必要性を慎重に検討する必要がある．場合によっては，事前に計画していたテストバッテリーの見直しも必要である．なお，検査目的によってはフルバッテリーではなく，一部の下位検査だけを実施するほうが望ましい場合もある．

c）ラポール形成とその維持

ラポール形成とその維持は，検査者に不可欠な臨床技能であるのと同時に，検査場面におけるラポール形成とその維持のための努力（例：検査目的について丁寧に説明し，同意を得ること）は，検査者が果たすべき重要な責務といえる．WAIS-IV に限ったことではないが，神経心理検査から妥当で信頼できる情報を得るには，患者が検査の必要性を十分に納得し，協力的かつ十分なモティベーションで検査を受けることが前提である．実施採点マニュアル[1] には「十分なラポールが形成されたと確信したのち，マニュアルに従って検査を開始する」とある．実施・採点マニュアル[1] の 17〜18 ページには，受検者が退屈そうにしている場合や，受検者が疲れたり落ち着かなくなったりした場合の対応や，受検者の熱心な取り組みに対して敬意を払うため言葉がけの例と留意点が具体的に記載されている．

d）実施ルールを守る

神経心理検査の実施は，標準的な実施手続きに則って行うのが基本である．なぜなら，標準的な実施方法で測定したデータでなければ，標準的な実施法で収集されたデータに基づく定量的な評価は正確さを欠くことになるからである．このことは WAIS-IV にも当てはまる．WAIS-IV には，実施順序・休憩・中断・再開，下位検査の選択・代替，開始・リバース・中止，時間測定，教示の仕方，採点，記録の仕方など，細かなルールがあり[11]，使用者は実施・採

Chapter 5　全般性知能検査

点マニュアル[1] を熟読し，これらのルールについて十分に理解してから検査を行う必要がある．しかし，臨床上の必要性から，やむを得ず標準的な実施方法とは異なる測定を選択し，そうした状況下での受検者のパフォーマンスを調べる場合があるかもしれない．例えば，難聴のある受検者に対して筆談による問題提示を行う場合などである．こうした実施法で測定した下位検査の粗点を用いて標準得点に換算して評価する際には，あくまでもその成績は特別な実施法下で測定した結果に基づくものであることに留意が必要である．標準的な実施手続きとは異なる方法で測定した場合の成績を報告する際には，その値が特別な手順で算出された参考値であることを明示すべきである．

3.　WAIS-IV 結果処理における留意点

a）プロフィールページの処理

　記録用紙の1ページ目（表紙）をプロフィールページとよぶ．このページは，受検者の知能の特徴に関する量的情報（評価点，評価点合計，合成得点，パーセンタイル順位，信頼区間）が集約されている．個人間差，すなわち，同年齢集団における個人の能力の相対的な位置に関する情報は，ここに記載される．

▶ 年齢の計算

　検査日と生年月日から受検者の年齢を計算する．1カ月は30日で計算する．年齢は分析で使用する換算表の選択に関わるので正確に計算する．2回に分けて検査を実施した場合は，最初の検査日を算出に用いる[1]．

▶ 粗点から評価点への換算

　年齢群別の換算表に基づいて粗点を評価点に換算する．評価点は平均が10点，標準偏差が3点の標準得点で，1点から19点の範囲をとる．なお，任意の作業であるが，基準年齢群評価点への換算を行うこともある．基準年齢群評価点は20歳0カ月から34歳11カ月の受検者（基準年齢群）の成績に基づく標準得点である．通常，この評価点を用いて合成得点を求めることはしない

が，研究上あるいは臨床上の必要性から，ある受検者の結果を基準年齢群の結果と比較することが要求されるときに利用することができる[2]．高齢者の場合，通常の年齢群別評価点は年齢相応（年齢群別ノルムの平均）であっても，実生活では，処理速度，視覚処理，流動性推理を要求される場面における情報処理能力が不十分になっている可能性がある．そのため，実生活における行為遂行能力を判断する際には，基準年齢群評価点を使用した分析・評価のほうが現実的な判断に役立つ場合がある[11]．

▶ 評価点合計から合成得点への換算

合成得点は評価点合計に基づいて算出する．合成得点は平均が100点，標準偏差が15点の標準得点である．合成得点の換算では，当該の合成得点に対するパーセンタイル順位，信頼区間についても記録用紙に記載する．実施・採点マニュアルには90％信頼区間と95％信頼区間が掲載されているが，95％信頼区間は90％信頼区間に比べて信頼区間の幅が広くなり，結果の解釈が難しくなるため，通常は90％信頼区間を使用する．基本検査の評価点を使用するが，代替が必要な場合に限り補助検査評価点を使用する．基本検査の一部が実施できず，補助検査による代替もできなかった場合，比例計算によって評価点合計を算出することがあるが，比例計算によって算出した合成得点にはさらなる測定誤差が加わる可能性があるので慎重に解釈する必要がある[1]．

▶ プロフィールを描く

評価点と合成得点をグラフエリアにプロットする．合成得点プロフィールの縦線は，それぞれの合成得点の信頼区間を表す．

b）分析ページの処理

記録用紙2ページは分析ページである．個人内差，すなわち，個人内の能力差に関する情報はここに記載される．指標レベル，下位検査レベル，そしてプロセス得点レベルの比較を行う．

Chapter 5　全般性知能検査

▶ 指標レベルのディスクレパンシー比較

　ここでは指標得点間に統計学的な有意差があるかどうかを検討する．WAIS-IV では 15％水準と 5％水準の判定値が用意されているが，通常は 15％を選択し，受検者の個人内差を見落とさないようにする．有意差ありの場合，差の標準出現率を求める．標準出現率は，受検者の得点差がどの程度稀な差なのか判断する基準である．15％以下の出現率を稀と判断する[2]．FSIQ が 79 以下または 120 以上の場合は，IQ 水準別の出現率を選ぶが，それ以外は，「標準化サンプル全体」で構わない．

▶ 下位検査レベルのディスクレパンシー比較

　ここでは WMI 基本検査間の対比較と PSI 基本検査間の対比較は必ず行う．基本検査間に有意差があったら，その結果を指標得点の解釈に反映させる必要がある．通常，実施済み下位検査全ての対比較は不要であるが，WAIS-IV では 15 下位検査の全ての対比較が可能で，必要に応じて検査結果の解釈に反映させることができる．

▶ 強み（Strengths：S）と弱み（Weaknesses：W）の判定（SW 判定）

　ここでは下位検査評価点を評価点平均との差を検討する．記録用紙には「10 下位検査平均からの差」と「言語理解平均・知覚推理平均からの差」のどちらを比較の基準として選んだかをチェックする．通常は 10 下位検査平均からの差を使うことが多いが，VCI 下位検査と PRI 下位検査については，それぞれの指標内で下位検査評価点の個人内差を調べる際には，「言語理解平均・知覚推理平均からの差」を比較の基準とすることができる．基本検査を補助検査で代替した場合は，補助検査の評価点で平均を求めることができるが，この場合，SW 判定の結果にさらなる測定誤差が加わる可能性に留意する必要がある[1]．

▶ プロセス分析（任意）

　プロセス分析は，より詳しく受検者の認知処理の特徴を分析するために行

う．WAIS-IV では 8 つのプロセス得点（評価点）が算出可能で，これらを分析することで，下位検査の成績に寄与する認知能力についてより細かい情報を得ることができる[2]．

c) 行動観察の記録

　記録用紙の最終ページは行動観察を記録する．WAIS-IV に限らず，神経心理検査の結果解釈ではしばしば得点に対する定量的解釈に重きが置かれるが，それと同等に重要なのは検査中に観察された行動に対する定性的解釈である．行動観察の記入欄には，外見的印象，受検態度（ラポール，意欲，成功・失敗への反応など），注意・集中，検査中の情緒・気分，言語的特徴（母語，流暢さ，表出と受容の能力，構音など），視覚・聴覚・運動など（眼鏡・補聴器など，矯正の有無など），その他（保続，固執性など，気になった言動）について記録する．これらの情報は，検査得点が受検者本来の実力をどの程度反映できたのかを判断したり，検査状況というある種のストレス下で受検者が見せる言動の記録は，受検者の心理的な特徴（例：防衛の強さ，不安や緊張の高さ，不十分なラポール）を評価したりする際に活用できる．

4. WAIS-IV 解釈と報告における留意点

a) 個人間差の解釈と報告

　プロフィールページの情報を基に，FSIQ，VCI，PRI，WMI，PSI のレベルを解釈する（ステップ 1〜ステップ 5）．平均からの相対的な位置を示す分類記述（合成得点の水準を表すカテゴリ）は，信頼区間の下限から上限に対応させて報告する．FSIQ は 10 下位検査の観測値に基づく合成得点であり，最も信頼できる指標であるが，指標得点間のばらつきが大きい場合，FSIQ で受検者の知能の全体像を理解しようとすると，受検者の知能の重要な特徴を見落としてしまう．ばらつきを判断する基準としては，指標得点の最大値と最小値の間に 23 点（1.5SD）以上の差があることが推奨されている[6]．同様に，指標得点の場合，それを構成する評価点の最大値と最小値に 5 点（1.5SD）以上の差がある場合は，その差の意味を慎重に解釈する．各指標得点とそれを構成す

Chapter 5　全般性知能検査

る下位検査評価点の測定内容や関連要因は松田[11]を参照されたい．また，WAIS-IV では，90%信頼区間を加味した結果の解釈と報告を行う[2]．

b）個人内差の分析

指標レベルのディスクレパンシー比較の評価（ステップ6）では，有意差の有無だけでなく，標準出現率にも注目する．SW 判定の評価（ステップ7），WMI と PSI の基本検査のディスクレパンシー比較の評価（ステップ8）も同様である．

スッテプ9以降は任意で行う．ステップ9の下位検査内の得点パターンの評価では，結果解釈で考慮すべき特徴がないかを検討する．例えば，正答が続いたのちに中止条件を満たして上限が確定した場合と，簡単な問題で失点して難しい問題で正答するなど正答と誤答が不自然に混在する場合では，粗点が同じでも結果の意味は異なる可能性がある[2]．こうした得点パターンの意味を慎重に検討し，必要に応じて結果解釈に反映させる．回答内容の質的分析（例：回答パターンの分析，誤答理由の分析）は，得点以上に受検者の心理状態を知る手がかりとなる．

ステップ10 のプロセス得点の評価は，受検者の下位検査の結果に寄与する認知能力のより細かな情報を与えてくれる．「積木模様」と「積木模様：時間割増なし」の比較は，構成課題の成績に対する正確さと速さの影響の検討に役立つ．「数唱：順唱」「数唱：逆唱」「数唱：数整列」の評価点の比較は，課題遂行に要求される認知的な負荷によって受検者の課題遂行がどう影響されるのかを知る手がかりとなる．最後に正答した系列の桁数である最長スパンは，受検者の記憶範囲に関する定量的データを与えてくれる．最長スパンに比して評価点が低めに出る場合は，注意のムラや課題に対する構えの問題（桁数が増加することに適応できない）が背景にあることがある．

補助指標である GAI は，VCI 下位検査と PRI 下位検査で算出される指標であり，知能の核心部分を反映する．WAIS-IV では FSIQ と GAI の差の有意性ならびにその差の標準出現率から，全般的な知的能力に対するワーキングメモリーと処理速度の影響を判断することができる[2]．

■文 献

1) Wechsler D, 日本版 WAIS-IV刊行委員会. 日本版 WAIS-IV知能検査 実施・採点マニュアル. 東京: 日本文化科学社; 2018.

2) Wechsler D, 日本語版 WAIS-IV刊行委員会. 日本版 WAIS-IV知能検査 理論・解釈マニュアル. 東京: 日本文化科学社; 2018.

3) Wechsler D. WAIS-IV Administration and Scoring Manual. San Antonio: NCS Pearson; 2008.

4) Wechsler D. WAIS-IV Technical and Interpretive Manual. San Antonio: NCS Pearson; 2008.

5) 大六一志. CHC (Cattell-Horn-Carroll) 理論と知能検査・認知検査: 検査結果解釈のために必要な知能理論に知識. LD 研究. 2016; 25: 209-15.

6) Lichtenberger EO, Kaufman AS. Essentials of WAIS-IV assessment. Hoboken: John Wiley & Sons; 2012.

7) Niileksela CR, Reynolds MR, Kaufman AS. An alternative Cattell-Horn-Carroll (CHC) factor structure of the WAIS-IV: age invariance of an alternative model for ages 70-90. Psychol Assess. 2013; 25: 391-404.

8) 山中克夫. 高齢者の知能. In: 松田　修, 編著. 最新老年心理学: 老年精神医学に求められる心理学とは. 東京: ワールドプランニング; 2018. p.15-26.

9) 松田　修. 認知機能の減退. In: 松田　修・滝沢　龍, 編. 現在の臨床心理学 2 臨床心理アセスメント. 東京: 東京大学出版会; 2022. p.103-23.

10) 松田　修. 日本版 WAIS-IV: 高齢者に対する使用をめぐって. 老年臨床心理学研究. 2023; 4: 36-46.

11) 松田　修. 知能: ウエクスラー成人知能検査 (WAIS-IV). 老年精神医学雑誌. 2020; 31: 570-88.

［松田　修］

Chapter 6

認知症

A ▶ 認知症

　認知症そのものを検査する方法はない．しかし，認知症が各種の認知機能障害の複合体であることを踏まえると，認知機能検査を組み合わせて施行することにより認知症を評価することができる．その際，認知症のどの側面，つまり，全般的レベル，注意，実行機能（executive function），記憶，視空間機能，言語，行為，行動心理症状などの何を評価しようとしているのかという目的意識をもつ必要がある．

1.「認知」とは

　「認知（cognition）」とは運動・感覚・自律神経系以外の脳機能と考えられ，「対象の知識を得るために情報を積極的に収集し，それを知覚し，推理・判断・処理を加え，結果を記憶する過程」と定義される．たとえば新しいコンピュータを買いその使い方を解き明かそうとしている場面を考えてみる．購入したものをじっくり観察し，触り，説明書を見て，または詳しい人に相談して使用法に関する情報を収集する．次にそれらの情報に対していろいろと想像してしかるべき使い方を推測する．最後に，使い方を理解した後はそれを記憶することにより，次からは容易に使用することが可能となる．この一連の過程がまさしく「認知」そのものである．

この認知に必要な脳機能として，注意・実行機能・推理/判断・記憶・言語・行為・視認知/聴覚認知があげられる．「注意」には３側面があり，自分の意識や関心をある対象に集中させること，２つ以上のこと（対象）に注意を分散させること，さらに注意を１つの対象から次の対象に移すことが含まれる．「実行機能」は「遂行機能」と同義語であり，目的を決めてそれが達成できる方法を計画し，その目的に向けてブレがないように効率よくことを運ぶ機能を意味する．推理/判断は手元にある情報からさらに思考を進めてより発展した考えに至る過程である．「記憶」とは，覚えること（記銘），それを貯えておくこと（保持），必要に応じて思い出すこと（想起）の３要素で成り立っている．「言語」とは，考えや感情を伝える道具であり，人間だけがもつものとされている．「行為」は，行う，という意味であるが，ここでは，意味を有した定型的な行為の記憶を意味する．例えば，「鍵を開ける」ためには，親指と人さし指で鍵を挟んだ手全体を捻じるように動作をするが，これが目的を達成するための「意味を有した定型的な行為の記憶」である．最後の視認知/聴覚認知は，「認知」という用語が使われているので今ここで話題にしている認知と混乱を招きやすいが，これは見たもの/聞いたものが何であるか認識することを意味する．綱につながれ人と一緒に街中を散歩する四足動物を見ると，あるいは「ワン」という吠え方を聞くと，それが「犬」と認識できるのは視認知/聴覚認知機能の結果である

2.「認知症」と「軽度認知障害」

まず「認知症」は「職務や日常生活に支障を生じる程度以上に複数の認知機能が障害されている状態」と定義される．また，認知機能（上述）の障害に基づいて，精神，感情，行動の異常が生じることがあるが，これを「認知症の行動・心理症状」と称する．認知障害と行動・心理症状はともに認知症に含有される症状である．「認知症」は症状名であり診断名（病名）ではないことに留意が必要である．

一方，以前の認知能力レベルに比べて低下していることが自他ともに明らかであるが生活や仕事の支障にならない場合を「軽度認知障害」(mild

Chapter 6　認知症

cognitive impairment: MCI) と称する．軽度認知障害の約半分は認知症に進展するが残り半分は進行しないか正常に復することが知られている．

　それでは正常老化と軽度認知障害の違いは何であろうか？　従来から，また現在でも「もの忘れは年のせい」と片付けられてしまうことも少なくない．若年者においてももの忘れや物事を仕損ずることはあるがそれらの頻度は加齢とともに増加することは確かである．しかし，それらの「普通の」および「加齢に伴う」もの忘れや失敗は誰にでもあることであり，その程度も軽いものである．一方，非常にあいまいな定義ではあるが，年齢や学歴，およびその個人の「従来の能力」に照らし合わせて不相応なほどの認知低下が自他ともに明らかであり，それが「普通のもの忘れ」とは思われない場合を脳疾患よる病的状態（軽度認知障害）と捉える．年齢別正常範囲が算出されている認知検査を用いた場合には，1SD 以内の低下は年齢相応，1〜2SD の低下が軽度認知障害，2SD 以上の低下が認知症に相応する．

3. 認知症と軽度認知障害の診断基準

　最新の軽度認知障害と認知症の診断基準として，アメリカの DSM-5-TR (Diagnostic and Statistical Manual of Mental Disorders. Fifth edition, text revision)[1] と NIA-AA (National Institute on Aging and the Alzheimer's Association) 診断基準[2] があげられる．両者は軽度認知障害と認知症の定義に共通性を有している．

　DSM-5-TR では軽度認知障害は minor neurocognitive disorder，認知症は major neurocognitive disorder と再定義された．これは本邦で痴呆症が認知症と言い換えられたのと同様に，"dementia" という用語が含有する差別的・軽蔑的意味合い (stigma) を払拭することが目的である．この診断基準では，まず認知機能を複雑性注意（持続性・選択性・分割注意の総称），実行機能，学習と記憶，言語，知覚運動機能，社会的認知の6つの領域に分類している．DSM-5 および DSM-5-TR では社会的認知が取り上げられている点が目新しい．軽度認知障害はこれらの認知機能の1つ以上の低下の自覚があり，他覚的にもそれが確認されるが，独立した生活機能が保たれ，次に述べる

166　　JCOPY　498-22913

表1 DSM-5-TR に基づく認知症と AD の診断

1. 認知症（大神経認知障害）診断
   複雑性注意，実行機能，学習と記憶，言語，知覚運動機能，社会的認知のうち1つ以上が明らかに低下し生活障害がある
2. Probable AD
   1）明らかな AD の遺伝性を有する場合，または
   2）次の3条件すべてを満たす
      a. 記憶・学習障害が明らかで他の認知機能低下も合併
      b. 長期間にわたる進行性認知低下
      c. 他の変性性疾患，脳血管障害，精神疾患が否定的
3. Possible AD
   遺伝性はなく上記2）を部分的に満たす

表2 NIA-AA 認知症診断基準

1. 日常生活・職務を障害
2. 従来の能力からの低下
3. せん妄や精神病によるものではない
4. 認知低下が病歴，簡易認知検査で確認可能
5. 以下認知/行動のうち2項目以上の障害
   A）記憶
   B）実行機能
   C）視空間認知
   D）言語
   E）人格・行動・振る舞い

認知症には当てはまらない状態と定義される．一方，認知症とは，複雑性注意，実行機能，学習と記憶，言語，知覚運動機能，社会的認知のうち1つ以上が明らかに低下し生活障害がある場合と定義されている　表1 ．一方，NIA-AA 診断基準[2]では，認知/行動（記憶，実行機能，視空間認知，言語，人格・行動・振る舞い）の2項目以上に障害を認め，従来の能力から低下していることが明らかであり，それを病歴，簡易認知検査で確認でき，日常生活・職務に支障が生じており，認知低下がせん妄や精神病によるものではない状態，が認知症であると定義されている　表2 ．

Chapter 6　認知症

4. 認知症の「中核症状」

「中核症状」とは，原因疾患を問わず認知症ならば必ず伴っている各種の認知機能障害を指す．認知症では複数の認知機能が障害されることが多いが認知機能のすべてに障害が及ぶのではない点に注意を要する．まず，認知機能障害が1種類に留まる場合，例えば，記憶のみの障害は「健忘」，言語のみの障害は「失語」と称せられ認知症とは区別される．しかし，健忘にしても失語にしても，経過とともにそのほかの認知機能の障害が加わって結果として認知症に発展することがあるので，概念上の混乱をきたさない注意が必要である．次に，認知症といえどもすべての認知機能が同程度に障害されるのではなく，認知機能障害の内容・程度は原因疾患により異なる．例えば，アルツハイマー型認知症では健忘と視空間認知障害が高度であり，レビー小体型認知症（DLB）と血管性認知症では実行機能障害が出現しやすく，前頭側頭型認知症では失語や行動異常が目立つ半面健忘や視空間認知障害は軽いなどの特徴がある．したがって，「認知症＝もの忘れ」という一般的な概念は決して正しくない．

5. 認知症の「行動・心理症状」[3]

中核症状に随伴することがある精神・感情・行動症状は「認知症の行動・心理症状」（BPSD）と称される．これは英語の「Behavioral and Psychological Symptoms of Dementia」の頭文字をとったものである．すでに述べたように認知症には中核症状は必須であるがBPSDは必ずしも出現するわけではない．このことを背景にして，BPSDは従来「中核症状」に対して「周辺症状」と称されていた．しかし，BPSDが中核症状よりも前面に出る場合（前頭側頭型認知症やレビー小体型認知症など）も多いことから，最近は「周辺症状」との名称はあまり使われない．

1. **精神症状**: 幻覚（実際にはないものがあると知覚する），妄想（訂正困難な判断の誤り），誤認症候群（人や場所の取り違え），せん妄（一時の意識内容の混乱）など．

2. **感情症状**: 抑うつ（悲哀感），アパシー（無関心・無感情・無感動），発動

性低下，不安，易怒性，攻撃性など．

3. **行動症状**: 徘徊・多動（落ち着かず歩き回る・動き回る），食行動異常（過食: 食べ過ぎ，不食: 食べない，異食: 食物でないものや多量の氷を食べる），不潔行為，仮性作業（あたかも片づけているようであるが逆に散らかしている），昼夜逆転（昼寝て夜間活動する），夕暮れ症候群（夕方になると落ち着かなくなり不穏になる）．

　BPSD は認知症を背景に発症するものであるが，多くの場合は直接の誘発因子や増悪因子が潜んでいる．意外に気づかれにくい身体的因子として，痛み，かゆみ，発熱，脱水，尿意・便意があり，これらに対処するだけで BPSD が収まることもある．一方，BPSD に対して安易に行われやすい薬物治療は BPSD を悪化させる可能性がある．落ち着かない・眠らないといって鎮静系の薬物（精神安定薬・睡眠導入薬・睡眠薬）を投与するとかえって混乱を深めて BPSD を助長する．また，身体拘束が BPSD を悪化させることは必須であり，本人・介護者の身体的・生命的安全性が脅かされる場合以外は拘束すべきではない．

6. 認知症の原因疾患

　例外はあるが認知症症状の内容と程度は原因疾患により決定される．鑑別診断には病歴，症状，認知症危険因子の注意深い検討が重要である．さらに，脳の形態画像（CT/MRI），機能画像（脳血流量），核医学検査（MIBG 心筋シンチ，ドパミントランスポーターシンチ），脳脊髄液のバイオマーカー（ベータアミロイド，リン酸化タウ）などのうち施行可能なものを駆使する．確定診断には病理学的検討が必要である．

　頻度の高い認知症疾患は一般に4大認知症と称せられ，アルツハイマー型認知症，レビー小体型認知症，前頭側頭型認知症，血管性認知症を指す．そのほかにも認知症を呈する疾患として，パーキンソン病，進行性核上性麻痺，大脳皮質基底核変性症などの頻度は高い．さらに，高齢タウオパチー（primary age-related tauopathy: PART 嗜銀顆粒性認知症，神経原線維変化型認知症）や大脳辺縁系優位型老年期 TDP-43 脳症（LATE）もあるが，これらは臨床的

Chapter 6 認知症

にはアルツハイマー型認知症と診断されることが多い.

　これらの4大認知症を決定する因子はその病因にある．アルツハイマー型認知症，レビー小体型認知症，前頭側頭型認知症では脳中に特異的な異常タンパクが蓄積する結果，神経細胞が慢性進行性に消失していくことから「変性性疾患」といわれる．一方，血管性認知症は各種の脳血管障害（主なものは脳全体に広がった小さな脳梗塞）により神経細胞・線維がダメージを受けることにより生じる.

7. 4大認知症の臨床的特徴

　疾患別に大まかな特徴があり鑑別診断に有用である．しかし，同一疾患であっても成書に記載のある症状のすべてが個々の症例に現れるのでもなく，また，成書にはあまり記載されていないような稀有な症状を呈する症例もあることに留意が必要である．さらに，発症後の経過も個々の症例間で大きく異なる．これには，身体的合併症（高血圧・糖尿病など）の有無と治療の良し悪し，認知症に対する治療の有無，身体的・知的活動の多寡，生活環境や生活習慣などが関与すると考えられる.

a) アルツハイマー型認知症 [4]

- 概念: ベータアミロイド（Aβ）と異常リン酸化タウ（phosphorylated-tau: p-tau）という異常タンパクが脳内に貯留し，シナプス障害と神経細胞脱落を生じた結果進行性認知症を呈する変性性疾患.
- 名称: アルツハイマー病，アルツハイマー型認知症，アルツハイマー型老年認知症などの名称がありすべてほぼ同義で用いられている（以下アルツハイマー型認知症: AD）．ただし，発症時期が65歳前のものを早期AD，65歳以降発症のものを晩期ADと区分する場合もある．早期ADは晩期ADよりも進行が速く，失語が出現しやすく，海馬領域よりも後部帯状回と側頭・頭頂葉の萎縮が目立つなどの特徴を有する.
- 歴史 [5]: 1907年，ドイツのAlois Alzheimerによる死亡時56歳の女性例（Auguste Deter）に関する臨床・病理所見の報告が，疾患単位としてのAD

の発端となった．Auguste Deter は，記憶障害，家事/料理を計画的に行うことの障害（実行機能障害），慣れた環境で迷う（視空間認知障害）などの認知障害とともに，夫に対する嫉妬妄想，誰かに殺されるという被害妄想，知人を怖がるなどの精神症状，および進行性の人格変化などを約8カ月の経過で呈し，1901年にフランクフルト病院に入院，1906年に褥瘡・肺炎に伴う敗血症で死亡．脳の剖検所見では，肉眼的には全般的脳萎縮が目立ち，顕微鏡所見として，大脳皮質浅層の神経細胞脱落，大脳皮質全層における多量の老人斑，大脳皮質神経細胞・神経細線維内における神経原線維変化が特異的であるとされた．この疾患の独立性を認めて「アルツハイマー病」と命名したのは，Alzheimer の恩師である Emil Kraepelin であった．Kraepelin は自著の精神科テキスト第8版（1910）の中で，「Alzheimer は高度の神経細胞変化を有する特異な症例を記載し，これを新規に「Alzheimer-Krankheit（アルツハイマー病）」として既存の認知症疾患群に加えるべきであると述べた．

● 疫学：発症年齢は40〜90歳が多く，女性で発症率が高い．

● 成因：AD の成因はアミロイド仮説に基づいて推測されている．通常 α セクレターゼにより2分されて代謝されるはずのアミロイド前駆タンパクが，病的状態下では β，γ セクレターゼによる40または42個のアミノ酸からなる Aβ40/42 への変換が増加する．特に Aβ42 は水に難溶性であり，これが重合・凝集して脳内に沈着して老人斑を形成する．老人斑は神経細胞脱落を招きシナプス機能を崩壊するだけではなく，AD のもう一つの成因である p-tau の形成を促進する．さらに，老人斑に至る中間物質である Aβ オリゴマーが最も強い細胞毒性を有することが解明されている．

　一方，神経原線維変化は p-tau が凝集したものであり，Aβ とともに神経細胞死を誘発する．元来，タウタンパクは微小管結合タンパク質の一つとして正常細胞に存在するが，タウタンパクにリン酸が結合すると不溶性の p-tau が生じ，さらにこれが螺旋状フィラメント構造（paired helical filament: PHF 対らせんフィラメント）をなして神経細胞内に沈着したものを神経原線維変化とよぶ．臨床症状・経過に比例するのは神経原線維変化の量とその分布であり，老人斑の分布・程度は関連しないことが知られている．

Chapter 6　認知症

- 遺伝: 本邦では 2015 年の報告で 53 家系の遺伝性 AD が報告されている. 染色体 21 番上にアミロイド前駆体タンパク遺伝子がありその異常によりアミロイド前駆体タンパクが過剰産生される. また, プレセニリンは γ セクレターゼ複合体の一部であるが, 染色体 14 番/1 番の異常によりそれぞれプレセニリン 1/2 が産生され, その結果 Aβ42 産生を亢進する. これらの染色体異常が家族性 AD の原因である. 一方, AD 発症に直接関与するものではないが, 染色体 10・19 番には AD の危険因子の一つであるアポリポタンパク ε4 の遺伝子座があり, ε4 の遺伝子数が増加するほど AD 発症率が高まり発症年齢は低下する.

- 病理: マイネルト前脳基底核, 海馬, 大脳皮質に神経細胞の変性・脱落, シナプスの減少, 多数の老人斑, 神経原線維変化が広範にみられる.

- 生化学: 初期にはアセチルコリン系が選択的に障害されるが, 病期の進行とともにドパミン, セロトニンなどの神経伝達物質にも障害が及ぶ.

- 危険因子: 加齢と遺伝（アポリポタンパク ε4 遺伝子）が最大の危険因子と考えられている. さらに重要なことは, 血管性危険因子である中年期の高血圧, 糖尿病, 高コレステロール血症, 高ホモシステイン血症などが Aβ の生成・脳内沈着を促進させ, さらにこれらの危険因子により生じる慢性的脳虚血や脳内炎症が Aβ の生成・沈着をさらに加速させる.

- 診断基準: DSM-5 および DSM-5-TR では, 認知症の条件を満たした上で, 次の条件を満たした場合 AD と診断される 表1 .

1．Probable（臨床的確実）AD

1）明らかな AD の遺伝性を有する場合

2）または次の 3 条件のすべて満たす場合

　　a. 記憶・学習障害が明らかであり他の認知機能障害も合併する

　　b. 長期間にわたる進行性認知低下

　　c. 他の変性性疾患, 脳血管障害, 精神疾患などが否定される

2．Possible AD（AD 疑い）

遺伝歴がなく, 上記 2）a, b, c の 3 条件を部分的に満たす場合.

一方, NIA-AA 診断基準[2] では, 同様に前述した認知症であることの定義 表2 を満たし, さらに, 発症年齢に関係なく潜行的に発症し, 健忘（学習

表3 NIA-AA 臨床的確実 AD 診断基準

All-cause dementia の定義と下記を満たす
1. 潜行的な発症（発症年齢は問わない）
2. 認知の明らかな進行性悪化
3. 経過/検査結果において以下のいずれかが初発・顕著
   a) 健忘（学習と想起）
   b) 健忘以外の症状：言語・視空間認知/視認知・実行機能
4. 除外項目
   1) 認知低下と同時期の脳血管性発作，多発性/広汎性梗塞，高度白質障害
   2) レビー小体型認知症の中核症状
   3) 前頭側頭型認知症を特徴付ける行動障害
   4) 意味性認知症・進行性非流暢性失語を示唆する言語障害
   5) 他疾患の可能性

と想起）または健忘以外の症状（言語・視空間認知/視認知・実行機能など）が明らかであり，進行性に増悪するものの中で，発症時期が一致する脳血管障害，レビー小体型認知症の中核症状，前頭側頭型認知症を示唆する行動障害，意味性認知症や進行性非流暢性失語を示唆する言語障害が除外可能な場合，臨床的確実な AD と診断される **表3**．

● 臨床経過と検査所見[6]：前臨床期/軽度認知障害期/認知症期の 3 段階に分類されている．

1. **前臨床期：** 臨床的に AD が発症する 10～15 年以上前の段階であり，老人斑と神経原線維変化の脳内沈着が始まっているが臨床的には無症状である．

2. **軽度認知障害期：** 細胞障害を意味する脳脊髄液タウの上昇，FDG-PET 上の側頭頭頂葉・楔前部・後部帯状回の脳代謝低下，CT/MRI 上の海馬萎縮を認め，臨床的には MCI の段階に該当する．

3. **認知症期：** 認知機能障害の結果日常生活や職務上に支障が生じており，臨床的に認知症と診断される．

● 高齢発症の典型的 AD の経過と予後[4]

1. **軽度 AD：** 注意障害（集中できない），健忘，失見当識が主体であり，ときに視空間失認（迷子），妄想（ものとられ，嫉妬），不機嫌，うつ傾向などの感情症状を伴う．

Chapter 6 認知症

2. **中等度 AD**: 健忘，失見当識，視空間失認がさらに進行し，さらに実行機
能障害をはじめとする前頭葉機能低下，健忘失語，観念運動性失行，視覚失
認を伴いやすくなる．これらの症状は誤って記憶障害に帰されてしまい気が
つかれないことが多い．

3. **高度 AD**: 更衣，入浴，排泄に介助が必要となり両便失禁状態となる．終
末期には言語，笑顔，歩行・立位・座位などの機能が消失し，ただ単に開眼
している状態（無動性無言）に移行する．一方，軽度〜中等度 AD では身体
症状を伴わないことが原則であるが，高度 AD では錐体外路症状を高率に合
併し，さらに全身性けいれんやミオクローヌスを呈することがある．末期に
は無為や嚥下障害の悪化により摂食障害をきたし，栄養障害，褥瘡，感染症
にて死亡する．

b) レビー小体型認知症

- 概念：レビー小体が神経細胞内に沈着し認知症をはじめとする各種症状を呈
する疾患．
- 病理：レビー小体とはアルファ-シヌクレイン（α-Synuclein: α-Syn）と
いうタンパク質が異常凝集したものである．脊椎動物はα-Syn を有してお
り，特に嗅球，前頭葉，線条体，海馬などにおけるドパミン作動ニューロン
のシナプス前の神経末端に存在する．α-Syn の存在意義には不明な点が多
いが，神経細胞膜の脂質と機能的な連携があると推測されている．さらに
α-Syn 凝集を誘発する因子についても十分には解析されていないが，神経
細胞膜の機能的な不安定さ，α-Syn 関連遺伝子の変異，酸化ストレス，異
常リン酸化，カルシウムイオンの濃度変化などの多因子が複合的に関わって
いることが推測されている[7]．α-Syn が神経細胞内に沈着したものをレ
ビー小体，神経細胞突起に沈着したものをレビー神経突起（合わせて LB 病
変）と称する．
  - 名称：LB 病変が全身に沈着する疾患を総括的にレビー小体病という．LB 病
変は中枢神経系だけではなく，嗅神経，自律神経系，消化器，心筋，皮膚な
どの全身の組織に蓄積する．レビー小体病にはパーキンソン病（PD），レ
ビー小体型認知症（DLB），多系統萎縮症が含まれる．これらの臨床型の違

いは，専らどの臓器に LB 病変が蓄積するかによって決定されるといっても過言ではない．また，LB 病変により，認知障害を伴わずに嗅覚低下，レム睡眠行動異常症，起立性低血圧のみを呈する症例もあり，これが PD や DLB の前駆状態をなす場合がある．

- 歴史[5]：1817 年に James Parkinson が「振戦麻痺」について著し，後に Jean-Martin Charcot がこの疾患を「パーキンソン病」と命名した．その約 100 年後の 1912 年，Friedrich Heinrich Lewy（1885〜1950）が PD 患者の黒質細胞内に特異的なタンパク沈着を発見した．Lewy 自身はこの所見を重視しなかったが，Konstantin Nikolaevich Tretiakoff が PD の黒質におけるこの異常タンパク沈着の重要性に目を向けた．彼は自分の博士論文（1919）の中でこの黒質色素細胞内の封入体を記載し，これが 1912 年に Lewy が記載した封入体と同じであるとして "corps de Lewy"（レビー小体）と命名した．

  DLB の概念の直接の発端となった論文は Kosaka（小阪憲司）らによる症例報告である[8]．症例は 65 歳女性．56 歳時に頸部の不随意運動と進行性健忘が出現し，記憶障害と不穏状態を主訴に入院．四肢の筋強剛，腱反射亢進，高度認知症，無為，落ち着きのなさ，拒否的態度を認め，その後腸重積で死亡．大脳皮質・海馬・視床下核・黒質などに老人斑，神経原線維変化を多く認め，さらに，黒質・視床下核・無名質・青斑核・迷走神経背側核には典型的なレビー小体（後の脳幹型 LB）を，大脳皮質深層には辺縁が不明確で halo を有さず淡く染色される好酸性・嗜銀性の細胞内封入体（レビー様小体；後の皮質型 LB）をびまん性に認めた．これが新しい 1 疾患として国際的に認められるまで長時間を要したが，この症例が DLB の原点と考えられる．

- レビー小体病の病型：LB 病変が脳幹に限局するものをレビー小体病の脳幹型と称し PD に相当する．一方，レビー小体病のびまん型は大脳皮質と脳幹に広く LB 病変が分布しているタイプであり，DLB に相当する．パーキンソン病認知症（PDD）でも大脳皮質と辺縁系に LB 病変が多数みられるがその量は DLB より少ない．一方，通常合併するアルツハイマー病の病理所見（Aβ）は PD よりも PDD/DLB に多く，さらに DLB では PDD よりもさら

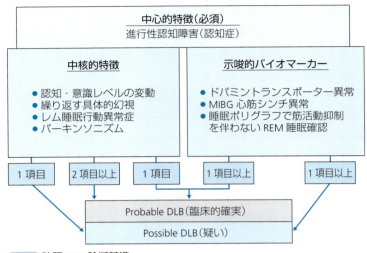

図1 改訂 DLB 診断基準

(McKeith IG, et al. Neurology. 2017; 89: 88-100[10])

に多い[9]．これらの所見は，レビー小体病は PD-PDD-DLB という一連のスペクトラムをなしており，認知障害の程度にはアルツハイマー病病理が関与することを示唆する．

- DLB 診断基準 図1 [10]

2017 年に DLB の臨床診断基準が 12 年ぶりに改訂された．DLB 診断にはまず進行性の認知機能低下（認知症）が必須である．さらに，中核的特徴（幻視，認知変動，パーキンソン症候群，レム睡眠行動異常症）と指標的バイオマーカー（ドパミントランスポーター取り込み低下，MIBG 心筋シンチグラフィー取り込み低下，睡眠ポリグラフ検査で筋活動低下を伴わないレム睡眠の確認）の組み合わせから probable/possible DLB と診断する．なお，DLB と PDD の病態がきわめて類似しているために，両者は操作的に鑑別される．発症から少なくとも 1 年間は身体症状のみを呈しその後認知症を発症するものを PDD，一方，認知・精神・感情症状が身体症状に相前後してまたは 1 年以内に発症するものを DLB と定義する（1 年ルール）．

- 症状：認知障害，精神・感情・行動障害，運動障害（パーキンソン症候群），

自律神経障害が各種の組み合わせで出現する．そのために一言でDLBといっても，臨床症状が多種多様であることがDLB診断を困難にしている一因である．

1. **認知変動**：主に注意・実行機能障害・視空間処理能力障害が目立ち，記憶障害はADよりも軽度な傾向がある．一方，DLBとADの合併と考えられる症例では健忘が高度であり海馬萎縮も強い（後述）．DLBの記憶障害では，記憶保持の障害よりも注意・実行機能障害に基づく記銘や想起の障害の関与が大きいと考えられている．また，意識と認知レベルが大きく変動することが特徴であり，その周期は数秒〜数カ月に及ぶ．

2. **精神・感情・行動障害**：抑うつ（うつ病と誤診されやすい），不安愁訴，他人の感情の理解障害（特に怒り・困惑表情を理解しにくくなる），幻覚（幻視＞幻聴），各種妄想（訂正困難な判断の誤り）などがよく見られる．さらに，あまり意味のない行動（つきまとい，頻回の着替え・トイレ通い）への理不尽なこだわり現象も目立つ．

3. **パーキンソニズム**：左右差のある安静時振戦（4〜6Hz）があり，さらに歯車様筋強剛・動作緩慢・姿勢保持障害のうち2つ以上を認める場合[11]，または，動作緩慢がある，または筋強剛・静止時振戦の1つ以上を認める場合[12]と定義される．しかし，PDに比べてDLBでは症状に左右差が目立たず振戦が少ない傾向がある．またDLB症例の25％はパーキンソニズムを呈さない．

4. **自律神経障害**：高度便秘や食欲のむら（消化器の蠕動低下），血圧の乱高下，起立性・食後性低血圧による失神，発汗障害（下半身発汗減少・上半身多汗）とうつ熱，各種排尿障害（頻尿・排尿困難・尿失禁）などが高頻度に認められる．これらの症状はDLBが全身病と言われる所以でもあるが，DLBとの関連性に気づかれずに個々別々に治療されpolypharmacyに陥る危険性に注意を要する．

5. **睡眠障害**：熟眠感がないことによる不眠の訴え（実際には良眠していることが多い），昼間の過眠，REM睡眠行動異常症（深夜〜明け方の大声，四肢のばたつかせ，ベッドからの転落，歩き回る）などが多い．REM睡眠行動異常症はPD/DLB発症の数年前から単独で認められることもある．

Chapter 6 認知症

6. **その他**: DLB 発症から数～十数年遡る嗅覚低下, 嗅覚障害に伴う味覚障害は稀ではないがこの点に特化した病歴聴取をしないと聞き出せない. 抗精神病薬に対して過敏性を有することが多くその使用には注意を要する.

● 検査所見

1. **形態画像 (CT/MRI)**: DLB では他の変性性脳疾患のような画像的特異性 (例: AD における海馬萎縮など) を欠くことが特徴である. しかし, 前述した AD 病理の合併が高度な場合は海馬・皮質萎縮が目立つ傾向がある.

2. **脳血流量検査 (SPECT)**: 一般的に DLB における後頭葉取り込み低下は有名であるがこの所見は 6 割程度の症例にしか見られない.「後頭葉取り込み低下のない症例は DLB にあらず」という考え方は誤りである.

3. **ドパミントランスポーター (I^{123}-イオフルパン) SPECT**: 黒質から線条体に向かうドパミン系に存在するドパミントランスポーターを画像化し, ドパミン系機能を評価する検査である. 正常な線条体は寸胴な「勾玉またはたらこ」状であるが, DLB では被殻から取り込みが低下して尾状核頭が点状に見えるようになる. PD, DLB, 進行性核上性麻痺, 大脳皮質基底核変性症, 多系統萎縮症では異常所見がみられ, 正常所見を呈する AD, 前頭側頭型認知症, 血管性認知症との鑑別診断に有用である. 一方, 発症時にはまだ異常は見られずその後の経過で異常が明らかになる場合, また逆に臨床症状が出現する前 (prodromal stage) から異常が見られる場合もある.

4. **MIBG 心筋シンチ**: レビー小体病では自律神経系が障害されることに注目した検査法であり, 心臓交感神経節後線維の障害を評価する検査法である. バックグラウンド (縦隔) に対する心筋の取り込みの比 (心臓縦隔比) は PD と DLB で低下する. 自律神経に障害をきたさない AD, 血管性認知症, 前頭側頭葉変性症では心臓縦隔比は低下しない. またドパミントランスポーター SPECT では異常を呈する進行性核上性麻痺, 大脳皮質基底核変性症でも MIBG 心筋シンチは正常であるのでそれらの疾患と PD/DLB の鑑別に有用である. 一方, 心筋自体の障害や糖尿病性神経障害がある場合には異常所見の可能性があること, また, ドパミントランスポーター SPECT と同様に false negative があることを考慮に入れる必要がある.

c）前頭側頭型認知症（前頭側頭葉変性症）

- 概念：前頭側頭葉に限局性萎縮を呈し，言語障害と行動・感情障害を主徴とする疾患群．

- 歴史[5]：1892年にチェコのプラハ・カレル大学のArnold Pickが，進行性の超皮質性感覚失語と行動・感情障害を呈した71歳男性例において左側頭葉の限局性萎縮と失語症の関係を強調したが，Pick自身はその疾患の顕微鏡所見については触れなかった[13]．後年，Alois Alzheimerが同様症状を呈した症例において嗜銀性細胞内封入体（現在でいうPick球）を記載し（1911），1926年には，当時日本からドイツに留学中であったOnari（大成潔）が同僚のHugo Spatzとともに臨床・病理像をまとめ，この疾患を「Pick病」と名づけた．彼らは，前頭側頭葉の限局性脳萎縮，萎縮部位の神経細胞脱落と皮質海綿状態，老人斑と神経原線維変化の欠如を病理学的特徴として強調した[14]．

　Pick病の病理学的概念に変化がみられたのは，1970年代にConstantinidisらがPick病を3型に分類してからである．A群はPick球・Pick細胞（ballooned neuron：腫大細胞）の両者を有し萎縮中心が側頭葉にあるもの，B群はPick細胞のみを有して萎縮中心が前頭頭頂葉にあるもの，C群はPick球・細胞のいずれも欠くものとされる[15]．このうち，B群は後に大脳皮質基底核変性症と同等と考えられるようになり，A群とC群がPick病に該当する．しかし，Pick球を有さないC群がPick病に属するとの説は，「Pick病」とPick球の関係を不明確とさせ，その後の「Pick病」に関する混乱の原因となった．

　1980年代後半にNearyらは，従来Pick病とよばれていた前頭葉症状を主徴としアルツハイマー型認知症とは異なる臨床病理像を呈する認知症疾患を，dementia of frontal lobe type（DFT），その後frontal lobe dementia（FLD）と称することを提案した．しかし，DFT/FLDと従来の「Pick病」の異同は結局何かという新たな疑問を生じることとなった．

　さらに1994年にはfrontotemporal dementia（FTD）の概念と診断基準が提案された[16]．FTDは，a）前頭側頭葉の限局性萎縮，b）進行性の行動人格・感情・言語症状，c）疾患特異的な病理所見を有する，と定義される．

Chapter 6　認知症

FTD の病理型には frontal lobe degeneration（FLD）型，Pick 型，運動ニューロン疾患（MND）型の 3 種類がある．最も頻度が高いものは FLD 型であり，神経細胞脱落・大脳皮質第 2〜3 層の非特異的海綿状変化・軽度グリア増加が主な所見であり Pick 球・細胞を欠く．Pick 型は Pick 球・細胞を有し，高度なグリア増加を呈するが FLD 型より頻度が低い．MND 型は FLD 型病理を有し運動ニューロン疾患を合併する．

　DFT/FLD/FTD はそもそも「Pick 病」の概念にまつわる混乱を収めるために提案されたが，それらのいずれも臨床症状と病理所見の両方を意味する名称であったため，それらの名称を用いる人により臨床/病理のどちらに言及しているのかが不明確であり，結局，用語上の混乱を解決するには至らなかった．

● Frontotemporal lobar degeneration（FTLD）概念の台頭：FTD 概念が提案された頃，FTD とは若干異なる観点から左前頭葉限局性脳萎縮による進行性非流暢性失語（progressive aphasia: PA）と左側頭葉優位の限局性脳萎縮による意味性認知症（semantic dementia: SD）がすでに報告されており，FTD との類似性が推測されていた．これらを背景にして，1996 年に frontotemporal lobar degeneration（FTLD）の概念が提案された．FTLD とは，前頭側頭葉に限局性萎縮を生じる非 AD 病理により，臨床的に FTD，PA，SD を呈する疾患に対して与えられた最上位概念である．1994 年の FTD とは異なり，FTLD の FTD は純粋に臨床症状を意味する名称であり病理学的意味合いは含有していない．つまり，FTLD の概念は臨床症状と病理所見に対する名称を明確に分離した点で非常にわかりやすいものとなった．FTD 診断基準は 1998 年に FTLD 診断基準に改訂された[17]．PA が progressive non-fluent aphasia（PNFA: 進行性非流暢性失語）と改名されたため，FTLD 臨床型は FTD，PNFA，SD も 3 種類となった．一方，この時点でも FTLD 病理所見の分類は 1992 年診断基準から変更はなかった．

● 最新の FTLD 臨床型分類：2011 年には FTLD による行動異常型（behavioural-variant frontotemporal dementia: bv-FTD）[18] と進行性失語の 2 型（非流暢性失語型: non-fluent/agrammatic variant PPA: nfv-PPA，意味記憶障害型: semantic variant PPA: sv-PPA）[19] の診断基準が改訂された．

表4 行動異常型 FTD（bv-FTD）

Ⅰ．進行性・持続性の行動・認知障害を呈する変性疾患である
Ⅱ．Possible bv-FTD
    以下の3項目を満たす
　A．社会生活上の脱抑制行動
　B．アパシー / 無気力
　C．同情 / 感情移入の欠如
　D．保続的 / 紋切型 / 強迫的 / 儀式的行動が早期に発症
　E．口唇傾向 / 食行動異常
　F．実行機能障害（記憶 / 視空間認知は比較的保たれる）
Ⅲ．Probable bv-FTD
　A．Possible bv-FTD 基準を満たす
　B．明確な生活機能低下がある
　C．bv-FTD の画像所見を認める
　　前頭葉 / 前部側頭葉の萎縮 / 血流低下 / 代謝低下
Ⅳ．FTLD の確定的病理所見を有する bv-FTD
　A．possible / probable bv-FTD 基準を満たす
　B．FTLD の組織病理所見を有する，または
　C．FTLD の遺伝子変異を有する
Ⅴ．除外項目
　症状が非変性疾患 / 身体疾患 / 精神疾患によると考えられる場合
　バイオマーカーがアルツハイマー病を強く示唆する場合

1. **行動異常型** **表4**：主症状は社会脳の障害による社会的不適合言動，他人を思いやることのない「わが道を行く症候群」が主症状である．主に右優位両側前頭葉眼窩面障害に基づく．なお，1998年診断基準の感度は53％であったが，新基準では probable bv-FTD 76％，possible bv-FTD 86％に改善されている．

2. **非流暢性失語型**：発話障害と文法障害を主徴とする話すことの障害であり，左前頭葉の言語野の局所的病変による．発話障害には発話の企図障害（発語失行）も含まれる．進行期には FTD に類似した行動・感情障害を伴うことが多い．

3. **意味記憶障害型**：意味記憶とは物事の定義や一般知識をいう．意味性認知症では意味記憶障害による聴理解障害と呼称障害を呈する．発症早期から

Chapter 6 認知症

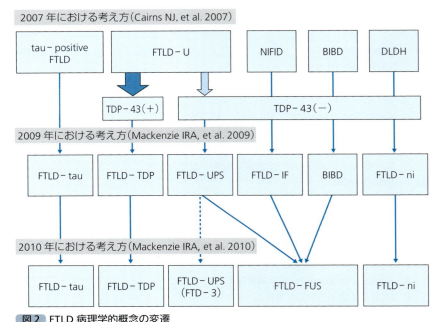

図2 FTLD 病理学的概念の変遷
(福井俊哉. 老年期認知症研究誌. 2012; 19: 33-7[20])

FTD 類似の行動・感情症状が合併することが多い．左優位側頭葉前方部の障害で出現する．
- 免疫組織学的病理型分類：FTLD の病理学的分類が確立されてきた背景には免疫染色技法の長足の進歩がある．以下の解説は理解しにくいと思われるので 図2 [20] を参考にされたい．

　FLD と一言でいっても，その病理にはユビキチン陽性封入体，好塩基性封入体 (basophilic inclusion body disease: BIBD)，神経細胞内 intermediate filament (neuronal intermediate filament inclusion disease: NIFID) などを有する亜型があることが判明した．さらに，ユビキチン陽性封入体の異常タンパクの主成分が異常リン酸化した TDP-43 (transactive response-DNA binding protein 43: RNA 選択的スプライシングや転写調整に関わる核内タンパク) であることが 2006 年に明らかにされた．

これらの新知見に基づいて，2007 年に FTLD の病理分類が見直された[21]．従来の Pick 型を含めたすべての非 AD 型 tauopathy は tau-positive FTLD，タウ陰性でユビキチン陽性の FTLD は FTLD-U，BIBD と NIFID はそれぞれ FTLD-BIBD/FTLD-IF として記載された．免疫組織学的に陰性例は dementia lacking distinctive histology（DLDH）として残された．

その後，FTLD-U の中には免疫組織学的に TDP-43 陰性，ユビキチンプロテアソーム系（UPS）陽性なものがあり，2009 年病理分類では FTLD-UPS として FTLD-U から分離された．

その後，多くの FTLD-UPS と FTLD-IF・BIBD が遺伝性 ALS の原因となる 16 番染色体の fused in sarcoma/translated in liposarcoma（FUS/TLS）遺伝子変異と関連することが判明し，2010 年の病理分類 ではこの亜群はまとめて FTLD-FUS と命名された．FTDL-UPS には CHMP2B 遺伝子変異による「第 3 染色体に連鎖した家族性 FTD（FTD-3）」のみが該当する．Tau-positive FTLD は FTLD-tau と改名されたことを含めて，現時点における FTLD の免疫組織学的分類は，FTLD-tau, -TDP, -UPS, -FUS, -ni(no inclusions) の 5 型でなり，主要なものは FTLD-tau, -TDP, -FUS の 3 型である．

d) 血管性認知症

- 概念: 局所性脳血管障害や持続性全脳虚血が脳組織に侵襲を与えることにより生じる認知症．
- 歴史[5]: 1883 年にドイツの Emil Kraepelin が「動脈硬化性認知症」という概念を発表した．その後，同じくドイツの Otto Binswanger と Alois Alzheimer が若年性認知症に多い梅毒性認知症（進行麻痺）から血管性認知症を独立させた．
- 臨床症状: 血管性病変が基底核周囲に多いことから，血管性認知症では前頭葉 – 基底核投射系の障害による前頭葉機能障害が特徴である．実行機能障害，アパシー（無関心・無感情），思考緩慢（思考スピードの低下），思考の硬直化（思考セットの変換障害）などが血管性認知症の主徴である．記憶障害は AD などと比べて軽度なことが多いが，上記の思考緩慢をはじめとする

Chapter 6　認知症

前頭葉機能障害により実際以上に記憶障害が強いようにみえることがある.
また，血管性認知症とADの合併例では両者の特徴を呈し記憶障害も強い.
皮質性認知症といわれるADやFTLDと異なり，血管性認知症では早期か
ら血管障害に基づく多彩な身体症状がみられることが多い．例えば，表情変
化に乏しい顔つき，油顔，構音障害，片麻痺，血管性パーキンソン症候群な
どが認知症症状とともに観察される.

●臨床型: 血管病変の内容，大きさ，分布，部位から血管性認知症は次の3
型に分類される.

1. 皮質型: 大皮質梗塞による失語，失行，失認，視空間認知障害などの皮質
欠落症状と血管性認知症共通の前頭葉機能障害を主徴とする．階段的な発
症・増悪を示す．Multi-infarct dementia（多発梗塞性認知症）[22]に相当す
る.

2. 皮質下型: 小血管病変（small vessel disease）による多発性ラクナ・び
まん性白質変性によるアパシー，うつ傾向，易怒性，実行機能障害，思考緩
慢，歩行障害，バランス障害，尿失禁などを呈するタイプであり，血管性認
知症の中では最も多い．記憶障害も呈するがADより軽度であり，想起障害
や考え無精が前面に出るためヒントが有効であることが多い．血管性認知症
は段階的な増悪が特徴といわれるが，皮質下型の2/3は緩徐発症・緩徐進
行性であるので変性性認知症との鑑別が必要である.

3. Strategic infarction 型: まず名称であるが「認知症発現に戦略的な部位
の単一病変（梗塞）」（日本神経学会），「戦略的要所梗塞」（筆者訳）などが
あるが定説はないようである．これは視床，前脳基底部，帯状回などの単一
梗塞が認知上重要な神経連絡を離断することにより生じる認知症を指す．症
状は健忘，無為・無感情，自発性低下，保続，変動する意識障害，傾眠など
である.

●病理的特徴: 脳血管・脳循環自律能障害による脳虚血が基本的な病態であ
る．1970年代以降強調されていた大梗塞による皮質型よりも，10 mm以
下のラクナ梗塞や虚血性白質病変が原因となる皮質下型が多い．これらの深
部白質病変が脳内連合線維を障害することにより認知・運動障害を呈する.
一方，純粋の血管性認知症は少なく高齢者の多くはADを合併している．反

対に，AD 病理に血管性病変が加わると認知症が発症しやすいことは「Nun study」で明らかにされた通りである．

● 診断基準: ICD-10 (International Classification of Diseases-10th revision; World Health, 1992)，ADDTC (The State of California Alzheimer's Disease Diagnostic and Treatment Centers; Chui HC, 1992)，NINDS-AIREN (National Institute of Neurological Disorders and Stroke-the Association Internationale pour la Recherche et l'Enseignement en Neurosciences; Román GC, 1993)，DSM-5 および DSM-5-TR など各種の診断基準があるが，これらの要点を総括すると，1）認知症である，2）血管病変がある，3）両者に関連がある，の3点に絞られる．両者の関連性については，血管性イベントと認知症発症との時間的関係と，認知症症状と血管障害部位の空間的関係が妥当であるかの検討が必要である．

まとめ

認知症は「認知症」と一言で総括するべきではなく，幅広く奥行き深い症候群であることをご理解していただければ本稿の義務を果たせたかと思われる．

■文 献

1) American Psychiatric Association. Diagnostic and statistical manual of mental disorders. Fifth edition, text revision (DSM-5-TR). Washington DC: American Psychiatric Association Publishing; 2022. (日本精神神経学会，監修. DSM-5-TR 精神疾患の診断・統計マニュアル. 東京: 医学書院; 2023.)

2) McKhann GM, Knopman DS, Chertkow H, et al. The diagnosis of dementia due to Alzheimer's disease: recommendations from the National Institute on Aging-Alzheimer's Association workgroups on diagnostic guidelines for Alzheimer's disease. Alzheimers Dement. 2011; 7: 263-9.

3) Finkel SI, Costae Silva J , Cohen G, et al. Behavioral and psychological signs and symptoms of dementia: a consensus statement on current knowledge and implications for research and treatment. Int Psychogeriatr. 1996; 38 Suppl: 497-500.

4) 福井俊哉. 今日の臨床サポート: アルツハイマー型認知症 https://clinicalsup.jp/contentlist/131.html

5) Fukui T. Historical review of academic concepts of dementia in the world and Japan: with a short history of representative diseases. Neurocase. 2015; 21:

Chapter 6 認知症

369-76.

6) Aisen PS, Petersen RC, Donohue MC, et al. Clinical core of the Alzheimer's disease neuroimaging initiative: progress and plans. Alzheimers Dement. 2010; 6: 239-46.

7) Rcom-H'cheo-Gauthier AN, Osborne SL, Meedeniya AC, et al. Calcium: alpha-synuclein interactions in alpha-synucleinopathies. Front Neurosci. 2016; 10: 570.

8) Kosaka K, Oyanagi S, Matsushita M, et al. Presenile dementia with Alzheimer-, Pick- and Lewy-body changes. Acta Neuropathologica. 1976; 36: 221-33.

9) Hepp DH, Vergoossen DL, Huisman E, et al. Distribution and load of amyloid-β pathology in Parkinson disease and dementia with Lewy bodies. J Neuropathol Exp Neurol. 2016; 75: 936-45.

10) McKeith IG, Boeve BF, Dickson DW, et al. Diagnosis and management of dementia with Lewy bodies: Fourth consensus report of the DLB Consortium. Neurology. 2017; 89: 88-100.

11) 厚生労働省. 難病情報センター. http://www.nanbyou.or.jp/

12) Postuma RB, Berg D, Stern M, et al. MDS clinical diagnostic criteria for Parkinson's disease. Mov Disord. 2015; 30: 1591-601.

13) Pick A. Über die Beziehungen der senilen Hirnatrophie zur Aphasie. Prag. Med. Wochenschr. 1892; 17: 165-7.

14) Onari K, Spatz H. Anatomische Beiträge zur Lehre von der Pickschen umschriebenen Großhirnrinden-Atrophie ('Picksche Krankheit'). Z. Gesamte. Neurol. Psychiatr. 1926; 101: 470-511.

15) Constantinidis J, Richard J, Tissot R. Pick's disease. Histological and clinical correlations. Eur Neurol. 1974; 11: 208-17.

16) The Lund and Manchester Groups. Clinical and neuropathological criteria for frontotemporal dementia. J Neurol Neurosurg Psychiatry. 1994; 57: 416-8.

17) Neary D, Snowden JS, Gustafson L, et al. Frontotemporal lobar degeneration: a consensus on clinical diagnostic criteria. Neurology. 1998; 51: 1546-54.

18) Rascovsky K, Hodges JR, Knopman D, et al. Sensitivity of revised diagnostic criteria for the behavioural variant of frontotemporal dementia. Brain. 2011; 134: 2456-77.

19) Gorno-Tempini ML, Hillis AE, Weintraub S, et al. Classification of primary progressive aphasia and its variants. Neurology. 2011; 76: 1006-14.

20) 福井俊哉. Frontotemporal lobar degeneration—変遷する病理学的概念と定型的臨床症状. 老年期認知症研会誌. 2012; 19: 33-7.

21) Cairns NJ, Bigio EH, Mackenzie IR, et al. Neuropathologic diagnostic and nosologic criteria for frontotemporal lobar degeneration: consensus of the Consortium for Frontotemporal Lobar Degeneration. Acta Neuropathol. 2007;

114: 5-22.

22) Hachinski VC, Lassen NA, Marshall J. Multi-infarct dementia. A cause of mental deterioration in the elderly. Lancet. 1974; 2: 207-10.

［福井俊哉］

Chapter 6 認知症

B 検査の実際

　認知症の罹患を心配する本人にとって，神経心理検査を受けることは，心的負担が大いにかかる行為である．神経心理検査は本人の認知機能が保持されていることを証明することであると同時に，本人の認知機能の低下や欠損を明らかにするものだからである．そのため，検査者は認知症や神経心理検査に関する十分な知識を備え，検査が過不足ないよう留意して，実施しなければならない．

　認知症診断のために行う認知機能の評価には，スクリーニング検査，各認知機能を個別に評価する検査，詳細な認知機能検査があげられる．対象者の負担を考えると，スクリーニング検査から行い，さらに詳細な検査が必要な場合にのみ，検査を追加していくことが望ましい．

1. Mini-Mental State Examination（MMSE）

　認知機能を簡易に短時間で評価するために，1975年にFolsteinら[1]が開発した検査である．開発時の対象者には，認知症高齢者のみならず，感情障害，統合失調症，神経症，健常高齢者が含まれており，認知症診断のために開発されたものではないが，認知症診断のための優れたスクリーニング検査として，世界中で翻訳され使用されている．

　日本では，1985年に森ら[2]が翻訳し，初めてMMSEを紹介した．しかし，原論文において検査方法の記載が不十分であったこと，検査刺激として用いる英単語を日本語に翻訳する際に日本の状況に合うように改変するなどの経緯もあり，国内ではいくつかのMMSEが使用されている状況にある．国際的な多施設共同観察研究（アルツハイマー病神経画像戦略: J-ADNI）において，杉下らは原版に忠実に翻訳して実施方法を規定し，精神状態短時間検査—日本版（MMSE-J)[3] を出版した．その後，一時販売が中止されていたが，MMSE-J精神状態短時間検査 改訂日本版が発売された．現在はこの改訂版（対象年齢は18〜85歳）の使用が推奨されている．MMSE-J 精神状態短時間検査 改訂

188　　　JCOPY 498-22913

日本版については著作権や検査の機密保持の観点から，使用者の手引き，および発売元のウェブサイト（https://www.nichibun.co.jp/seek/kensa/mmse_j.html　最終閲覧日 2023/11/27）を参照されたい．今回は検査の概要を知っていただくため，それ以前から臨床で使用されていたものを紹介するが，MMSE-J 精神状態短時間検査 改訂日本版とは異なる点があることに注意していただきたい．それらの事情により以下の記述は折衷的なものになっている．

　MMSE は 11 の下位検査，「見当識（時間）」，「見当識（場所）」，「記銘」，「注意と計算」，「再生」，「呼称」，「復唱」，「理解」，「読字」，「書字」，「描画」で構成されている．

▶ **検査実施方法**

① **見当識〔時間（5），場所（5）〕**

　時間と場所の見当識について問う．時間については，「年」，「月」，「日」，「曜日」，「季節」を尋ねる．場所については，「都道府県」，「市」，「地方」，「建物」，「階」を尋ねる．

② **記銘（3）**

　単語を 3 つ覚え，直後にその単語を言ってもらう．単語は，「桜・猫・電車」が最も頻繁に使用されるセットであるが，「梅・犬・自動車」のセットもある．いずれのセットを用いても，単語は一度に 3 つとも聴覚呈示し，逐語呈示は行わない．

　1 回目の聴覚呈示後に再生できた個数を正答とする．記銘能力の参考として 3 つの単語が正しく再生できるまでの呈示回数を記録するが，得点には反映しない．

　満点が取れない場合には同様の方法で呈示して，3 つの単語が正しく再生されるまで提示した回数を記録する（最大 5 回まで）．

③ **注意と計算（5）**

　100 から 7 を引き，その答えからさらに続けて 7 の引き算を 4 回行ってもらう．

　「7 を引くのですか？」と尋ねられたときは「先ほど申し上げた数字を引いてください」と言い，7 を引くことを再び教示しない．理由は短時間のあいだ

Chapter 6　認知症

「7 を引き続けること」という注意を持続できるかどうかを評価するためである．

　計算は教育の影響を特に受けやすく，十分な計算能力を有しない場合，あるいは本人の拒否感が強い場合には，5 文字からなる単語（例えば，「フジノヤマ」）を逆から言う単語の逆唱で代用することでも評価可能である．

　計算間違いをした時点で検査を打ち切り，そこまでを正答とする場合と 5 回の引き算のうち正しく 7 が引けた場合を正答とする場合がある．

④ **再生**（3）

　②の記銘で覚えた単語を思い出してもらう．正しく思い出した単語につき正答とする．

⑤ **呼称**（2）

　身近にある実物品 2 つを呈示して，呼称してもらう．「時計，鉛筆」を使用することが一般的である．

⑥ **復唱**（1）

　検査者が口頭で述べる短文を復唱してもらう．検査者が言ったとおりに正確に言うことをあらかじめ教示する．

　「みんなで力を合わせて綱を引きます」などの例文が用いられることがある．高齢者の場合，「綱（ツナ）」は聞き取りにくい単語であるため，検査者は発音に注意を払う必要がある．

⑦ **理解**（3）

　3 段階の指示を聴覚的に呈示する．指示は一度に与え，逐時呈示しない．

　一例として，1 枚の白紙を対象者の目前に置き「右手で紙をとって，半分に折り，それを床の上に置いてください」というような指示がある．四肢の麻痺がある場合には，動作が可能な指示に適宜変更すればよい．対象者が 1 段階の指示を言い終えたときに動作を開始してしまうことがあるので，動きに注意を払う．

　正しくできた段階の指示を正答とする．

⑧ **読字**（1）

　用紙に書かれた指示文を読み，その通りに動作するように伝える．一例として「目を閉じてください」がある．検査者は指示文を読まないよう注意する．

190

⑨ 書字（1）

「どのような内容でも結構ですので，一文書いてください」と具体的な内容や文章を指示せずに書字をしてもらう．文章として体を成しているかどうかを評価し，漢字や送り仮名の間違いは失点としない．

⑩ 描画（1）

見本の図形を見ながら，同じ図形を描いてもらう．2つの五角形が重なっている図（ダブルペンタゴン）が最も頻繁に使用されるが，その場合はどちらも五角形であるかどうか，重なりが見本と同じかどうかを確認して評価する．視覚構成能力について評価する下位検査のため，見本を透視立方体の図形とすることもある．

カッコ内の数字は満点の得点であり，正答につき加算される．満点は30点である．

● 準備するもの：時計・鉛筆（⑤で使用），筆記用具（⑨，⑩で使用），検査用紙（⑧，⑩で使用），白紙（⑦，⑨で使用）
● 所要時間：10分程度

▶ 結果の解釈の仕方

DSM-5-TR の分類基準を使用して，認知症あるいは軽度認知障害を診断する際に，MMSE には確認すべき認知領域（複雑性注意，実行機能，学習および記憶，言語，知覚-運動，社会的認知）のほとんどが含まれており，かつ，短時間で実施できる優れたスクリーニング検査であるといえる．実行機能，社会的認知は MMSE には含まれない認知機能であるが，複雑性注意は③ 注意と計算で，学習および記憶は② 記銘・④ 再生で，言語は⑤ 呼称・⑥ 復唱・⑦ 理解・⑧ 読字・⑨ 書字で，知覚-運動は⑩ 描画で，それぞれ確認できる．しかしながら，各下位検査の配点が均一ではないため，各認知機能の障害の程度を総合得点だけで評価することは難しいことに注意を払う必要がある．なお MMSE-J 精神状態短時間検査 改訂日本版を正規の手続きで実施した場合には，健常者と MCI のカットオフ値は 27/28（感度83.9%，特異度83.5%），

Chapter 6　認知症

MCI と軽度 AD 群のカットオフ値は 23/24（感度 68.7％，特異度 78.8％）で
あると報告されている．

2. 改訂長谷川式簡易知能評価スケール（HDS-R）　図1 [5]

　わが国最初の認知症スクリーニングテストとして 1974 年に開発された長谷
川式簡易知能評価スケールを改訂して，1991 年に作成された 9 項目の設問で
構成された簡易知能評価スケールである．HDS-R と MMSE[2] を同症例に行っ
た際の相関値は 0.94 であり，MMSE との並存的妥当性は高い．認知症鑑別の

（検査日：　年　月　日）					（検査者：　　　　）	
氏名：		生年月日：　　年　　月　　日		年齢：　　　歳		
性別：　男 / 女	教育年数（年数で記入）：　　　年		検査場所			
DIAG：		（備考）				

1	お歳はいくつですか？（2 年までの誤差は正解）		0　1
2	今日は何年の何月何日ですか？　何曜日ですか？ （年月日，曜日が正解でそれぞれ 1 点ずつ）	年 月 日 曜日	0　1 0　1 0　1 0　1
3	私たちがいまいるところはどこですか？（自発的にでれば 2 点，5 秒おいて家ですか？　病院ですか？　施設ですか？　のなかから正しい選択をすれば 1 点）		0　1　2
4	これから言う 3 つの言葉を言ってみてください．あとでまた聞きますのでよく覚えておいてください． （以下の系列のいずれか 1 つで，採用した系列に○印をつけておく） 1：a）桜　b）猫　c）電車　　2：a）梅　b）犬　c）自動車		0　1 0　1 0　1
5	100 から 7 を順番に引いてください．（100-7 は？，それからまた 7 を引くと？　と質問する．最初の答が不正解の場合，打ち切る）	（93） （86）	0　1 0　1
6	私がこれから言う数字を逆から言ってください．（6-8-2，3-5-2-9 を逆に言ってもらう．3 桁逆唱に失敗したら打ち切る）	2-8-6 9-2-5-3	0　1 0　1
7	先ほど覚えてもらった言葉をもう一度言ってみてください． （自発的に回答があれば各 2 点，もし回答がない場合以下のヒントを与え正解であれば 1 点）a）植物　b）動物　c）乗り物		a：0　1　2 b：0　1　2 c：0　1　2
8	これから 5 つの品物を見せます．それを隠しますのでなにがあったか言ってください． （時計，鍵，タバコ，ペン，硬貨など必ず相互に無関係なもの）		0　1　2 3　4　5
9	知っている野菜の名前をできるだけ多く言ってください． （答えた野菜の名前を右欄に記入する．途中で詰まり，約 10 秒間待っても答えない場合にはそこで打ち切る）0～5＝0 点，6＝1 点，7＝2 点，8＝3 点，9＝4 点，10＝5 点		0　1　2 3　4　5
		合計得点：	

図1　改訂長谷川式簡易知能評価スケール（HDS-R）
（加藤伸司，他．老年精神医学雑誌．1991; 2: 1342[5]）

ために，20/21 点をカットオフポイントとした場合の感受性は 0.90，特異性は 0.82 で，高い弁別力があるとされている[2]．

本検査は，限られた時間とスペースで行うことができ，地域の保健従事者をはじめとするコメディカルスタッフが行えるよう作成された．また，他のスクリーニング検査と比較して，動作性の検査を含まないことを特徴としている．保健，福祉や司法などの場面でも用いられることがあり，国内では医療以外の場面でもよく知られているスクリーニング検査である．例として，最高裁判所事務総局家庭局が用意している成年後見制度における鑑定書書式（要点式）[6]には，知能検査・心理検査として HDS-R の得点を記載する欄があらかじめ用意されている．

本検査は，比較的教育歴や年齢に影響を受けないスクリーニング検査とされている．実際，開発時の症例中では，年齢や教育年数と得点との相関は認められていない（平均年齢: 認知症群 72.56 ± 8.58 歳，非認知症群 76.94 ± 8.05 歳，教育年数: 認知症群 9.96 ± 3.18 年，非認知症群 8.31 ± 2.93 年）．

HDS-R は 9 の下位検査，「年齢」，「日時の見当識」，「場所の見当識」，「3 つの単語の記銘」，「計算」，「数字の逆唱」，「遅延再生」，「5 つの物品記銘」，「言語の流暢性」で構成されている．

① 年齢 (1)

本人の満年齢を尋ねる．2 年までの誤差は正答とする．

② 日時の見当識 (4)

年，月，日，曜日を尋ねる．

③ 場所の見当識 (2)

現在いる場所について尋ねる．正確な名称を言う必要はなく，場所の本質的な機能がわかっていれば正答とする．自発的に正しく答えられた場合は 2 点とし，自発的に答えられない場合にはその 5 秒後に，家・病院・施設のいずれの場所にいるか尋ね，正しく選択できれば 1 点とする．

④ 3 つの単語の記銘 (3)

検査者が 3 つの単語のセットを一度に聴覚呈示し，その直後に言ってもらう．正しく言えた単語を正答とする．ここで覚えた単語は「後から尋ねる」こ

Chapter 6 認知症

とを伝えておく．もし1回目の聴覚呈示ですべての単語を言えない場合には，覚えられるまで繰り返し呈示する（3回まで）．

単語のセットは「桜・猫・電車」，あるいは「梅・犬・自動車」を使用する．

⑤ **計算**（2）

100から順に2回続けて7を引いた数をそれぞれ解答してもらう．2度目には「もう1度7を引くと？」と尋ねる．1度目に引き算したあとに「何から7を引くのでしたか？」と尋ねられても直前の解答は教えない．

一見すると，「7を引いてください」と教示する点がMMSEと異なるように思えるが，その直前の本人の回答（正解ならば93）は言わないため，注意を維持しなければ正しい回答に結びつかない点で同様の解釈が可能である．

⑥ **数字の逆唱**（2）

3桁，4桁の数字を聴覚呈示し，その数字を逆から言ってもらう．数字は1秒につき1つのペースで言う．3桁の逆唱が不正解の場合には，その時点で中止する．

⑦ **遅延再生**（6）

④で記銘した単語を再生してもらう．自発的に思い出せた場合には1単語につき2点，カテゴリーのヒント（植物・動物・乗り物）により思い出せた場合には1単語につき1点とする．

⑧ **5つの物品記銘**（5）

実物品を見せて名前を言えるのを確認しながら，覚えてもらう．物品を隠し，何があったかを自発的に言えた場合，正答とする．物品は馴染みのある（呼称できる）相互に無関係な物品を使用する．例えば，「時計」，「鍵」，「タバコ」，「ペン」，「硬貨」などがある．

⑨ **言語の流暢性**（5）

知っている野菜の名前をできるだけ多く言うように教示する．途中で詰まり，10秒待っても出ない場合には打ち切る．それまでに出た個数が5個までは0点，6個＝1点，7個＝2点，8個＝3点，9個＝4点，10個＝5点とする．

カッコ内の数字は満点の得点であり，正答につき加算される．満点は30点である．

194

- 準備するもの： 物品記銘のための 5 つの物品（⑧で使用），ストップウォッチ（③，⑨で使用）
- 所要時間： 10 分程度

▶ **結果の解釈の仕方**

　DSM-5-TR の分類基準を使用して，認知症あるいは軽度認知機能障害を診断する際に，HDS-R は確認すべき認知領域（複雑性注意，実行機能，学習および記憶，言語，知覚 – 運動，社会的認知）のうち，知覚 – 運動，社会的認知が含まれていないため，診断補助として行う場合には，その項目について追加して検査する必要がある．また，各下位検査の配点が均一ではないため，各認知機能の障害の程度を総合得点だけで評価することは難しいことに注意を払う必要がある．参考として，開発時には症例数が十分でないことを理由に得点による重症度区分は採用していないが，同時に実施した Global Deterioration Scale（GDS）により全般的重症度分類を行い，各群間で HDS-R の得点を比較したところ 1％水準で有意差が認められている（軽度群 19.10±5.04，中等度群 15.43±3.68，やや高度群 10.73±5.40，高度 4.04±2.62，すべての症例の平均年齢 75.26±8.58 歳）．

3. Montreal Cognitive Assessment 日本語版（MoCA-J）[7]

　MoCA[8] はカナダの研究者が開発した認知機能のスクリーニング検査で，日本語版（MoCA-J）は鈴木ら[7] によって翻訳され発表された 　**図2**　．本検査の特徴として，認知症の診断はできないが，認知機能の低下が客観的にも自覚的にも存在する軽度認知障害（mild cognitive impairment: MCI）の軽微な認知機能低下を検出することに優れている．

　例えば，記憶はアルツハイマー型認知症ではじめに低下をきたしやすい認知機能だが，本検査の下位検査「記憶」では 5 単語を記銘する設問で，MMSE，HDS-R よりも単語数を増やして天井効果が排除できるようになっている．総得点を算出する際に，認知機能検査の得点に影響を及ぼしやすい教育歴を考慮して，教育年数 12 年以下には総得点に 1 点を加点する．

Japanese Version of
The MONTREAL COGNITIVE ASSESSMENT（MOCA-J）

氏名：
教育年数：　　　　生年月日：
性別：　　　　　　検査実施日：

視空間／実行系

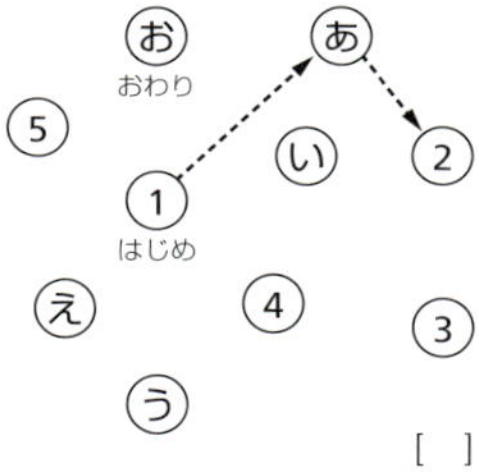

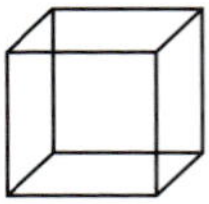

⑤　⑩おわり　　あ
え　　　い　②
①はじめ　④　③
う

図形模写

時計描画（11 時 10 分）
（3 点）

[　]　　　[　]　　　[　][　]　[　][　][　]
　　　　　　　　　　輪郭　数字　針　__/5

命 名

[　]　　　　　　　[　]　　　　　　　[　]　__/3

記 憶

単語リストを読み上げ，対象者に復唱するよう求める．2 試行実施する．5 分後に遅延再生を行う．

	かお 顔	きぬ 絹	じんじゃ 神社	ゆり 百合	あか 赤	配点なし
第1試行						
第2試行						

注 意

数唱課題（数字を 1 秒につき 1 つのペースで読み上げる）　順唱 [　] 2 1 8 5 4
逆唱 [　] 7 4 2　__/2

ひらがなのリストを読み上げる．対象者には "あ" の時に手を叩くよう求める．2 回以上間違えた場合には得点なし．
[　] きいあうしすああくけこいあきあけえおあああくあしせきああい　__/1

対象者に 100 から 7 を順に引くよう求める．[　] 93　[　] 86　[　] 79　[　] 72　[　] 65
4 問・5 問正答：3 点，2 問・3 問正答：2 点，1 問正答：1 点，正答 0 問：0 点　__/3

言 語

復唱課題　太郎が今日手伝うことしか知りません．
犬が部屋にいるときは，猫はいつもイスの下にかくれていました．[　]　__/2

語想起課題／対象者に "か" で始まる言葉を 1 分間に出来るだけ多く挙げるよう求める．[　]＿＿＿ 11 個以上で得点　__/1

抽象概念

類似課題　　例：ミカン・バナナ＝果物　[　] 電車-自転車　[　] ものさし-時計　__/2

遅延再生

| 自由再生（手がかりなし） | 顔 [　] | 絹 [　] | 神社 [　] | 百合 [　] | 赤 [　] | 自由再生のみ得点の対象 | __/5 |

参考項目　手がかり（カテゴリ）
手がかり（多肢選択）

見当識

[　] 年　[　] 月　[　] 日　[　] 曜日　[　] 市（区・町）　[　] 場所　__/6

© Z.Nasreddine MD Version 7.0　www.mocatest.org　健常≧26/30　合計得点　__/30
検査実施者＿＿＿＿＿＿＿＿＿＿＿＿＿＿＿＿　教育年数 12 年以下なら 1 点追加

図 2 日本語版 Montreal Cognitive Assessment（MoCA-J）の検査用紙
（鈴木宏幸，他．老年精神医学雑誌．2010；21：200[7]）

MoCA-J は 12 の下位検査，「5 単語遅延再生」，「復唱」，「命名」，「音韻語想起」，「数字の順唱と逆唱」，「計算」，「Trail Making Test B 簡略版」，「ビジランス」，「立方体の図形模写」，「時計描写」，「類似」，「見当識」で構成されている．

① Trail Making Test B 簡略版（1）

ランダムに描かれている数字と平仮名を順に交互に結ぶように言う．開始の「1」，次の「あ」，その次の「2」と，終わりの「お」の 4 点は指で指して説明してもよい．自己修正以外の間違いなしに，最後まで正しく結べた場合を正答とする．

② 立方体の図形模写（1）

見本の図形を見ながら，同じ図形を描いてもらう．正答とするには，以下の条件を満たす必要がある（三次元である，すべての線が描かれている，余分な線が加えられていない，線の平行関係とそれの長さが類似している）．

③ 時計描写（3）

文字盤に数字をすべて書き入れ，11 時 10 分を指す針を描くように指示し，時計の図を描いてもらう．

輪郭（円である），数字（過不足なく，正しい順と位置である），針（文字盤の中心でつながる長短の針が正しい数字を指す）について，それぞれの条件を満たす場合には正答とする．

④ 命名（3）

線で描かれた動物の見本図を見せ，左から名前を言ってもらう．動物の図は，ライオン，サイ，ラクダを使用する．動物名を正しく言えた場合には正答とする．

⑤ 記憶（配点なし）

一度に 5 つの単語リストを聴覚呈示し，直後に思い出してもらう．1 つの単語につき 1 秒のペースで読み上げる．思い出す順番は問わない．

2 回同じ手順を繰り返し，検査の終わり頃にもう 1 度尋ねることを伝えておく（5 分後）．

使用する単語リストは，「顔，絹，神社，百合，赤」である．

Chapter 6　認知症

⑥ 数字の順唱と逆唱（2）

　決められた数字の順唱と逆唱をしてもらう（順唱　21854，逆唱　742）.

⑦ ビジランス

　あらかじめ決められている「平仮名」を1秒につき1文字読み上げ，「あ」と聞こえた時に手を叩いてもらう．麻痺などで両手でするのが困難な場合には，片手で机を叩くなどに変更する.

　エラーが1回以下の場合は得点を与える.

　使用する平仮名リストは「きいあうしすああくけこいあきあけえおああああくあしせきああい」である.

⑧ 計算（3）

　検査者が「やめ」と言うまで100から7を続けて引き算するように言う．教示は2回までしてよい．それぞれの引き算の答えが正答であれば加点する.

　4，5問正解＝3点，2，3問正解＝2点，1問正解＝1点とする.

⑨ 復唱（2）

　検査者が言う文章を正確に復唱（繰り返す）するように言う．言葉を省略するなどの細かいエラーにも注意を払い，正確に言えた場合に正答とする.

⑩ 語想起（1）

　「か」から始まる言葉を制限時間内にできる限り多く言ってもらう．制限時間は1分間であること，言葉であれば何でもよいことを先に伝える.

　言葉を書き留めておき，11個以上であれば得点が与えられる.

⑪ 抽象的思考（2）

　聴覚的に呈示する単語のペアに関して，（概念的な）「共通点」を言ってもらう.

　例題を行う．具象的な解答（バナナとミカンの単語のペアに対して，例えば「黄色いもの」）をした場合には，1度だけ「他の言い方はありませんか？」と聞く．それでも正答が出ない場合には，「両方とも果物です」と正答を教える.

　本番用の単語のペアは，「電車と自転車」（正答：交通手段，旅行の手段，乗り物），「ものさしと時計」（正答：測るもの，計測に使用するもの，計測器具）である.

⑫ 遅延再生（5）

　⑤で覚えた単語を思い出してもらう．自由再生で正しく言えた単語を正答とする．

　得点化はされないが，思い出せないときには手がかりを与え，それでも思い出せない場合には選択肢を与え，その反応を記録しておく．
・手がかり「身体の一部，生地，建物，花，色」
・選択肢「（口，顔，手）」「（絹，麻，木綿）」「（神社，学校，病院）」「（バラ，百合，椿）」「（赤，青，緑）」

　手がかり呈示時に，後ほど呈示する予定の正答でない選択肢の単語を回答した場合，選択肢の単語は別の単語に置き換えて呈示する．また，その旨を記録しておく．

⑬ 見当識（6）

　「年」，「月」，「日」，「曜日」，「市（区・町）」，「場所」を尋ねる．

　カッコ内の数字は満点の得点であり，正答につき加算される．満点は30点である．教育年数を尋ね，12年以下なら獲得合計得点に1点を追加する（最高30点とする）．

● 準備するもの：筆記用具（①，②，③で使用），ストップウォッチ（⑩で使用）
● 所要時間：10分程度

▶ 結果の解釈の仕方

　13の下位検査は，以下のように分類されている．注意機能・集中力：⑥ ⑦ ⑧，実行機能：① ③，記憶：⑤ ⑫，言語：⑨ ⑩，視空間認知：②，概念的思考：⑪，計算：⑧，見当識：⑬．これにより認知機能低下の認知ドメインを推測することが可能である．

　MCI鑑別のために25/26点をカットオフポイントとした場合の感受性は0.90となる．アルツハイマー型認知症の場合の感受性は1.0となり，高い弁別力があるとされている[10]．

Chapter 6　認知症

Clinical Dementia Rating（CDR）により認知症の重症度により分類した場合，MoCA-J の得点は CDR0 26.3±2.0，CDR0.5 19.8±2.9，CDR1 14.5±3.5，CDR2 10.9±5.0 で，いずれの群間にも有意差があり，MCI 群であっても MMSE や HDS-R のような天井効果で得点が偏ることなく，正規分布すると報告されている．

近年では，MoCA の下位検査を選択的に実施することで，検査時間を約 5 分に短縮させた Short form-MoCA（s-MoCA）も作成されている．s-MoCA で実施する下位検査は，⑤，⑧，⑪（例: ものさしと時計），⑩，⑬（場所），④（サイ），⑫で満点は 16 点となる．11/12 をカットオフ得点とした場合，特異性 0.84，感受性 0.86 である[11]．

なお MoCA については日本版を含む国際的な版権を MoCA Cognition（President: Ziad Nasreddine MD）が管理している．使用は臨床家・研究者を対象とした登録制となっているが，Web 上のトレーニングが要求される．登録すると最新版の用紙と詳細な解説が提供される（https://mocacognition.com/　最終閲覧日　2023/11/27）．

4. Alzheimer's Disease Assessment Scale 日本版 （ADAS-J cog.）[12]

Mohs, Rosen ら[13] がアルツハイマー型認知症患者の，抗認知症薬による認知機能の変化を評価することを目的に作成した検査であり，本邦では本間らが翻訳した．

開発された経緯から，現在も医薬品評価研究で用いられることが多いが，そのほか，臨床で認知機能の経時的変化を捉えやすいことから実施されることも多い．得点は 0〜70 点の範囲で採点され，失点方式で高得点になるほど認知機能障害の程度が高度であることを示す．簡易な検査の場合，繰り返し検査を実施する場合に練習効果が懸念されるが，ADAS-J cog. では，下位検査の「単語再生」と「単語再認」課題の単語セットとして，単語記憶再認課題拡張版[14] が提案され，妥当性も証明されている[15] 表1, 2 ．

ADAS-J cog. は 11 の評価項目，「単語再生」，「口頭言語能力」，「言語の聴

覚的理解」，「自発語における喚語困難」，「口頭命令に従う」，「手指および物品呼称」，「構成行為」，「観念運動」，「見当識」，「単語再認」，「テスト教示の再生能力」から構成されている．

① 「単語再生」(10)

1枚のカードに1単語が書かれたカードを2秒ずつ呈示し，声に出して単語を読みながら覚えてもらい，10個の単語を呈示した直後に思い出してもらう．同様の手続きを3回繰り返し，平均不正解数を得点とする．

使用する単語セットは，「犬，包丁，電車，野球，猫，鍋，飛行機，馬，水泳，自転車」である．

＜以下，②から④は約5〜10分の自由会話をもとに評価を行う．＞

② 「口頭言語能力」

言語の明瞭さ，自分の伝えたいことを他人にわからせるなど，発話の質的側面を全般的に評価する．

支障なし＝0点，不明瞭または意味不明な箇所が1つある＝1点，25％以下の内容が不明瞭または意味不明＝2点，25〜50％＝3点，50％以上＝4点，発話は1，2回または流暢だが意味不明あるいは無言＝5点

③ 「言語の聴覚的理解」

話された言葉を理解する能力を評価する．

十分理解できる＝0点，了解障害1，2回＝1点，了解障害3,4回＝2点，数回の繰り返しや言い換えが必要＝3点，時に正しく応答＝4点，稀にしか質問に対して適切な反応を示さない＝5点

④ 「自発語における喚語困難」

話した言葉に対して評価する．

支障なし＝0点，1，2回＝1点，迂遠な表現や同義語の置き換えが顕著である＝2点，時に喚語困難が起きるが置き換えができない＝3点，頻繁に喚語困難が起きるが置き換えができない＝4点，ほとんど意味内容のある発話がない，発話が空虚，あるいは1，2語文である＝5点

⑤ 「口頭命令に従う」

5段階の動作を1段階ずつ口頭指示し，正しくできない場合を得点とする．

各指示は1度は繰り返してもよい.

　指示の内容は,「こぶしを握ってください」,「天井を指差し, 次に床を指さしてください」,「目を閉じたまま2本の指で両方の肩を2度ずつ叩いてください」, 被験者の正面左側からエンピツ, 時計, 白い紙を置き「エンピツを白い紙の上に置き, 元に戻してください」, 同様に3物品を置き「時計をエンピツの反対側に置き, 白い紙を裏返してください」である.

⑥「手指および物品呼称」

　被験者の利き手の5指とランダムに視覚呈示する実物品の名前を言ってもらう.

　名前を思い出せない場合には触れることも可能である.

　実物品は「イス（ミニュチア）, 自動車（ミニカー）, はさみ, かなづち, 爪切り, 櫛, そろばん, 筆, タオル, 手帳, 指輪, 扇子」を用意する.

　呼称が0〜2個の不正解=0点, 3〜5個の不正解=1点, 6〜8個の不正解=2点, 9〜11個の不正解=3点, 12〜14個の不正解=4点, 15〜17個の不正解=5点とする.

⑦「構成行為」

　見本を見ながら, 同じ図形を描いてもらう. 図形は, 円, 2つの重なった長方形, ひし形, 立方体である. 見本は左に呈示（右利きの場合）し, 各図形2回まで書き直し可能とする.

　すべて正確=0点, 1つの図形が不正確=1点, 2つの図形が不正確=2点, 3つの図形が不正確=3点, なぞり書きや囲い込みがある場合=4点, どの図形も描かれない, または殴り書き=5点とする.

⑧「観念運動」

　内容が書かれた便箋, 封筒, 切手, 宛名と名前が書かれている紙を渡し, 手紙を出すことを想定して作業することを教示する.「ここに封筒と手紙があります. これを使ってこの手紙をこの人宛に出してもらいます, そのままポストに出せるようにして, 私に渡してください」と一度に教示し, できた動作の数で評価する. すべての動作ができた場合には0点とする.

⑨「見当識」

　年, 月, 日（1日以内の違いは正解）, 曜日, 時間（1時間以内の違いは正

解），季節，場所（部分名でも正解），人物を言ってもらう．

不正解の項目数を得点とする．

⑩「単語再認」

はじめに1枚につき1単語が書かれたカードを12枚連続して読みながら覚えてもらう．その後，新しい単語を12語含む24枚のカードを見せ，先ほど読んだカードかどうかを判断してもらう．3回同様の手続きを行う．3回とも新しい単語は異なる単語セットを用いる．

再認の際の教示は，1，2枚目の際には「この言葉は今読んだ言葉の中にありましたか？」，3枚目以降は「これはどうですか？」とする．

3回の平均不正解数を得点とする．

⑪「テスト教示の再生能力」

⑩の実施と同時に評価する課題である．⑩の解答が，「はい」，「いいえ」以外の反応の場合は教示を忘れたこととなり，改めて教示を行うことになる．その回数で評価する．

支障なし＝0点，1度忘れた（1度再教示をした）＝1点，2度忘れた＝2点，3，4度忘れた＝3点，5，6度忘れた＝4点，7度以上忘れている＝5点とする．

カッコ内の数字は失点の最大得点であり，合計の最高は70点である．

- 準備するもの：筆記用具（⑦，⑧で使用），物品（⑥で使用），切手・封筒・便箋・宛名と住所が書かれている紙（⑧で使用），記録用紙（⑦で使用），単語カード再生用（①で使用），単語カード再認用（⑩で使用）
- 所要時間：40分程度

▶ **結果の解釈の仕方**

ADAS-J cog. には，視空間，判断や抽象思考，注意力を評価する項目が含まれていない．そのため，認知症の鑑別診断には，追加して実施する必要がある．

得点による認知障害の重症度判別はできないが，本検査の作成時にFunctional Assessment Stagingで重症度分類した認知症群と健常者群の平均得点と標準偏差は，軽度15.5±5.7，中等度26.7±9.0，高度40.6±13.4，健常

Chapter 6　認知症

表1 再生課題の単語提示系列

提示系列	刺激セット					
	第1セット	第2セット	第3セット	第4セット	第5セット	第6セット
1	ひよこ	プール	カラス	鉄砲	ギター	マイク
2	ダイヤ	電柱	リボン	ヨット	あずき	コーラ
3	ブランコ	スリッパ	ストロー	もやし	ベッド	大豆
4	銀色	ちくわ	茶色	ブラウス	和食	ヒマワリ
5	テニス	コート	きつね	ワイン	ストーブ	たわし
6	マスク	ペット	ナイフ	トランプ	だるま	ゴルフ
7	スカーフ	食器	ノート	ほくろ	ステーキ	電球
8	虫歯	スプレー	クリーム	毛皮	カメラ	アザラシ
9	あくび	だんご	砂浜	バター	包帯	かつお
10	サラダ	ミルク	まぐろ	テープ	シール	スープ

(権藤恭之, 他. 老年精神医学雑誌. 2004; 15: 971[14])

5.5±2.6であった．原版（ADAS cog.）を使用したアルツハイマー型認知症と健常者の90カ月の追跡調査研究では，1年につき9～11点の得点低下があることが報告されている[16]．また，aMCIと診断され，1年以内にアルツハイマー型認知症に進行した群と非進行群の比較研究からは，9/10点が認知症に移行するカットオフ得点として特異性，感受性が高いという報告がある[17]．

なお，検査の実施上の注意点と実施マニュアルは，本間らの論文[12]に詳細に掲載されている．

5. Clock Drawing Test（CDT）

時計描画検査ともいう．検査者の指示により，決められた時刻を指す針を含む時計の絵を描く検査である．

これまで紹介したスクリーニング検査よりもさらに短時間で，かつ心的侵襲性が少ないことから，臨床上では有用な検査として使われる．

しかしながら，検査の手順や評価の基準が異なる方法が複数発表されており，検査者の中で混乱が生じやすいため，どの評価基準で実施したかを記録しておくことが肝要である．

表2 刺激セット、試行ごとの再認課題単語提示系列

提示系列	刺激セット1 記銘試行	再認試行1	再認試行2	再認試行3	刺激セット2 記銘試行	再認試行1	再認試行2	再認試行3	刺激セット3 記銘試行	再認試行1	再認試行2	再認試行3
1	軍手	レンズ	寺	サンダル	昆虫	つくし	植木	忍者	ネクタイ	さそり	左手	うなじ
2	かかし	毛布	温泉	洋服	バレエ	目玉	外人	鬼	左手	デパート	仏壇	出窓
3	ランプ	プリン	テント	ランプ	庭	床屋	バレエ	スプーン	デパート	ドレス	トラック	ライオン
4	洋服	池	雨傘	フルーツ	ソース	植木	ブレーキ	ベランダ	出窓	ライオン	出窓	拍手
5	グラタン	とろろ	クーラー	電池	動物	リモコン	軍手	植木	パズル	人魚	アンテナ	宿題
6	雨傘	ランプ	毛布	煮物	忍者	書道	スプーン	オレンジ	冬	双子	花見	デパート
7	毛布	クーラー	ナイター	軍手	スプーン	バレエ	ステレオ	ボート	大工	左手	大工	冬
8	プリン	デート	広場	ロッカー	植木	ハンカチ	しおり	しじみ	ライオン	しめじ	バナナ	ネオン
9	ロケット	革靴	洋服	毛布	ピーマン	バレエ	庭	真珠	古墳	仏壇	壁	梅酒
10	梅	ロケット	かかし	傷	リモコン	踏切	リモコン	ピーマン	仏壇	丸	さそり	茶碗
11	クーラー	軍手	毛虫	かかし	真珠	靴	ソース	動物	さそり	キウイ	ネオン	パズル
12	煮物	強火	ロケット	雑草	つくし	真珠	マフラー	夜食	ネオン	大工	母親	黒髪
13		天使	梅	葉書		スプーン	昆虫	庭		パチンコ	ネクタイ	古墳
14		かかし	テーブル	プリン		水泳	ピーマン	ソース		冬	噴水	コルク
15		父親	山手	小麦		あせも	ガーゼ	正月		古墳	ホース	ネクタイ
16		コロッケ	ランプ	梅		昆虫	小銭	リモコン		ラーメン	すみれ	ゴリラ
17		雨傘	スケート	ピエロ		ソース	眠気	ケーキ		パズル	冬	大工
18		背骨	グラタン	ロケット		タイツ	つくし	鳥肌		毛玉	古墳	ポスター
19		レコード	つむじ	アイス		忍者	神社	昆虫		桃色	ドーナツ	ゴキブリ
20		洋服	煮物	信号		ピーマン	動物	バレエ		ネクタイ	デパート	仏壇
21		ハンドル	プリン	クーラー		動物	箱	ハンガー		ビニール	素肌	山
22		梅	抹茶	あられ		カーテン	忍者	火山		出窓	パズル	左手
23		煮物	チーズ	雨傘		ミサイル	バニラ	つくし		ネオン	酒屋	ロボット
24		軍手	軍手	グラタン		レタス	真珠	遅刻		恋人	ライオン	さそり

太字下線が標的的語

(権藤恭之, 他. 老年精神医学雑誌. 2004; 15: 972[14] より一部抜粋)

Chapter 6　認知症

　ここでは代表的な評価方法について述べる.

　以下の評価方法はいずれも得点が高い方が時計を正確に描画していることを示す, 加点方式となっている.

a) Rouleau らの評価基準 (10 点満点)[18]

　白紙を使用し, 11 時 10 分の時計を描いてもらう.

　採点基準: ①から③までを評価する[19]

① 円について

　　2 点: 粗大な歪みがない

　　1 点: 不完全, あるいは軽い歪み

　　0 点: 描かれていない, もしくは完全に不適当

② 文字盤について

　　4 点: 正しい順ですべての数字が配列されている. 誤りはあってもせいぜい空間的配置にごくわずかな誤りがみられる程度

　　3 点: 数字はすべてそろっているが, 空間的配置に誤りがある

　　2 点: 数字が欠如したり, 付加されたりするが, 残りの数字には粗大な歪みはない. 数字が逆回転に記入されている, 数字はすべてそろっているが, その空間的な配置に粗大な歪みがある (例, 半側空間無視, 数字が外枠の円の外部にある)

　　1 点: 数字の欠如あるいは付加と, 粗大な空間的歪みがある

　　0 点: 数字が記入されていないか, きわめて貧弱な描写のみ

③ 針について

　　4 点: 針が正しい位置 (11 時 10 分) にあり, 2 本の針の長さも識別できる

　　3 点: 針の配置にちょっとした誤りがある. あるいは 2 本の針の長さの違いが描かれていない

　　2 点: 針の配置に大きな誤りがある

　　1 点: 針が 1 本のみ, あるいは 2 本の針が貧弱に描写されている

　　0 点: 針が欠如, あるいは, 針の保続

b) Executive Clock Drawing Task（CLOX）（CLOX 1 15 点満点，CLOX 2 15 点満点）[20]

描画を行う CLOX 1 と，模写を行う CLOX 2 からなる．

CLOX 1 は，あらかじめ円が描かれた用紙を裏返したもの（右下にわずかに丸円が透けて見えるようにする必要があるため，明るい色の机を使用する必要がある）を対象者の目前に置き，「1 時 45 分の時計を描いてください．子供にもわかるように盤面に針と数字を書いてください」と教示する．

CLOX 2 は，CLOX 1 で使用した用紙を裏返して，あらかじめ描かれた円を利用して，対象者の目前で検査者が時計を描き，模写をしてもらう．検査者の描く手順は，まず，12，6，3，9 の順で数字を入れ，次に残りの数字を入れ，最後に針を描き込むようにする．なお，記録用紙 **図3** と実施マニュアルはインターネットでダウンロード可能である．

［CLOX 日本語版入手先］成本 迅．https://researchmap.jp/multidatabases/multidatabase_contents/detail/231990/e71d2f0bb382bc95a490bec2bc30d8eb?frame_id=497783（最終閲覧日 2023/11/30）

- 準備するもの：筆記用具，記録用紙（CLOX　円の描かれた用紙）
- 所要時間：教示と対象者が描画に要する時間が必要であるが，およそ 5 分以内に終了すると思われる

▶ 結果の解釈の仕方

白紙に決まった時刻の時計を正しく描くには，教示の理解はもとより，例えば数字をバランス良く配置するための視空間認知や構成能力，あるいはどのように描き進めるかなどのプランニング能力が必要である．得点化には，図そのものの質的な内容についても評価することになる．また CLOX は描画のプランニングも評価の対象となっていることが特徴であり，前頭葉機能検査との関連も示されていることから，実行機能に鋭敏な評価法であるといえる．

Rouleau らは開発時に 7 点以下が認知機能低下を示唆する得点として設定しているが，MCI を検出するためにその得点を用いた場合に，高い特異性（92.7％）と感度（56.7％）を示したという別の報告がある．これは CDT の

Chapter 6　認知症

	構成要素	得点	CLOX 1	CLOX 2
1	時計のように見えるか？	1		
2	外円があるか？	1		
3	直径が 2.5cm 以上あるか？	1		
4	全ての数字が円内にあるか？	1		
5	分割や tic marks がないか？＊1	1		
6	12,6,3,9 を最初に置いたか？＊3	1		
7	間隔が正常である(12-6 の軸の両側が対称)か？	1		
8	数字の字体がアラビア数字で統一されているか？	1		
9	1〜12 のみの数字が書かれているか？(時刻のメモは除外)	1		
10	1 〜 12 の順番は正常で,数字の追加や欠落はないか？	1		
11	針が 2 本だけか？(分割や tic marks は除外)	1		
12	すべての針先が矢印となっているか？	1		
13	時針が 1 時と 2 時の間にあるか？	1		
14	分針が時針よりも明らかに長いか？	1		
15	以下のものに全て当てはまらない	1		
	1)　4 時や 5 時を指す針があるか？			
	2)　「1 時 45 分」と書かれているか？			
	3)　他の時刻が書かれているか(例："9:00")？			
	4)　内向きに矢印が描かれているか？			
	5)　なにか文字や単語,絵が描かれているか？			
	6)　用紙の裏面の透けて見える円の中に入っているか？＊2			
		合計		

＊1

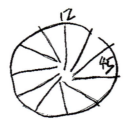 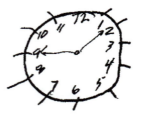

分割(左),tic mark(右)とは,上図のような環境の影響をうけたエラーのことである.

＊2
CLOX で用いられる用紙にはあらかじめ円が描かれており,それがステップ 1 の自由描画の際に透けて見えるようになっている.前頭葉障害があり被影響性に高い患者では,その円の中に描画する傾向がある.

＊3
数字をどの順番で書くかを観察する.

・何回か描き直している場合は最後の絵で採点する.

図3　CLOX 日本語版用紙（成本　迅．J-CLOX 用紙＆マニュアル．https://researchmap.jp/multidatabases/multidatabase_contents/detail/231990/e71d2f0bb382bc95a490bec2bc30d8eb?frame_id=497783（最終閲覧日 2023/11/30），Royall DR, et al. J Am Geriatr Soc. 1998；46：1519-24[20]，Matsuoka T, et al. Int Psychogeriatr. 2014；26：1387-97[21])

得点が低いときは認知機能低下に言及することが可能であるが，得点の低下がない場合でも認知機能低下がないとは言い難いことを意味する．さらに Rouleau らは誤りを質的に分析し，アルツハイマー型認知症では時間や時計の表記ができないという概念障害が多く，模写の場合に得点が向上するという特徴があるとしている．

　Royall らは，カットオフ値を CLOX 1 が 9/10，CLOX 2 が 11/12 にすることを推奨している．CLOX 日本語版では Clinical Dementia Rating が 0 の健常者においては CLOX 1 が 9/10，CLOX 2 が 11/12 とした場合に，それぞれ 89%，100%がカットオフ値以上であったと報告がある[21]．

6. Clinical Dementia Rating（CDR）[22]

　対象者の日常生活活動を把握している家族あるいは介護者から得る情報と，検査者が行う対象者の観察から，認知症の重症度を判定する．観察式のため，対象者が検査に非協力的であったり，重度で質問に対する回答が難しい場合も評価が可能である．さらに年齢や教育の影響を受けにくい．

　日常生活における社会的な能力も評価するため，対象者の総合的な臨床的状態を把握できる．日本では本間らにより翻訳されている[23]．

　下位項目である記憶，見当識，判断力と問題解決，地域社会活動，家庭生活および趣味・関心，介護状況の 6 項目それぞれについて障害の程度を，なし＝0，疑い＝0.5，軽度＝1，中等度＝2，重度＝2 の 5 段階で評価する．それぞれの評価の基準は 表3 のとおりである．評価の際には，対象者における変化に注目して，対象者の通常の状態より低下しているかどうかで判断する．また，段階を迷ったときには重症の段階を選択する．本検査の評価には同時期に行われた他の認知機能検査の結果を参照すべきでない．

　これらを判定ルールに沿って総合的に，健常＝CDR 0，認知症の疑い＝CDR 0.5，軽度認知症＝CDR 1，中等度認知症＝CDR 2，重度認知症＝CDR 3 のいずれかに判定する．その際，下位項目「記憶」を主要カテゴリーとし，その他の下位項目は 2 次的カテゴリーとして扱う．判定ルールについては目黒[24]が詳細に解説している．

Chapter 6　認知症

表3 Clinical Dementia Rating（CDR）判定用紙

	健康 （CDR 0）	認知症の疑い （CDR 0.5）	軽度認知症 （CDR 1）	中等度認知症 （CDR 2）	重度認知症 （CDR 3）
記憶	記憶障害なし 時に若干のもの忘れ	一貫した軽いもの忘れ 出来事を部分的に思い出す良性の健忘	中等度記憶障害，とくに最近の出来事に対するもの 日常活動に支障	重度記憶障害 高度に学習した記憶は保持，新しいものはすぐに忘れる	重度記憶障害 断片的記憶のみ残存
見当識	見当識障害なし	同左	時間に対しての障害あり，検査では場所，人物の失見当なし，しかし時に地理的失見当あり	常時，時間の失見当 時に場所の失見当	人物への見当識のみ
判断力と問題解決	適切な判断力，問題解決	問題解決能力の障害が疑われる	複雑な問題解決に関する中等度の障害 社会的判断力は保持	重度の問題解決能力の障害 社会的判断力の障害	判断不能 問題解決不能
社会適応	仕事，買い物，ビジネス，金銭の取り扱い，ボランティアや社会的グループで，普通の自立した機能	左記の活動の軽度の障害もしくはその疑い	左記の活動のいくつかにかかわっていても，自立した機能が果たせない	家庭外（一般社会）では独立した機能は果たせない	同左
家庭状況および趣味・関心	家での生活趣味，知的関心が保持されている	同左，もしくは若干の障害	軽度の家庭生活の障害 複雑な家事は障害 高度の趣味・関心の喪失	単純な家事のみ 限定された関心	家庭内不適応
介護状況	セルフケア完全	同左	ときどき激励が必要	着衣，衛生管理など身の回りのことに介助が必要	日常生活に十分な介護を要する しばしば失禁

（大塚俊男，他，監修. 高齢者のための知的機能検査の手引き. 東京：ワールドプランニング；1991. p.66[23]）

- 準備するもの: 筆記用具，CDR 判定用紙
- 所要時間: 家族あるいは介護者と，本人の聴取のために十分な時間が必要である

▶ 結果の解釈の仕方

記憶は，CDR で最も重視される下位項目である．CDR で判定される記憶とは，いつ，誰と，何をした，というようなエピソード記憶を指す．アルツハイマー型認知症はエピソード記憶自体のまとまった欠損が生じている状態，MCI はエピソード記憶のフレームは残るが情報が部分的に欠損している状態であると考えられる．そのため，健忘型 MCI の記憶の評価は 0.5 となる．

見当識は，時間や場所に関する感覚的な理解を指す．今，自分が 1 年，1 日のどの時間的文脈のなかに存在しているのか，自分はどの場所，何をする場所に立っているかなどの感覚である．認知症の場合には，時間，場所の順に見当識が低下するといわれている．

判断力と問題解決は，自身の過去の経験を参照にして，ある場面に応じた適切な判断ができるかについて評価する．したがって，下位項目の記憶のように，すべてが認知機能によるものとは限らない．遂行能力の評価としても捉えられる．

地域社会活動と，家庭生活および趣味・関心は，本人の社会と家庭における社会参加と考えられる．この項目も遂行能力の評価として考えられる．

介護状況は，身体の状態により影響を受けやすい下位項目である．

総合的な判定に関して，身体的フレイルと認知機能低下との関係に関する報告 [25] もあることから，CDR 0.5 の高齢者は下位項目の評価を参照しながら，社会参加の機会を増やし，身体機能の維持に介入することが重要と考えられる．

7. Neuropsychiatric Inventory（NPI）

Cummings ら [26] が開発した，介護者に質問する形式で，心理・行動症状（Behavioral and Psychological Symptom of Dementia: BPSD）について評

Chapter 6　認知症

価する尺度である．日本語版は博野らによって作成され[27]，さらに介護施設入所者版（NPI-Nursing Home Version: NPI-NH）[28,29]，自記式の簡易版（NPI-Brief Questionnaire Form: NPI-Q）[30,31] もある．

　NPI は，BPSD の妄想，幻覚，興奮，うつ，不安，多幸，無感情，脱抑制，易刺激性，異常行動の 10 項目につき，それぞれの頻度を（0: なし，1: 週に 1 度未満，2: ほとんど週に 1 度，3: 週に数回だが毎日ではない，4: 毎日あるいはほとんどずっと）の 4 段階で，重症度を（0: なし，1: 軽度―ほとんどない，2: 中等度―問題となるが介護者によってコントロールできる，3: 重度―非常に問題となりコントロールすることは難しい）の 3 段階で評価する．例えば「もともと怒りっぽかったです」という回答があったとしても，対象者の元来の特性は評価の対象とはならず，以前と比較してどのように変化しているかという点を評価する．介護者への質問の際には，対象者には席をはずしてもらうなどして，介護者が本人の前ではいえないような行動を忌憚なく述べられるように工夫する必要がある．

　点数が高いほど頻度，重症度が大きいことを示している．各項目のスコアは頻度×重症度で表され（範囲 1〜12 点），10 項目で最高 120 点となる．

　NPI-Q では，NPI に睡眠異常，食行動異常の 2 項目が追加されている．

　なお，日本語版の評価用紙，実施マニュアルが販売されている．

- 準備するもの: 筆記用具，評価用紙
- 所要時間: NPI，NPI-NH　15〜20 分程度，NPI-Q　5 分程度
  ［入手先］マイクロン．https://micron-kobe.com/archives/works/npi
  （最終閲覧日　2023/11/27）

▶ 結果の解釈の仕方

　BPSD は介護負担の原因となるため，その把握が重要である．検査者から見て，落ち着いた状態である対象者も介護者にとっては介護負担となっているかもしれない．その場合には環境調整なども含む介護者への支援，薬物療法あるいは非薬物療法などを用いて BPSD の低減に協力する必要があるが，その後の NPI による再評価から効果を検証できる．あるいは，対象者が不穏な状況

にあり，介護負担の増大を感じさせる場合であっても NPI 得点が極端に低く，介護者が介護負担を感じていない場合には，介護が非常にうまくいっているか，あるいはネグレクトなどの虐待が生じている可能性もある．もし虐待が生じていれば，早急に対象者の保護や介護者への指導・支援が必要である．

　本邦における特別養護老人ホームに入居する高齢者に対する NPI-NH を用いた大規模調査からは，不安はどのタイプの認知症でも出現しやすい．他のタイプの認知症と比較して，レビー小体型認知症は妄想，幻覚の評価点が高く，前頭側頭葉型認知症では多幸，脱抑制，食異常行動の評価点が高いことが報告されている [32]．

■文 献

1) Folstein MF, Folstein SE, McHugh PR. "Mini-mental state". A practical method for grading the cognitive state of patients for the clinician. J Psychiatric Res. 1975; 12: 189-98.

2) 森　悦朗，三谷洋子，山鳥　重．神経疾患患者における日本語版 Mini-Mental State テストの有用性．神経心理学．1985; 12: 82-90.

3) Folstein MF, Folstein SE, McHugh PR. 杉下守弘，訳．精神状態短時間検査—日本語版．東京: 日本文化科学社; 2012.

4) Folstein MF, Folstein SE, McHugh PR, 他，杉下守弘，訳．MMSE-J 精神状態短時間検査 改訂日本版．東京: 日本文化科学社; 2019.

5) 加藤伸司，下垣　光，小野寺敦志，他．改訂長谷川式簡易知能評価スケール (HDS-R) の作成．老年精神医学雑誌．1991; 2: 1339-47.

6) 最高裁判所事務総局家庭局．成年後見制度における鑑定書書式〈要点式〉．http://www.courts.go.jp/vcms_lf/17.h29kannteiyoutennsiki.pdf

7) 鈴木宏幸，藤原佳典．軽度認知症をスクリーニングするための神経心理学的検査—Montreal Cognitive Assessment (MoCA) の日本語版作成とその有効性について．老年精神医学雑誌．2010; 21: 198-202.

8) Nasreddine ZS, Phillips NA, Bedirian V. The Montreal Cognitive Assessment, MoCA: a brief screening tool for mild cognitive impairment. J Am Geriatr Soc. 2005; 53; 695-9.

9) Ozer S, Young J, Champ C, et al. A systematic review of the diagnostic test accuracy of brief cognitive tests to detect amnestic mild cognitive impairment. Int J Geriatr Psychiatry. 2016; 31: 1139-50.

10) http://www.mocatest.org/normative-data/

11) Roalf DR, Moore TM, Wolk DA, et al. Defining and validating a short form

Montreal Cognitive Assessment（s-MoCA）for use in neurodegenerative disease. J Neurol Neurosurg Psychiatry. 2016; 87: 1303-10.

12) 本間　昭，福沢一吉，塚田良雄，他．Alzheimer's Disease Assessment Scale（ADAS）日本版の作成．老年精神医学雑誌．1992; 3: 647-55.

13) Rosen WG, Mohs RC, Davis KL. A new rating scale for Alzheimer's disease. Am J Psychiatry. 1984; 141: 1356-64.

14) 権藤恭之，伏見貴夫，佐久間尚子，他．日本語版 Alzheimer's Disease Assessment Scale（ADAS-J cog.）の単語記憶課題拡張版の作成．老年精神医学雑誌．2004; 15: 965-75.

15) 呉田陽一，権藤恭之，稲垣宏樹，他．日本語版 Alzheimer's Disease Assessment Scale（ADAS-J cog.）「単語記憶課題拡張版」の信頼性の検討．老年精神医学雑誌．2007; 18: 417-25.

16) Stern RG, Mohs RC, Davidson M, et al. A longitudinal study of Alzheimer's disease: measurement, rate, and predictors of cognitive deterioration. Am J Psychiatr. 1994; 151: 390-6.

17) Rozzini L, Vicini CB, Bertoletti E, et al. The importance of Alzheimer disease assessment scale-cognitive part in predicting progress for amnestic mild cognitive impairment to Alzheimer disease. J Geriatr Psychiatry Neurol. 2008; 21: 261-7.

18) Rouleau I, Salmon DP, Butters N, et al. Quantitative and qualitative analyses of clock drawings in Alzheimer' and Huntington' disease. Brain Cogn. 1992; 18: 70-87.

19) 平林　一，野川貴史，平林順子，他．痴呆症学―高齢社会と脳科学の進歩　臨床編　痴呆の評価　認知機能障害の個別的評価に関する神経心理学的検査　視空間性障害 Clock drawing test. 日本臨床．2003; 61（増刊 9）; 369-73.

20) Royall DR, Cabello M, Polk MJ. Executive dyscontrol: an important factor affecting the level of care received by elderly retirees. J Am Geriatr Soc. 1998; 46: 1519-24.

21) Matsuoka T, Kato Y, Taniguchi S, et al. Japanese versions of the Executive Interview（J-EXIT25）and the Executive Clock Drawing Task（J-CLOX）for older people. Int Psychogeriatr. 2014; 26: 1387-97.

22) Morris JC. The Clinical Dementia Rating（CDR）; Current version and scoring rules. Neurology. 1993; 43: 2412-4.

23) 大塚俊男，本間　昭，監修．高齢者のための知的機能検査の手引．東京: ワールドプランニング; 1991. p.65-9.

24) 目黒謙一．認知症早期発見のための CDR 判定ハンドブック．東京: 医学書院; 2008.

25) Kelaiditi E, Cesari M, IANA/IAGG, et al. Cognitive frailty: rational and defini-

tion from an (I.A.N.A./I.A.G.G.) international consensus group. Journal of Nutrition, Health, and Aging. 2013; 17: 726-34.

26) Cummings JL, Mega M, Rosenberg TS, et al. The neuropsychiatric inventory: comprehensive assessment of psychopathology in dementia. Neurology. 1994; 44: 2308-14.

27) 博野信次, 森 悦朗, 池尻義隆, 他. 日本語版 Neuropsychiatric Inventory—痴呆の精神症状 評価法の有用性の検討—. 脳と神経. 1997; 49: 266-71.

28) Wood S, Cummings JL, Hsu MA, et al. The use of the neuropsychiatric inventory in nursing home residents. Characterization and measurement. Am J Geriatr Psychiatry. 2000; 8: 75-83.

29) 繁信和恵, 博野信次, 田伏 薫, 他. 日本語版 NPI-NH の妥当性と信頼性の検討. Brain and Nerve: 神経研究の進歩. 2008; 60: 1463-9.

30) Kaufer DI, Cummings JL, Ketchel P, et al. Validation of the NPI—Q, a Brief Clinical Form of the Neuropsychiatry Inventry. J Neuropsychiatry Clin Neuroaci. 2000; 2: 233-9.

31) 松本直美, 池田 学, 福原竜治, 他. 日本語版 NPI-D と NPI-Q の妥当性と信頼性の検討. 脳と神経. 2006; 58: 785-90.

32) 全国老人福祉施設協議会. 平成 25 年度老人保健健康増進等事業（厚生労働省）「特別養護老人ホームにおける認知症高齢者の BPSD 改善に係るケアモデル調査研究事業報告書」. 2013.

［江口洋子］

Chapter 7

失語症
標準失語症検査(SLTA)と WAB 失語症検査

1. 失語症

　失語症（aphasia）とは，脳内の言語をつかさどる部位（例えば，ブローカ野，ウェルニッケ野，角回，縁上回など）が脳血管障害や頭部外傷など何らかの原因で損傷したことにより，言語の諸機能に低下が生じた状態を指す．言語の機能は，**表1**に示すように，相手の情報を input する過程である「理解」と，自分の意思を output する過程である「表出」に大別できる．それらが「音声」を介して行われるのか，「文字」を介して行われるのかによって，「理解」は「聴覚的理解」（言葉を聞いて理解する），「視覚的理解」（文字を読んで理解する）に，「表出」は「発話」（話す），「書字」（書く）といった4つに分けられる．失語症はこれら4つの機能すべてに何らかの支障がみられる状態であり，単発（あるいは2要素）の症状は純粋失読，失読失書などとよばれ，区別される．

　失語症は，脳の損傷部位と言語症状により，いくつかのタイプに分類される．主なタイプとして，ブローカ失語（運動性失語ともいわれる．自発話，呼称，復唱，音読など発話面の非流暢性，努力性が強いが，話し言葉の理解は比

表1 言語の4つの機能

	理解	表出
音声	聴覚的理解	発話
文字	視覚的理解	書字

較的保たれる），ウェルニッケ失語（感覚性失語ともいわれる．話し言葉の理解の障害が強い．発話は流暢であるが，喚語困難や錯語が多く情報量は少ない），伝導失語（発話は基本的には流暢だが，音韻性錯語が多い．復唱が顕著に障害される．話し言葉の理解は保たれる），健忘失語（失名辞失語ともいわれる．障害は自発話における喚語困難と呼称が中心．流暢性や話し言葉の理解は保たれる），全失語（言語表出と聴覚的理解の両面が強く障害されており，言語コミュニケーションがほぼ不能な状態）などがある．実際には複数タイプの特徴をもっている場合，あるいは，どのタイプにも当てはまらない場合が，少なからず存在する．また，同じタイプに分類されたとしても，脳病変の微妙な差異や，学歴・職歴などの個人因子が大きく関与するため，失語症状の状態像は，症例によってかなり幅がある．したがって，失語症のリハビリテーションは，患者それぞれにテーラーメイドで実施される必要があり，その基礎資料を得るために，下記に述べる検査を丁寧に，詳細に行うことが求められる．

2. 失語症の評価

a) 目的と手順

　失語症評価には，① 鑑別診断，② タイプ分類，③ 生活におけるコミュニケーション手段の抽出，④ 言語訓練立案の基礎資料，の4つの目的がある．評価の流れは，スクリーニング，総合的失語症検査，掘り下げ検査や実用的コミュニケーション検査の順で行われる．

　なお，これらの検査に加えて，利き手・教育歴・職歴・趣味・言語習慣など詳細に聴取することも，予後予測や訓練立案のために欠かせない．

　一般に失語症では，患者が右利きだとしたら，97～99％の確率で左脳に器質的な病変が存在する．左利きの人では，およそ60％の人で左脳の病変によって失語が起きる．30～40％は右脳の損傷によって失語となる．先述のブローカ野は左前頭葉の下前頭回弁蓋部（ブロードマン44野）・三角部（45野）を，ウェルニッケ野は左側頭葉の上側頭回（22野）の後半部を示す．上側頭回に接する下頭頂小葉は，読み書きに重要な働きをしている角回（39野）と，復唱など言語性ワーキングメモリーに関与する縁上回（40野）からなる．

Chapter 7 標準失語症検査（SLTA）と WAB 失語症検査

　また，検査の結果と日常生活場面での様子が大きく異なっている場合もあることから，病室やリハビリテーション室などで，家族，他の患者，職員などと，どのようなコミュニケーションを取っているかを観察し，情報を得ておく必要がある．その際，上述の言語の4つの機能だけでなく，非言語的コミュニケーション機能，例えば，表情，視線，うなずき，ジェスチャー，描画などの能力，また，相手とコミュニケーションをとりたいという意欲があるかどうかについても押さえておくことが大切である．

　以下に，臨床の流れに沿って，主要な失語症検査を記すが，これらの検査を行うにあたっては，鑑別診断やタイプ分類という意味において，低下した機能を発見することに，どうしても主軸が置かれがちである．しかし，失語症者の生活を支援するという意味では，保たれている機能をいかに見つけていくかという視点が，たいへん重要である．

b) スクリーニング

　失語症の有無を鑑別する．標準的な検査はなく，各病院や施設の特性に合わせて，独自に作成し，実施されている．聴覚的理解，視覚的理解，発話，書字といった言語の4つの機能に加え，他の言語障害との鑑別のために，発声発語器官の運動や構音，主要な高次脳機能障害などについて，10〜20分程度の検査を実施する．急性期の場合は，ベッドサイドで短時間行う．いずれの場合も，鑑別はもとより，当面のコミュニケーション手段として使える，保たれた機能を見つけることが大事である．

c) 総合的失語症検査

　スクリーニングで失語症が疑われた場合，総合的失語症検査を行う．本邦で標準化されている検査は，「標準失語症検査：Standard Language Test of Aphasia（以下，SLTA）」[1, 2]，「WAB 失語症検査（日本語版）：Western Aphasia Battery（以下，WAB）」[3]，「失語症鑑別診断検査（老研版）D.D.2000」[4]である．いずれも，前述した言語の4つの機能を詳細に評価するが，各々特徴的な追加項目がある．所要時間は60分から120分であり，軽度例を除いて，数回にわたって検査を行うことになる．

これらの検査は，以下の3点が共通している．第1は，4つの言語機能ごとの障害の状態を分析的・系統的にみることができる点である．第2は，非失語症者や重症度別失語症者の成績と比べることで，失語症の有無や重症度を判定することができる点である．第3は，得られた結果が訓練計画を立てる手がかりとして活用できる点である．

d) 掘り下げ検査

総合的失語症検査では捉えきれない言語症状を，さらに詳しく明らかにするために行う．本邦で市販されている検査は，SALA失語症検査[5]，失語症語彙検査（TLPA）[6]，失語症構文検査（STA試案ⅡA）[7]，標準抽象語理解力検査（SCTAW）[8]，新日本版トークンテスト[9]などである．総合的失語症検査の結果に加えることで，より詳細な訓練プログラムの立案や，訓練課題や教材の作成に役立てることができる．

e) 実用的コミュニケーション検査

日常生活でのコミュニケーション状況を測るための検査である．本邦で標準化されているのは，CADL実用コミュニケーション能力検査（Communication ADL Test，以下，CADL）[10]である．自宅，病院，駅，売店，飲食店などで実際に行われるコミュニケーション場面，計34項目から構成される．発話での応答だけでなく，書字やジェスチャーなどで伝えても得点が加算されるようになっており，生活場面での実用的なコミュニケーション能力が測れる．

3. 代表的な総合的失語症検査 表2

a) 標準失語症検査（SLTA）

▶ 構成と特徴

「聴覚的理解」「視覚的理解」「発話」「書字」「計算」を評価する5領域，26下位検査からなる．SLTAの特徴は，採点を6段階で行うことである 表3 ．正答に至るまでの時間や，ヒントを与えた後の反応により，完全正答が段階

Chapter 7 標準失語症検査（SLTA）と WAB 失語症検査

表2 標準失語症検査・WAB 失語症検査の概要と項目数

	言語機能	項目	標準失語症検査	標準失語症検査・補助テスト	WAB 失語症検査
検査内容	聴覚的理解	単語の理解	10		60
		短文の理解	10	4	20
		文章の理解		36	
		指示の理解	10		10
	視覚的理解	文字の理解	10		6
		単語の理解	20		44
		短文の理解	10		8
		指示の理解	10		6
		音読	25		6
	話す	呼称	20	80	20
		語想起	1		1
		短文の産生	10		
		文章での叙述	1	4	1
		自発的発話			10
		復唱	15		15
	書く	自発書字			4
		書称	10		12
		文章での叙述	1		1
		書取	25		23
		模写			1
	その他		計算	金額・時間の計算	行為 描画 積木問題 計算 レーヴン色彩マトリックス
採点方法			6 段階評価	6 段階評価	2 段階評価
分析の特徴			正答率プロフィール z 得点プロフィール		失語指数（AQ） 大脳皮質指数（CQ）
所要時間			約 60〜180 分	約 60 分	約 120〜240 分 ※ AQ 算出までであれば 　　約 60 分

表3 SLTA 採点法

6 段階評価	反応特徴
6	スムーズに正答した
5	遅延，よどみ，自己修正などがあったが正答した
4	わずかに誤りがあった
3	段階 6，5 または 4 の反応が得られなかったので，ヒントを与えたら正答した
2	ヒントを与えられても正答できなかったが，部分的に正しい反応があった
1	ヒントを与えられても段階 2 に達しなかった

6，遅延正答が段階 5，不完全反応が段階 4，ヒント後の正答が段階 3，ヒント後の不完全反応が段階 2，ヒント後の誤答が段階 1 と判定される．この詳細な採点方法を用いることで，質問に対する正誤だけではなく，誤り方の特徴やヒント後の反応を分析できる．それが，言語機能の回復可能性の推測や，訓練立案のための基礎資料につながる．例えば，段階 3，4，5 は，訓練によって正答に至る可能性が高いといわれており，最初に行う訓練課題の候補である．

SLTA 開発の 2 年後に，標準失語症検査補助テスト[2] が刊行された．「発声発語器官および構音の検査」「はい-いいえ課題」「金額および時間の計算」「長文の理解」などで構成される．採点方法は SLTA と同様，6 段階評価である．

▶ 結果の分析方法

正答率を付属の 3 種類の集計用紙を使ってプロフィール化し，失語症の鑑別や重症度を判定する．プロフィール A では，検査施行項目順に各下位検査の正答百分率を表示する．図中には非失語群 150 例の平均と標準偏差（−1 SD）が記入されており，患者の成績を，非失語症者と比較検討することで，失語症の有無を判断する根拠にできる．プロフィール B では，下位検査を施行順ではなく，言語様式にもとづいて並び替えた後，下位検査ごとの正答百分率を図示してある．図中に，失語症重症度別の 3 群（軽度・中度・重度）および非失語群の平均値が記入されており，患者の各下位検査の成績をそれらと

Chapter 7 標準失語症検査（SLTA）と WAB 失語症検査

比較検討することで，言語様式別の重症度を判定できる．プロフィールCは，各下位検査の成績がz得点で基準化されており，当患者の成績が失語症母集団の平均からどの程度離れているかを検討できる．これらのプロフィールから，患者の反応特徴を表現するのに最も適切なものを利用する．

▶ 講習会

SLTA 開発者である日本高次脳機能障害学会（旧　日本失語症学会）により「SLTA 講習会」が開催されていたが，2004 年度以降，広く高次脳機能障害の症候や評価・支援について教授する教育研修講座（年 2 回開催）の中で SLTA も取り扱うという形になった．学会員・非学会員とも受講可能であるが人数制限がある．

b）WAB 失語症検査（日本語版）

▶ 構成と特徴

1982 年にカナダの Kertesz A によって開発された Western Aphasia Battery の日本語版として，本邦で 1986 年に出版された（以下，WAB）．「自発話」「話し言葉の理解」「復唱」「呼称」「読み」「書字」といった言語性検査と，「行為」（上肢，顔面，道具使用，複雑な動作），「構成」（描画，積木問題，レーヴン色彩マトリックス），「計算」といった失語症に付随しやすい高次脳機能障害を測る非言語性検査，計 8 領域 31 の下位検査からなる．

各下位検査は 10 点を満点とする得点によって表される．この得点は z 得点同様に扱うことができ，言語機能間の差異を比較するのに便利である．なお，非言語性検査の施行は任意であるが，その中に含まれている非言語性の知能検査であるレーヴン色彩マトリックス（RCPM）は，失語症者の認知機能を測定するのに適しており，国内外で多用されている（Ch.11 も参照のこと）．

なお，検査で使う切手，時計，ハサミなどの物品は検査の付属品として含まれていないので，自分で用意する必要がある．

表4 WAB 得点によるタイプ分類基準

	流暢性	話し言葉の理解	復唱	呼称
全失語	0〜4	0〜4	0〜3	0〜2
ブローカ失語	0〜5 (0〜10)	4〜10 (4〜10)	0〜7.9 (0〜9.9)	0〜7.9 (0〜9.9)
ウェルニッケ失語	5〜9 (5〜10)	0〜7 (0〜9)	0〜8.9 (0〜10)	0〜7 (0〜9.9)
健忘失語	8〜10	7〜10	7〜10	5〜10

▶ 分析方法

WAB の最大の特徴は，結果を 0〜100 の指数で表すことである．言語性課題のうち「自発話」「話し言葉の理解」「復唱」「呼称」から算出する失語指数（Aphasia Quotient: AQ）は，失語症の有無や重症度を判断する目安になる．これらの課題の成績をプロフィールに表すことで，全失語，ブローカ失語，ウェルニッケ失語，健忘失語の4タイプを判定できる **表4** ．この基準で定められた検査得点の範囲には，各タイプの95％以上の患者が含まれるとされるが，軽度例については得点の分布に重なりがあり，最終的なタイプ分類には，個々の患者の失語症状の特徴も含めて慎重に行うことが推奨される．

言語性課題の得点に，行為などの非言語性課題の得点を加えて算出する大脳皮質指数（Cortical Quotient: CQ）は，大脳皮質機能全体の障害の指標となる．

▶ 講習会

認知神経科学会の夏期講習会において，WAB 失語症検査（日本語版）講習会が開催されている（不定期開催）．学会員・非学会員とも受講可能であるが人数制限がある．

Chapter 7　標準失語症検査（SLTA）と WAB 失語症検査

4. 検査を行う際の注意点

a) 環境整備

　検査場所は，患者が落ち着いて検査を受けられるところを選ぶ．騒音や人通りのある場所は検査に不適切である．失語症の患者は，注意機能が低下していることが多く，物音や話し声，人の動く気配などに注意が散漫になり，検査成績に影響することがある．また，患者は，自分の言葉の状態を人に知られたくないという感情をもつことも多い．基本的には，患者と1対1で行うことが望ましい．

b) 自由会話

　はじめての患者に失語症検査を実施する場合，いきなり検査を開始することはない．まず患者自身の身辺情報や，発症時の様子などについての質問を行い，ラポートをとりながらコミュニケーション障害の全体像の把握を行うのが通常であろう．SLTA では，記録用紙に面接時に利用できる質問項目を列挙してある．質問に対する理解はどうか，聴覚的に困難な場合に質問を文字カードで提出したらどうか，口頭での表出能力はどうか，口頭で困難な場合の代償的な表出能力はどうかなど，失語症状を把握する上でも，またリハビリテーションを進めるうえでも重要な情報である．なお，WAB では検査の一部にこれらの質問が組み込まれている．

c) 言語反応や非言語反応の記録

　標準化された検査であるため，当然ながら，マニュアルに定められた実施手順や採点基準に沿って実施する．同時に，点数には現れない患者の言語反応をよく観察し，こまめに記録を取ることも重要である．錯語や自己修正（段階的接近など），音声表記しがたい微妙な歪みのある発話などの言語反応はもちろんのこと，ジェスチャー，うなずき，表情，描画，空に文字を書こうとするなどの非言語的反応も，患者の症状の機序や今後の訓練を考える上で重要な意味をもつ．

d) 中止基準

　重症な患者の心理的負担を避けること，および検査所要時間を短縮させることを目的に，中止基準が設けられている．中止基準は2種類あり，検査項目内中止基準（例えば，単語の理解が2問連続不正解の場合は，残りの8問を中止する，など）と，検査項目間中止基準（例えば，単語の理解検査の成績によっては，後続するそれより難易度の高い短文の理解の検査全体を中止する，など）である．中止基準は，必ず中止しなくてはならないという位置づけではなく，可能であれば全問行うのが望ましい．患者の様子や所要時間を考慮して，検査者が判断する．

e) 疲労や心理面への配慮

　失語症患者にとって失語症検査とは，発症前には当たり前のように使っていた言葉が突然うまく扱えなくなった失意の中で行われる，苦しみを伴う作業という側面がある．検査中に明らかに気持ちが落ち込んだり，継続を拒んだり，怒り出したりといったことも少なくない．また，疲労により，本来の能力が発揮できなかったり，保続などの神経症状が出現しやすくなったりする場合もある．患者の状態に気を配り，疲労のサインがみられたら，まずは適宜休憩を取る．この場合，下位検査内で休憩を取るのは避ける．休憩中は，刺激過多にならぬようこちらからの発話は控え，ゆっくり落ち着いてもらう．心理面を推し量りながら，かといって腫れ物に触るような態度ではなく，的確で柔軟な技量が求められる．

■文 献

1) 日本失語症学会，編．標準失語症検査マニュアル．東京：新興医学出版社；1997.
2) 日本失語症学会，編．標準失語症検査補助テストマニュアル．東京：新興医学出版社；1999.
3) WAB失語症検査（日本語版）作成委員会．WAB失語症検査（日本語版）．東京：医学書院；1986.
4) 笹沼澄子，伊藤元信，綿森淑子，他．老研版／失語症鑑別診断検査用具．東京：千葉テストセンター；2000.
5) 藤林眞理子，長塚紀子，吉田　敬．SALA失語症検査（Sophia Analysis of Lan-

guage in Aphasia). 上智大学 SALA プロジェクトチーム；2004.
6) 藤田郁代, 物井寿子, 奥平菜穂子, 他. 失語症語彙検査－単語の情報処理の評価. 千葉：エスコアール；2001.
7) 藤田郁代, 三宅孝子. 失語症構文検査（試案 II -A）. コミュニケーション研究会；1986.
8) 宇野　彰, 春原則子, 金子真人. 抽象語理解検査. 東京：インテルナ出版；2002.
9) 平口真理. 新日本版トークンテスト. 京都：三京房；2009.
10) 綿森淑子, 竹内愛子, 福迫陽子, 他. 実用コミュニケーション能力検査－CADL 検査. 東京：医歯薬出版；1990.

［飯干紀代子］

Chapter 8

失行
標準高次動作性検査（SPTA）を中心に

　失行症 apraxia とは「失（a）」「行為（praxi-）」「症（ia）」，つまり行為の障害を意味するが，神経心理学的には，運動麻痺，失調，不随意運動など，いわゆる運動障害はなく，行うべき行為や動作がわかっているにもかかわらず，その行為や動作ができない状態であり，失語や失認と同様に大脳の損傷により生じる．

　失行症は症候を理解する学問的背景により，用語に混乱がある症候でもある．例えば，同じ道具使用障害の患者に対し，観念性失行とする人もいれば，使用失行とする人もいる．あるいは概念失行と考える人もいるだろう．

　臨床場面で検査する目的は，目の前の対象者の行為障害による困り事を解決することである．用語の定義よりも，行為をよく観察し，障害メカニズムの理解に力を注ぐことが必要である．

　行為を観察するポイントは2つある．ひとつは行為をする意思や意図から始まり，最終的に運動として出力するまでの過程のどこに障害があるかを分析することである．意思や意図，道具の認知や行為の観念，さらにより出力に近い過程においては要素的な運動や知覚の障害などの確認をする．例えば，ハサミで紙を切る行為を考えたとき，ハサミで切るという概念や観念，ハサミの認知からはじまり，ハサミにリーチする到達運動や，ハサミの把握・操作という一連の動作のどこに障害があるのかを考える．もうひとつは，行為の制御（コントロール）の視点である．例えば，道具の強迫的使用・環境依存症候群などは，環境と行為の関係を考えながら観察する．

　行為の観察は重要である．しかし観察するだけでは評価が進まないこともあ

Chapter 8 失行: 標準高次動作性検査 (SPTA) を中心に

る. 多種多様な行為を分析するひとつの手段として, 先人の経験がつまった検査を使うことも有用である.

　標準高次動作性検査 (Standard Performance Test for Apraxia, 以下 SPTA)[1] は, 日本失語症学会高次動作性検査法作製小委員会によって標準化された本邦で唯一の失行症を中心とする高次動作性検査である. 医療保険においては 450 点の診療報酬請求が可能である.

　SPTA は 1985 年に初版, 1999 年に日本高次脳機能障害学会 Brain Function Test 委員会により改訂第 1 版, 2003 年に改訂第 2 版が刊行されているが, 初版以来検査項目の変更はない. 現在, 日本高次脳機能障害学会ホームページでは SPTA プロフィール自動作成ソフトが無料でダウンロードできる[2].

　本稿ではまず SPTA の概要を紹介し, 次に自験例を提示して検査の実施について述べ, 最後に SPTA 以外の高次動作性障害の検査・評価について触れる.

1. SPTA の概要

a) 作製の理念と経過

　SPTA における高次動作性障害とは,「失行症の概念を中核とした錐体路性, 錐体外路性, 末梢神経性の運動障害, 要素的感覚障害, 失語, 失認, 意識障害, 知能障害, 情意障害などのいずれにも還元できない運動障害」と定義されている[1]. SPTA は, 行為に障害をもつ対象者が示す多様な動作の臨床観察を統一することを目的に作製された.

　作製にあたり, 検索すべき行為を 6 つの高次動作性機能の分類 **表1** から整理し, 最終的にこれらを網羅した樹形図 **図1** をもとに検査項目が検討された. 少しわきに逸れるが, この整理方法は SPTA を実施する場合にとどまらず, 臨床的にも有用である. 例えば, 対象者の行為を観察して, 失行症とは断言できないけれど何か違和感を感じたときなど, 自分が観察したことを整理し, 理解するのにも役立つ.

表1 高次動作性機能の分類

(1) 身体部位による行為の分類	顔面，眼瞼，顔面表情筋，口唇，舌，口腔構音筋，左右の上・下肢，手指，躯幹，全身	
(2) 心理学的意味の有無による行為の分類	a) 日常生活における有意味な動作	(ⅰ) イコン的身振り（icon）：表情の表出運動 (ⅱ) シンボル的身振り（symbol）：バイバイ，拍手，手話など (ⅲ) インデックス的身振り（index）物品使用の身振り
	b) 日常生活における無意味な動作	(ⅰ) 巧緻性を要する無意味な運動 (ⅱ) 無意味な単一的身振り
(3) 物品使用の有無による行為の分類	a) 他動詞的運動（transitive）	(ⅰ) 物品が1つで単純なもの (ⅱ) 物品が複数で行為の時間的・空間的系列が複雑なもの
	b) 自動詞的運動（intransitive）	拍手をするなど
(4) 方向による行為の分類	a) 行為が自分に向かう	
	b) 行為が外空間に向かう	
(5) 単一性，系列性による行為の分類	a) 単一的行為（イコン的，シンボル的，かつインデックス的身振りの大部分を含む．また手指の型の構成模倣など無意味な運動の一部も含む）	
	b) 系列的行為	
(6) その他の分類	a) 自動性の程度が高い行為（歩行，嚥下，瞬目など）	
	b) 随意性が高い行為	

（日本高次脳機能障害学会，Brain Function Test 委員会．標準高次動作性検査．改訂第2版．東京：新興医学出版社；2003.[1] p.2-3 より許可を得て作成）

　この分類をもとに，17の大項目と193の小項目からなる試案Iを作製し，非脳損傷者50名，脳損傷者80名に実施した結果を踏まえ，183小項目からなる試案IIを経てトータルで脳損傷者149名，非脳損傷者122名の実施データの分析，さらに試作IIIにおいて脳損傷者223名，非脳損傷者122名のデータを分析し，最終的に妥当性・信頼性の高い項目を選択してSPTAが作製された．さらにその中から失行・非失行の判定に有効な項目を選定し，ベッドサイドなどで使用可能なスクリーニング・テストも作製された．

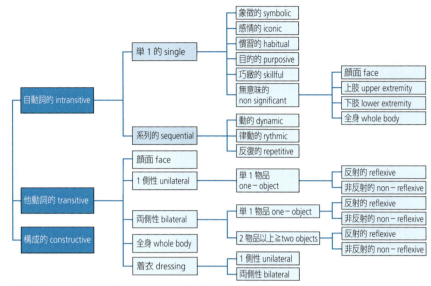

図1 6つの分類を網羅した高次動作性機能の分類
(日本高次脳機能障害学会,Brain Function Test委員会.標準高次動作性検査.改訂第2版.東京:新興医学出版社;2003.[1] p.4)

b) 構成と各検査の内容

SPTAは13項目の大項目と,それぞれの小項目から構成されている**表2**.検査方法は,項目により異なることもあるが,原則として,① 口頭命令(客体なし→あり),② 模倣(客体なし→あり)の順で,正反応が得られるまで指示様式を先にすすめる.一部の問題では口頭命令において「これを使ってください」といった使用命令,「歯を磨いてください」といった動作命令の2段階の指示がある課題もある.

記録用紙は表で構成されているが,検査者が検査しやすいよう,上記の原則とは異なる課題の進み方をする場合は表内に縦二本線が使用され,縦二本線の右側の課題指示様式に続けて進んではならないことを示している.例えば,上肢(片手)慣習的動作の口頭命令と模倣の間には,記録用紙に縦二本線が記入してあり,この項目では口頭命令ですべての項目を実施したあと,指示様式を模倣にかえて再びすべての項目で実施することがわかるように工夫されてい

表 2 SPTA の構成

大項目	小項目
1. 顔面動作	1. 舌を出す 2. 舌打ち 3. 咳
2. 物品を使う顔面動作	火を吹き消す
3. 上肢（片手）慣習的動作	1. 軍隊の敬礼（右） 2. おいでおいで（右） 3. じゃんけんのチョキ（右） 4. 軍隊の敬礼（左） 5. おいでおいで（左） 6. じゃんけんのチョキ（左）
4. 上肢（片手）手指構成模倣	1. ルリアのあご手 2. ⅠⅢⅣ指輪（ring） 3. ⅠⅤ指輪（ring）（移送）
5. 上肢（両手）客体のない動作	1. 8の字 2. 蝶 3. グーパー交互テスト
6. 上肢（片手）連続的動作	ルリアの屈曲指輪と伸展こぶし
7. 上肢・着衣動作	着る
8. 上肢・物品を使う動作 （1）上肢・物品を使う動作（物品なし）	1. 歯を磨くまね（右） 2. 髪をとかすまね（右） 3. 鋸で木を切るまね（右） 4. 金槌で釘を打つまね（右） 5. 歯を磨くまね（左） 6. 髪をとかすまね（左） 7. 鋸で木を切るまね（左） 8. 金槌で釘を打つまね（左）
（2）上肢・物品を使う動作（物品あり）	1. 歯を磨く（右） 2. 櫛で髪をとかす（右） 3. 鋸で板を切る（右） 4. 金槌で釘を打つ（右） 5. 歯を磨く（左） 6. 櫛で髪をとかす（左） 7. 鋸で板を切る（左） 8. 金槌で釘を打つ（左）

（つづく）

Chapter 8　失行：標準高次動作性検査（SPTA）を中心に

表2 SPTA の構成（つづき）

大項目	小項目
9.　上肢・系列的動作	1.　お茶を入れて飲む 2.　ローソクに火をつける
10.　下肢・物品を使う動作	1.　ボールをける（右） 2.　ボールをける（左）
11.　上肢・描画（自発）	1.　三角をかく 2.　日の丸の旗をかく
12.　上肢・描画（模倣）	1.　変形まんじ 2.　透視立方体
13.　積木テスト	

（日本高次脳機能障害学会，Brain Function Test 委員会．標準高次動作性検査．改訂第2版．東京：新興医学出版社；2003.[1] p.34）

る．

　評価は（1）誤り得点，（2）反応分類，（3）失語症と麻痺の影響の3点から行う．

　誤り得点は，課題が完了できなかった場合を2点，課題は完了したがその過程に異常があった場合を1点，正常な反応で課題を完了した場合を0点とする．

　反応分類は **表3** に示した．あらかじめ記録用紙に選択肢があり，該当するものを選ぶ形式になっていて，該当する反応すべてについて重複して記載してよい．

　失語症と麻痺の影響は，誤りの原因が失語症や麻痺にあるか否かを記録するもので，記録用紙にはA（失語 Aphasia の意）とP（麻痺 Paralysis の意）があらかじめ用意されていて，失語症との関連が想定される誤りにA，麻痺のための誤り，または麻痺が関与した判定困難な動作や行為にP，両者が合併した誤りには両者に○をつける．

　すべての検査が終了したら結果をプロフィールにまとめる．それにはソフトを使用するのが便利である[2]．

表3 誤反応分類

正反応	N	normal response	正常な反応
錯行為	PP	parapraxia	狭義の錯行為や明らかに他の行為と理解される行為へのおきかえ
無定型反応	AM	amorphous	何をしているのかわからない反応. 部分的行為も含む
保続	PS	perseveration	前の課題の動作が次の課題を行うとき課題内容と関係なく繰り返される
無反応	NR	no response	何も反応しない
拙劣	CL	clumsy	拙劣ではあるが課題の行為ができる
修正行為	CA	conduite d'approche	目的とする行為に試行錯誤が認められる
開始の遅延	ID	initiatory delay	動作が開始されるまで, ためらいが見られ, 遅れる
その他	O	others	上記に含まれない誤反応: BPO (body part as object), verbalization, USN など

(日本高次脳機能障害学会, Brain Function Test 委員会. 標準高次動作性検査. 改訂第2版. 東京: 新興医学出版社; 2003.[1] p.37-8 より許可を得て作成)

c) スクリーニング・テスト

　3つの大項目とそれぞれの小項目から構成されている **表4**. この項目は特に失行・非失行の判定に有効であった項目で, かつ, ベッドサイドでも簡単に使用できる項目が選択されている.

　この検査項目のうち, ⅠⅢⅣ指輪 (ring) の模倣と, 透視立方体や変形まんじの模写は, 非脳損傷群の60歳未満群と70歳以上群の間の誤反応出現率において, それぞれカイ二乗検定のP値が0.01以下, P値0.05以下であり, 加齢による影響のある項目であることも知っておく必要がある.

　また, この検査項目を選択する基準となった対象者のうち, 失行があったとされた162名のうち65%の106名が構成失行であったことも知っておくとよいだろう.

Chapter 8　失行：標準高次動作性検査（SPTA）を中心に

表4 スクリーニング・テスト用項目

大項目	小項目
1. 顔面動作	1. 舌を出す 2. 舌打ち 3. 咳
2. 上肢（片手）手指構成模倣	1. ルリアのあご手 2. ⅠⅢⅣ指輪（ring） 3. ⅠⅤ指輪（ring）（移送）
3. 上肢・描画（模倣）	1. 変形まんじ 2. 透視立方体

（日本高次脳機能障害学会，Brain Function Test 委員会．標準高次動作性検査．改訂第2版．東京：新興医学出版社；2003.[1) p.34）

d) 今日使用する上で配慮すべきこと

　SPTA の作製の取り組みがはじまったのは 1978 年 11 月のことである．1984 年に完成し，1985 年から使用されている検査であるが，構想からすでに 40 年近く経過している．それにもかかわらず，使用されつづけている理由は，本邦で作られ標準化されているので日本人にとって使用しやすいこと，これだけ検査項目が網羅された検査が他にないことが理由であると思われる．しかし，デメリットもないとはいえない．

　まず，脳の損傷部位と成績に関する検討結果がない．近年，MRI などの脳画像検査は容易に撮像が可能であり，ごく一般的な検査の一つになっている．今では脳画像検査は，高次脳機能障害を理解する上でなくてはならない検査といっても過言ではない．平山[3) は，脳画像上の病巣の位置から起こりうる症状とその症状の脳内メカニズムを明快に説明している．例えば，左大脳半球の頭頂間溝領域や下頭頂小葉への視覚や体性感覚の感覚情報入力の流れから把握や身振りといった行為の障害が生じるメカニズムが理解可能である．

　SPTA のマニュアルには 4 症例の検査結果が掲載され，それぞれに簡単な CT 所見が文章で記述されている．しかし，この 4 例においてさえ，SPTA の評価結果と各症例の損傷部位と障害の関係についての考察は述べられていない．

234

高次動作性障害のメカニズムの理解には，脳機能と症候を対にして考えることは必須である．SPTA においては，脳機能と症候の両面から考察することは，現時点では，検査者の知識に委ねられている．

また，SPTA には，1980 年以降に議論が活発になった症候や，あらたに報告された高次動作性障害が反映されていない．例えば，椅子に座りにくくなるなどの自己身体定位の障害 [4,5] や，道具の使用行動 [6]，模倣行動 [7]，Action disorganization syndrome [8,9] といった高次動作性障害の概念は反映されていない．

SPTA の試案 I を作製する上では，古典的失行症の検査項目をできるだけ忠実に残すこと，くわえて古典的失行の検査項目のみでなく，無意味な運動や巧緻性が必要な運動の項目も含めることに配慮されている．このことはメリットでもあるが，少なくとも，約 40 年前の考えであることは知っておく必要があるだろう．

日本人の習慣，教育，文化は，SPTA が作製された頃と比較して不変である側面も少なくないが，生活自体は大きく変わっている．例えば，多彩な電子機器の出現がある．少し考えただけでも，電子レンジなどの電化製品やさまざまなリモートコントローラーやスイッチ類，パーソナルコンピュータやタブレットコンピュータ，スマートフォンの使用など，その当時は考えられなかった機器の使用が一般化している．

砂川は，櫛や歯ブラシなどの道具は視覚情報がなくても触覚や運動覚といった体性感覚による使用ができるが，現代の電子機器の操作は視覚情報の必要性が高まっていると指摘している [10]．SPTA には系列的動作の検査としてお茶を入れる課題があるが，昨今ではお茶はペットボトルで飲むものであり，急須を使ってお茶を入れた経験のない若年者もいるという（http://kyoto-leaftea.net/about/ など．最終閲覧日 2023/11/27）．

検査結果から日常生活上の行為障害を予測するためには，巧緻動作などの運動の難しさだけでなく，視覚情報などの関係，実施する行為の頻度やイメージのしやすさ，親密度などの側面も考える必要がある．

細かいことだが，SPTA の着衣の検査課題では浴衣を使用することになっている．しかし，和服は今日検査に値する一般的な衣服とは言い難い．一方で和

Chapter 8 失行：標準高次動作性検査（SPTA）を中心に

服はボタンやファスナーがない衣服であること，トレーニングウエアのような袖口の絞りがないことなどを考えると，一般化しやすい面もないとはいえない．臨床的には，浴衣は丈も長く，車椅子に乗車したまま検査する場合や，麻痺がある対象者で検査することは物理的に難しい．実際には丈の短い病衣の上衣などを用いてスクリーニング的に実施し，着衣に何らかの障害が疑われた場合には SPTA とは別に掘り下げ検査を実施する必要がある．

2. SPTA の実施

a）実施する上でマニュアルに記載されていること

SPTA でも，他の一般的な検査と同様，検査者は，高次動作性障害について十分な知識を有していること，被検者と接する時には話し方や態度に注意し，被検者のもつ能力が発揮できるように配慮することが明記されている．また，検査者はあらかじめ被検者に検査の目的を説明し，了解を得ることが望ましいとも書かれている．

つまり，検査者は「よくわからないけど，とにかく検査だけでもしてみよう」という態度で臨むことは禁止されているということである．

検査時間や期間については，被検者の疲労や気分の変動が検査に影響を与えないよう，長時間の施行や疲労時には避けること，検査開始から終了までは2週間以内と明記されている．対象者の動作時間や反応待ち時間は一応指定されているが，被検者のもつ能力が発揮できることを原則とし，「時間制限はあまり厳密にはしないが，時間が著しく延長する場合は，その旨を記録する」とされている．記録はなるべく具体的に記述し，対象者の了解がえられれば動画で記録し，後で検討することが望ましい．

詳細はマニュアルを参照し，充分理解した上で実施する必要がある．

b）検査に必要な情報

検査に必要な情報として，a. 運動機能障害，b. 失語症，c. 失認症，d. 全般的精神機能，e. 感覚障害，f. 視覚および聴覚障害があげられている[1]．記録用紙の扉にも大まかに記載する欄が設けられている．

前述した通り，高次動作性障害は「錐体路性，錐体外路性，末梢神経性の運動障害，要素的感覚障害，失語，失認，意識障害，知能障害，情意障害などのいずれにも還元できない運動障害」であり，これらの情報を確認しておくことは必須である．

c）検査後の解釈と掘り下げ検査の必要性

SPTA の臨床上の位置づけは，次に行うべき掘り下げ検査をみつけるための一つの検査にすぎない．SPTA をすればその人の高次動作性障害の全容が理解できるという検査法ではない．SPTA の結果に加え，日常生活などその他の場面で観察したこと，神経学的所見，神経心理学的所見など，さまざまな情報を統合し，対象者の障害のメカニズムを理解する必要がある．さらに，リハビリテーションの評価手段として用いるのであれば，障害の有無だけでなく，存在する高次動作性障害が生活上支障にならないよう方策を探索するための評価を追加する必要がある．

SPTA は，前述した通り，診療報酬請求の可能な検査である．それだけに，くれぐれも SPTA だけの「やりっぱなし」にならないよう，そして，いたずらに対象者の時間とお金を使わせることや，精神的疲労や苦痛を伴うことのないよう，対象者に結果を還元できる使い方が求められる．

d）検査の実際

ここで実例として，道具把握のみに障害を呈した道具使用失行と考えられた自験例[11]を提示し，SPTA 実施時の導入から，検査実施後の解釈，その後に実施した掘り下げ検査を示す．

症例

- 症例：24 歳男性　右利き　会社員
- 発症から 2 カ月後，軽度の右片麻痺と失語症が残存し，リハビリテーション目的で来院した．行為に関する主訴は「道具の持ち方がしっくりこない」ことだった．
- 症例は，意識清明で，非流暢性の発話ではあったが，聴覚的言語理解は良好

Chapter 8 失行：標準高次動作性検査（SPTA）を中心に

であり，コミュニケーションに問題はなかった．右半身感覚障害，右上下肢軽度筋力低下を認めたが，その他の脳神経，小脳機能に異常は認めなかった．神経心理学的には視覚失認，空間認知などの障害はなかった．主たる脳病変は左中心後回を含む頭頂葉皮質下であった 図2．

① SPTA 実施前に必要な情報

運動機能については，右半身に軽度の運動麻痺があったが，分離運動は可能で，握力は右 43 kg，左 52 kg と日常生活動作を行うには十分な筋力を有し，不随意運動も呈していなかった．しかし，右半身の感覚障害があることは考慮すべき点であると思われた．

失語を呈していたが，日常生活上問題なく，視覚，視力，聴力の障害による指示理解障害もなく，SPTA を実施する上でも支障はないと判断した．その他，失認なども呈しておらず，神経心理学的検査では，Kohs 立方体組合せ検査 IQ124，Raven's Progressive Matrices 28/36 であり，認知機能は

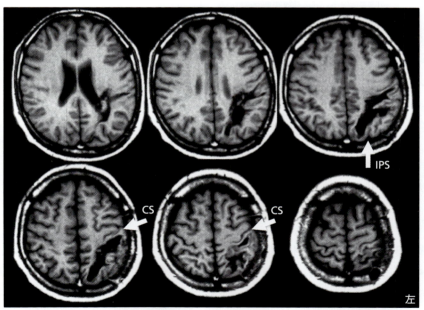

図2 自験例の MRI T1 強調画像
IPS: 頭頂間溝，CS: 中心溝

保たれていた.

症例は「道具の持ち方がしっくりこない」と述べ，実際，ハサミなどを持ってもらうと正しい持ち方をするまでに時間がかかり，途中「こうかな？ ちがうかな？　やっぱりこうかな？」など，何度も持ち替え，試行錯誤した．しかし，持ってしまえば正しく操作し，「ああ，やっとしっくりきた」と述べていた.

症例の脳病変は中心後回であり，体性感覚障害を認めることは損傷部位とも一致している．一方で，頭頂間溝周囲にも病変が及んでおり，高次動作性障害が存在する可能性もある.

② SPTA 実施目的とその説明

ここまでの情報から，症例が「道具の持ち方がしっくりこない」と感じている理由が，体性感覚障害のために生じている可能性と，高次動作性障害による両者の可能性が考えられる.

症例には，脳の損傷部位を説明し，道具を持つときの違和感が単に感覚障害由来のものなのか，もっと高次の障害なのかを確認するために動作の検査をすることを伝え，検査を行う同意を得た.

③ SPTA の結果　表5

課題が完了できず，誤り得点2点となったものは一つもなかった．しかし，右手の手指構成模倣で手を見ながらゆっくりパターンを作ることや，道具使用動作のパントマイムや実際の使用で「これでいいかな」など，反応が遅延することがあり，1点となった課題があった．いずれも最大反応観察時間内に可能で，遅延しても数秒の遅延であった.

左手での道具使用動作のパントマイムでは，金槌で釘を打つ動作は問題なくできたが，それ以外の歯ブラシ，櫛，鋸のパントマイムは反応遅延があった.

大項目第8番の（2）上肢・物品を使う動作（物品あり）では，使用命令で道具把握時に反応遅延があったが，一度持ってしまえば使用動作は可能で，その後の動作命令は問題なく動作ができた．これは感覚障害のない左手でも同様であった.

大項目第4番の運動覚の移送の課題は感覚障害のため困難であった.

Chapter 8　失行：標準高次動作性検査（SPTA）を中心に

表5 症例の標準高次動作性検査成績プロフィール（空欄は直前の課題が正反応だったため，実施しなかった項目）

大項目	指示様式	誤反応項目数		このうちAまたはPに起因する誤反応項目数			全項目数ᶠ	誤反応率		0%　50%　100%
		2点ᵃ	1点ᵇ	Aᶜ	Pᵈ	A+Pᵉ		①	②	
1. 顔面動作	口頭命令	0	0	0	0	0	3	0%	0%	
	模倣						3			
2. 物品を使う顔面動作	物品(−)口頭命令	0	0	0	0	0	1	0%	0%	
	物品(−)模倣						1			
	物品(＋)口頭命令						1			
	物品(＋)模倣						1			
3. 上肢(片手)慣習的動作	右手，口頭命令	0	0	0	0	0	3	0%	0%	
	右手，模倣						3			
	左手，口頭命令	0	0	0	0	0	3	0%	0%	
	左手，模倣						3			
4. 上肢(両手)手指構成模倣	右手，模倣	0	1	0	0	0	2	50%	50%	▭
	左手，模倣	0	0	0	0	0	2	0%	0%	
	左→右，移送	0	0	0	0	0	1	0%	0%	
	右→左，移送	1	0	0	0	0	1	100%	100%	▭
5. 上肢(両手)客体のない動作	模倣	0	0	0	0	0	3	0%	0%	
6. 上肢(片手)連続的動作	右手，模倣	0	0	0	0	0	1	0%	0%	
	左手，模倣	0	0	0	0	0	1	0%	0%	
7. 上肢・着衣動作	口頭命令	0	0	0	0	0	1	0%	0%	
	模倣						1			
8. 上肢・物品を使う動作 (1)上肢・物品を使う動作(物品なし)	動作命令，右	0	4	0	0	0	4	100%	100%	▭
	動作命令，左	0	3	0	0	0	4	75%	0%	▭
	模倣，右	0	3	0	0	0	4	75%	75%	▭
	模倣，左	0	0	0	0	0	4			
(2)上肢・物品を使う動作(物品あり)	使用命令，右	0	4	0	0	0	4	100%	100%	▭
	使用命令，左	0	4	0	0	0	4	100%	100%	▭
	動作命令，右	0	0	0	0	0	4			
	動作命令，左	0	0	0	0	0	4			
	模倣，右						4			
	模倣，左						4			
9. 上肢・系列的動作	口頭命令	0	0	0	0	0	2	0%	0%	
10. 下肢・物品を使う動作	物品なし，右	0	0	0	0	0	1	0%	0%	
	物品なし，左	0	0	0	0	0	1	0%	0%	
	物品あり，右						1			
	物品あり，左						1			
11. 上肢・描画(自発)	右手	0	0	0	0	0	2	0%	0%	
	左手	0	0	0	0	0	2	0%	0%	
12. 上肢・描画(模倣)	右手	0	0	0	0	0	2	0%	0%	
	左手	0	0	0	0	0	2	0%	0%	
13. 積木テスト	右手	0	0	0	0	0	1	0%	0%	
	左手	0	0	0	0	0	1	0%	0%	

※修正誤反応率①＝ $\dfrac{a+b-(c+d+e)}{f-(c+d+e)} \times 100$ ▭　　※修正誤反応率②＝ $\dfrac{a+b-(d+e)}{f-(d+e)} \times 100$ ▭

両値を分けて記入する.

（日本高次脳機能障害学会ホームページよりダウンロードした標準高次動作性検査［SPTA］プロフィール自動作成ソフトウエア²⁾を用いて作成）

④ 結果から考えられたこと

　　もし，体性感覚障害だけの影響で道具を持つ違和感があるのであれば，感覚障害のない左手は問題なく動作ができるはずである．しかし，左手でも反応の遅延があったことは，症例の障害も高次動作性障害である可能性を示す．

　　一方で，道具使用自体は問題がなく，道具が持ててしまえば適切に動作が可能である．症例の障害は，高次動作性障害で，かつ，道具把握に特化した障害である可能性が高い．

⑤ その後実施した掘り下げ検査

　　症例の道具を把握する際の試行錯誤や，「道具の持ち方がしっくりこない」という感覚が高次動作性障害であるのか否かを掘り下げて検査した．

ⅰ）道具把握型の認知について

　　10個の道具について検査した．道具を正しく把握した手の写真と誤って把握した手の写真の中から，正しいものを選択する課題を実施した．症例はすべて正解した．ここから，症例は把握に試行錯誤するが，知識としてはどのように把握すべきかをわかっていることが確認できた．

ⅱ）道具把握が完成するまでの時間について

　　10個の道具使用動作について，実際の道具を持たずにパントマイムすることと，実際に道具を持って使用する課題を行った．検査者は，症例が道具を手に取り把握が完了するまでの時間を計測した．パントマイムについては，同世代の男性にも同じ検査を実施し，比較した．

　　その結果，実際に道具を持って行う課題は，症例は右手平均5.58秒，左手1.03秒と右手で時間がかかっていた．パントマイムについては，健常者では右手0.67秒，左手1.11秒であったが，症例は右手6.18秒，左手2.46秒であった．症例は健常者に比較し，右手も左手も時間がかかっていたことがわかった．

ⅲ）道具以外の物体でのリーチ動作と把握動作について

　　症例の障害が道具把握に限局したものであるのか否かを確認するため，積み木，画鋲，茶筒など，大きさが異なる日用品をテーブルの上に置き，それをつまみ上げる動作を観察し，リーチ動作の軌跡，把握直前の手指の広げ方

Chapter 8 失行：標準高次動作性検査（SPTA）を中心に

(preshaping) の適切さ，把持の失敗の有無を左右手で比較した．

いずれも問題なく，リーチ動作，preshaping，把持動作そのものには問題がないことを確認した．

⑥ 結論

症例は右手に体性感覚障害を呈しているが，SPTA において慣習的動作に障害がなく，掘り下げ検査においても道具以外のリーチや把持に問題がないことから，症例の道具把握の障害は右手の体性感覚障害によるものではない．

道具を把握する過程でのみ試行錯誤を生じること，感覚障害のない左手でも健常者と比較して把握までの時間がかかることから，左頭頂葉病変によって身体の両側に生じた，道具把握に限局した高次動作性障害であると考えられた．

⑦ 症例へのフィードバック

「道具の持ち方がしっくりこない」という内観は正しく，感覚障害の影響の要因に加え，もう少し高次の脳の機能に障害が生じている可能性があることを伝えた．一方で，検査上道具を持つ知識は保存されており，いわゆる「頭がおかしくなってしまった」のではないことを伝えた．

また，掘り下げ検査の中で気づいたこととして，繰り返し用いた道具については，把握までのスピードが早くなっていたことを指摘し，おそらく，頻繁に使用する道具については道具を持つ運動の表出が再学習される可能性があること，一方でめったに使用しない道具は今後も「しっくりくる」までには時間がかかる可能性があることを伝えた．

3. SPTA 以外の高次動作性障害の検査・評価

一般的には，高次動作性障害が疑われる対象者に出会ったとき，いきなり SPTA を実施することはほとんどない．高次動作性障害の定義にあるように，まず「錐体路性，錐体外路性，末梢神経性の運動障害，要素的感覚障害，失語，失認，意識障害，知能障害，情意障害などのいずれにも還元できない運動障害」を診るべく，除外項目の有無を確認する．

すなわち，意識障害や指示の理解に問題がないこと，聴覚や視覚そのものに問題がないことを確認し，次に視覚性認知障害や半側空間無視などの有無も確認する．その理由は，例えば，それらの障害により道具や対象を認識できないことが，行為に影響している可能性を除外するためである．さらに，出力としての運動機能が行為を行うのに十分であるかを確認する．具体的には麻痺・失調・不随意運動などの運動機能障害や，表在覚や深部覚などの感覚障害などである．

　除外項目が確認できたらはじめて具体的な動作の検査を実施することになる．除外項目を確認し，それから動作の具体的な検査を行うのは，SPTA のみならず，高次動作性障害評価の原則である．

　さらに，検査に加え，日常生活の観察を組み合わせることも定石といえる．その際のポイントは 2 つある．1 つは対象者ができない動作を深く分析すること，もう 1 つはできることや保存されている動作に共通する条件を見つけ出すことである．

　人間が行う動作は数限りなくあり，もれなく，しかも効率よく評価するのはなかなか骨の折れる作業である．本稿の最初に述べたが，考えを整理する 1 つの手段として，SPTA の動作の分類は参考になる．加えて対象者の職業や生育歴など，動作の親密度や実施頻度に差異があることも加味することで，テイラーメイドの検査にもなりうる．

　既存の検査には，今回とりあげた SPTA の他に，『WAB 失語症検査日本語版』[12] 中の「行為」のセクション，Florida Apraxia Screening Test-Revised (FAST-R)[13] や Test of Upper Limb Apraxia (TULIA)[14] などがある．いずれの検査も検査実施の際にはその検査を十分理解し，検査の目的を明確にして実施する必要がある．

　また，検査バッテリーとして確立されてはいないが，病変部位からの予測的評価は臨床的に有用である．脳には冗長性があることには留意が必要であるが，病変の情報は評価やアプローチの「あたり」をつけることを可能にする．これだけ脳の画像所見が入手しやすい近年において，その情報を使用しない手はない．

　平山[3] は，行為障害を「できなくなる行為障害」と「してしまう行為障害」

Chapter 8 失行: 標準高次動作性検査（SPTA）を中心に

に分類している．前者の症候として自己身体定位障害，観念性失行，観念運動性失行，口舌顔面失行，着衣失行を，後者の症候として把握反射，本能性把握反応，模倣行動，使用行動，収集行動をあげている．

「できなくなる行為障害」は，行為に必要な処理や計算をし，特定の行為を実現させる部位，すなわち，頭頂葉の上頭頂小葉，頭頂間溝，下頭頂小葉（縁上回と角回），前頭葉の中心前回下部，下前頭回後部と中前頭回後部の損傷によって生じるとしている．

一方「してしまう行為障害」は，前述した特定の行為を実現させる部位に働きかけて，ひとまとまりの行為が不適切な場面で起こらないように抑制する部位，主として前頭葉内側面の損傷によって生じるとしている．

前述した通り，SPTA には脳機能から高次動作性障害を考える観点はない．また他の既存の検査も認知心理学的な考え方がベースにあるため，脳の損傷領域との関係は後づけにならざるを得ない．また，「してしまう行為障害」を評価する視点に欠けている．

対象者の観察，既存の検査に加え，脳画像から得られる情報を三位一体にし，検査をすることだけで終わるのではなく，総合的に「評価」し，障害メカニズムを理解し，有効な介入の発見につなげることが重要である．

おわりに

高次動作性障害の代表の1つは失行症である．失行症の概念は 20 世紀はじめの Liepmann H[15] に端を発する．本稿では触れなかったが，Liepmann の命名した観念性失行，観念運動性失行，肢節運動性失行の3つの失行症は古典的失行症とよばれている．しかしこの古典的失行の考え方には議論がある [16,17]．

失行症を筆頭とする高次動作性障害の分類やそれぞれの定義，内容，想定するメカニズムは諸家により異なり，臨床でも難しい症候の一つであることは間違いないが，対象者の障害名の命名や定義との一致・不一致ばかりを追究していては目の前の対象者に役立つ評価にはなり得ない．

検査を受ける対象者は脳に何らかのダメージをもっている．検査実施にあたっては，過度な負担をかけず，対象者にとって有益な検査となるよう留意す

ることが肝要である.

■文 献

1) 日本高次脳機能障害学会（旧日本失語症学会），Brain Function Test 委員会．標準高次動作性検査―失行症を中心として．改訂第2版．東京：新興医学出版社；2003.

2) 標準高次動作性検査（SPTA）プロフィール自動作製ソフトウエア．http://www.higherbrain.or.jp/15_kensa/spta.html

3) 平山和美．高次脳機能障害の理解と診察．東京：中外医学社；2017.

4) 田辺敬貴．緩徐進行性失行をめぐって．神経心理学．1997；7：110-20.

5) 中川賀嗣，大槻美佳，阿久津由紀子，他．イスからイスへの移乗動作に重篤な障害を呈した1例．臨床神経心理．2008；19；49-63.

6) Lhermitte F. 'Utilization behaviour' and its relation to lesions of the frontal lobes. Brain. 1983; 106: 237-55.

7) Lhermitte F, Pillon B, Serdaru M. Human autonomy and the frontal lobes, Part I, imitation and utilization behavior, a neuropsychological study of 75 patients. Ann Neuerol. 1986; 19: 326-34.

8) Humphreys GW, Forde EME. Disordered action schema and action disorganization syndrome. Cognitive Neuropsychology. 1998; 15: 771-811.

9) Schwartz MF, Reed ES, Montgomery M, et al. The quantitative description of action disorganization after brain damage, a case study. Cognitive Neuropsychology. 1991; 8: 443-58.

10) 砂川耕作，船山道隆，中川良尚，他．視空間障害と電子機器操作．高次脳機能研究．2016；36：402-9.

11) 早川裕子，藤井俊勝，山鳥　重，他．道具把握のみに障害を呈した道具使用失行の1例．Brain and Nerve. 2015; 67: 311-6.

12) WAB 失語症検査（日本語版）作製委員会，編．WAB 失語症検査（日本語版）．東京：医学書院；1986.

13) Rothi LJG, Raymer AM, Heilman KM. Limb praxis assessment. In： Rothi LJG, Heilman KM, editors. Apraxia: the neuropsychology of action. Hove: Psychology Presspp; 1997. p.61-73.

14) Vanbellingen T, Kersten B, Hemelrijk BV, et al. Comprehensive assessment of gesture production: a new test of upper limb apraxia (TULIA). Eur J Neurol. 2010; 17 : 59-66.

15) Liepmann H. Apraxie. In: Brugsch H, editor. Ergebnisse der gesamten Medizin. Wien, Berlin: Urban & Schwarzenberg; 1920. p.516-43.

16) 板東充秋．失行における Liepmann の3類型は有用である．神経内科．2015；

83: 464-9.

17) 小早川睦貴. 失行における Liepmann の 3 類型は有用でない. 神経内科. 2015; 83: 470-4.

［早川裕子］

Chapter 9

失認
標準高次視知覚検査（VPTA）を中心に

1. 検査の総論

　視覚性失認（visual agnosia）とは「目の前の物体の部分的な特徴は見えているにもかかわらず，その物体が何であるかを認識することができない状態」を指す．当然ながら言語や記憶に障害がないことが前提となっており，聴覚などの他のモダリティを通じて手がかりを与えれば患者はその物体を容易に認識することができる．視覚性失認は統覚型失認（apperceptive agnosia）と連合型失認（associative agnosia）に区別されることが多い．統覚型失認とは部分的な特徴を統合して物体全体の形態を知覚することができない状態を指し，連合型失認とは物体全体の形態は知覚できるものの，その物体が何であるかを記憶と照合することによって認知することができない状態を指す．統覚型失認は両側後頭葉の広範な病変によって生じる．連合型失認も主に両側性の後頭葉病変によって生じるが，症状に物体失認・画像失認・相貌失認などのカテゴリー特異性が見られることがあり，そのカテゴリーによって病巣が異なる．視覚性失認の検査には標準高次視知覚検査（Visual Perception Test for Agnosia: VPTA）[2] を用いる．VPTA は日本高次脳機能障害学会が開発した，高次視知覚機能障害を包括的に捉えるための標準化された検査である．検査は，「視知覚の基本機能」「物体・画像認知」「相貌認知」「色彩認知」「シンボル認知」「視空間の認知と操作」「地誌的見当識」の7大項目から構成されている．検査はマニュアルに沿って実施し，検査プロフィールは日本高次脳機能障害学会のホームページからダウンロードしたプロフィール作成用ソフト（エクセル

ファイル）を利用して作成する．検査の結果，線分の長さや傾きの弁別が問題なく遂行できるにもかかわらず物体や図形の認識に困難をきたしているようであれば，視覚性失認の可能性が疑われる．具体的には，「視知覚の基本機能」において線分の長さや傾きの弁別に問題がないにもかかわらず錯綜図の呼称や模写に問題が認められる場合には統覚型失認が疑われ，「視知覚の基本機能」が良好であるにもかかわらず「物体・画像認知」「相貌認知」「色彩認知」「シンボル認知」「地誌的見当識」に異常が認められた場合には連合型失認が疑われる．ただし，半側空間無視や視野欠損，色覚障害，失語，記憶障害による知識の喪失などによっても類似した症状が起こりうるため，これらの症状との鑑別が重要である．

▶ 緩徐進行性統覚型失認の症例 [1,2]

60歳右利き男性．「職場の同僚の顔を識別できない」，「自分のオートバイがわからない」など，人や物体を視覚的に認識することに困難をきたすようになったが，その一方で，人や物にぶつかることなく歩行することが可能であった．図形の模写やマッチングが困難であったことより，視覚失認は統覚型であると考えられた　図1　．MRI，FDG-PET，IMP-SPECTなどの画像所見では右半球優位の大脳萎縮，血流低下，代謝低下が認められた．単語の再生やエピ

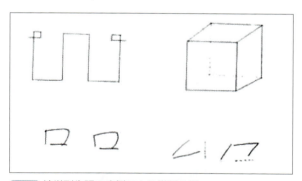

図1 統覚型失認の症例による模写の例
上が手本で，下が模写．
（若井正一．失語症研究．1998; 18: 277-81[1] より）

ソード記憶は良好に保たれ，WAIS-R の言語性 IQ も 114 と良好であった．動作性 IQ は視覚障害のため検査不能であった．その後，視覚性失認は緩徐に進行したが，末期に至るまで記銘力障害，失語症，知能低下は顕在化しなかった．以上の臨床経過および画像所見から，posterior cortical atrophy の 1 例であると考えられた．

▶ 連合型失認の症例 [3]

25 歳右利きの，もやもや病（ウィリス動脈輪閉塞症）男性．1995 年 5 月に視力低下で発症し，その後の視覚の改善とともに視覚性失認が明らかになった．MRI・T2 強調画像では左側頭・後頭葉の外側に大きな高信号域，右側にも大脳の辺縁に沿って高信号域があり，いずれも脳梗塞を示唆していた．この症例はブタの線画を正確に模写することができたが，模写の直後に何を模写したのか尋ねられたところ，犬と答えている．また，線の描き方が非常にぎこちなく，長時間を要した点が特徴的であった．

視覚性失認を統覚型失認と連合型失認に分ける二分法は Geschwind N が提唱した離断症候群の考えに基づいている [4]．このような区分は失認を理論的に考察する上で重要な役割を担ってきたものの，実際には純粋な統覚型失認・連合型失認の症例は報告されていない．Benton A らが指摘するように「知覚過程と認知過程は生理的に連続する過程であり，明確な区分はない」ためであると思われる [5]．視覚性失認の検査には主に標準高次視知覚検査（Visual Perception Test for Agnosia: VPTA）を用いるが，実際の検査の場面では，統覚型・連合型の枠組みに無理にあてはめようとして他の重要な症状を見落とさないように注意しつつ，他の障害（例えば皮質盲・失語など）との鑑別を丁寧に行うことが重要である．

2. 視覚性失認の概要

a) 統覚型失認と連合型失認

統覚型失認とは部分的な特徴を統合して物体全体の形態を知覚することができない状態を指し，連合型失認とは物体全体の形態は知覚できるものの，その

Chapter 9 失認：標準高次視知覚検査（VPTA）を中心に

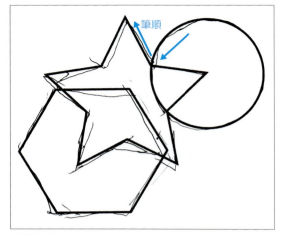

図2 統覚型失認の症例によるなぞり描きの例
症例は大きく逸脱することなく図を上からなぞることができたが，なぞっている図が何であるかを答えることができなかった．円の輪郭が連続してなぞられているのではなく，円の途中から星型をなぞり始めている点が特徴的である．
（小山慎一，他．Brain Nerve. 2007; 59: 31-6[7]）より）

物体が何であるかを記憶と照合することによって認知することができない状態を指す．統覚型失認の症例は線分の色や傾きなどの単純な視覚的特徴の照合・弁別は可能であるが，図形の照合や，線画の模写などを行うことができない．このため，日常生活においては物品や文字の同定が非常に困難である．

一方，連合型失認では図形の照合は可能である．模写も可能であるが，連合型失認患者で特徴的なのは，模写した線画が何であるか正しく呼称できない点と，全体像をつかめていないせいか頻繁に不自然な筆順が見られる点である．反応時間も長い．例えば河村らの症例はブタの線画を見事に模写しているが，模写後に描いた動物の呼称を求めたところ，「イヌ」という回答が得られている[3]．時間も，単純なブタの線画の模写に3分以上もかかっている．また，線画全体のまとまりを考慮せずに1度に線を1本ずつ写す方法で模写している．このような模写の方法は刺激従属的な描き方と呼ばれている[6]．

なお，不自然な筆順での模写は統覚型失認でも見られる．例えば **図2** の

ような図形を模写する場合，健常者は図形を「円，星型，六角形」と分けた上で，それらを順番に模写するはずである．この症例では模写が困難であったため，図形を上からなぞるように指示したところ，**図2** の矢印のように円をなぞる途中で星型をなぞり始めるという行動が見られた[7]．図形ごとのまとまりを認識できなかったためにこのような筆順になったものと思われる．図形を大きく逸脱することなくなぞれていることから，ある程度の視覚能力は保たれていることがわかるが，なぞり方は不自然で，図形が何であるかも答えることができなかった．

b) 視覚性失認の下位分類

視覚性失認は，顔，風景，物体，文字などのカテゴリー特異的に生ずることがある．以下，視覚性失認をカテゴリー別に分類し，説明する．下記の事例はいずれも連合型失認の症例であるが，カテゴリーに特異的な統覚型失認の症例も報告されている（例：統覚型相貌失認の症例[8]）．

① 物体失認（object agnosia）

物体失認は最も古くから知られた連合型視覚性失認であり，単に視覚性失認ともよばれることがある．鍵やくしのような単純な物品でも，目で見ただけではわからないことがあるが，手で触ると容易に同定できることが多い．

② 画像失認（picture agnosia）

画像失認は，目の前の物体（実物）は認識できるにもかかわらず，その物体の写真や写実的な絵画などの二次元画像を認識できない状態を指す．

③ 色彩失認（color agnosia）

言語を伴わない色覚の検査は問題なく遂行できるが，提示された色を呼称できず，検査者が口述した色を指し示すこともできない状態を指す．色名呼称障害ともよばれ，次に述べる純粋失読とともに発症することが多い．

④ 純粋失読（pure alexia）

文字に特異的な連合型視覚性失認が純粋失読である．純粋失読は，「会話が正常で，書くことにも異常がみられないのに読むことができない」という症状である．古典型，非古典型いずれの純粋失読症例も文字を視覚的に認知できるがそれを音声に変換することができないことが示されている．また，文字を指

Chapter 9　失認：標準高次視知覚検査（VPTA）を中心に

でたどると読める場合がある（運動覚性促通）．これらのことから，純粋失読を他の連合型失認と同様，Geschwindが提唱した離断症候群[4]として捉えることが可能である．

⑤ 相貌失認（prosopagnosia）

　顔に関する連合型視覚性失認は相貌失認とよばれる．相貌失認の定義は，「妻や夫，子供などの熟知の人物を見ても誰であるかわからないが，声を聞けばただちにわかる」である．相貌失認症例では，家族，親類など発症前から熟知していた人物の顔（旧知の顔）の同定障害と同時に，医師や看護師など発症後新たに頻回に会う機会のあった人物の顔（新規の顔）に同定障害を呈する．

⑥ 街並失認（scene agnosia）

　街並失認は，「自宅付近の見慣れた風景を見てもどこであるかわからないが，道順は正確に述べることができる」と定義できる．街並失認は，相貌失認と同様に熟知視覚像の失認と考えられ，従来は地誌的失見当（topographical disorientation）とよばれた症候に含まれていた．最近の研究によって，よく知っているはずの場所で道に迷うという地理的失見当の中に街並失認と道順障害（defective route finding）があり，両者は症候内容と責任病巣の両者が異なることが報告されている[9]．

c）視覚性失認の責任病巣

　統覚型失認は両側後頭葉の広範な病変によって生じる．このため，一酸化炭素中毒，低酸素脳症，posterior cortical atrophyなどによって統覚型失認を発症した症例が多い．物体失認の責任病巣は両側紡錘状回周辺および左一側の紡錘状回中心が報告されているが，両側性が多く，片側性は少ない．画像失認も両側性後頭葉病変によって発症すると報告されている[2]．色彩失認（色名呼称障害）・純粋失読の責任病巣は古典的には左舌状回・紡錘状回，そして脳梁膨大部が特に重視されたが，これとは別に脳梁膨大に病巣がない非古典型純粋失読の症例も報告されている．非古典型はさらに角回直下型と側脳室後角下外側型とに分かれ，読みの経路は脳梁膨大を経て左半球内でこれらの部位を経由し角回に至ると考えられている[10]．相貌失認の発現には両側の後頭側頭葉内側部（紡錘状回を含む）の病変，あるいは右一側同部病変のみで発現する[10]．

252

街並失認の責任病巣は右後頭側頭葉内側部の海馬傍回である[10]. このように連合型失認の病巣がカテゴリーごとに異なっているのは，視覚性認知が後頭側頭葉内でカテゴリーごとに異なった部位で個別に機能しているためであると考えられる.

d) 視覚性失認を他の病態と鑑別するための検査

先述したとおり，視覚性失認とは「目の前の物体の部分的な特徴は見えているにもかかわらず，その物体が何であるか認識することができない（口頭では答えられない）状態」を指す. しかし，目の前の物品の呼称ができないという状況は，盲や視野欠損，失語，意味記憶障害による知識の喪失などによっても起こりうる. このため，このような症状を視覚性失認によるものと判断するためには，視力・視野が十分にあること，言語や記憶に問題がないこと，知能に問題がないことなどを確認する必要がある. 例えば，下記の検査を用いることによって，知能，視力，視野，言語を評価する方法が武田によって報告されている[11]. また，色覚，半側空間無視についても検査を行う必要がある. 例えば失認と視野欠損が同時に起こることもあるため[6]，下記の検査の異常によって失認が即座に否定されるわけではないが，下記の異常だけでは失認が疑われる症例の症状を説明できないことを確認しなければならない.

① 知能検査

知能はウェクスラー知能検査（WAIS）の言語性検査によって評価することが可能である. 動作性検査は視覚に依存した課題が多く，視覚性失認が疑われる患者で実施するのは困難である. しかし，言語性検査にも単語を読んでその意味を言わせる課題などが含まれており，それらの課題をそのまま行うことは難しい. この場合，例えば検査者が口頭で単語を読み上げてその意味を問うなど，臨機応変に検査を実施する必要がある.

② 視力検査

ランドルト環（Landolt ring）の大きさをいろいろ変えて，その開いた方向を答えさせることにより，視力を測定する方法がよく使われる. 識別できる最小の環の切れ目に対する視角（分単位）を a としたとき，視力は 1/a で表される.

Chapter 9 失認: 標準高次視知覚検査 (VPTA) を中心に

③ 視野検査

視野欠損も物品や文字の呼称に支障をきたすことが予想されることから，視野検査も失認の検査とあわせて実施する必要がある．通常，静的視野計ないしは動的視野計で視野を測定するが，道具を使わない対座法での視野測定も意義がある．

④ 視覚失語

視覚失語 (optic aphasia) とは，「視覚的に呈示された物品の呼称はできないものの，それがなんであるかは認識している状態」を指す．呼称できない物品が何であるか認識できているかどうかについては，その物品がどのカテゴリーに属しているのかを尋ねたり，ジェスチャーなどで使い方を示させることによってある程度確かめることができる．

⑤ 色覚検査

石原式色覚検査，Farnsworth Munsell 100 Hue Test，Panel–D15 などを用いる．

⑥ 半側空間無視の検査

視野の右もしくは左半分に注意が向けられず，その半側空間内にあるものに全く気づかない状態を指す．右利きの症例ではほとんどの場合，左半側に無視の症状が現れる．無視を詳細に検査するためには BIT 行動性無視検査日本版 (Behavioural Inattention Test) を使用するのが最適であるが，VPTA の「6. 視空間認知と操作」によって無視の有無を検討することも可能である．

3. 標準高次視知覚検査 (Visual Perception Test for Agnosia: VPTA)[2] の概要

a) 検査の構成

VPTA は日本高次脳機能障害学会が開発した，高次視知覚機能障害を包括的に捉えるための標準化された検査である．一定のトレーニングを積んだ検査者であれば同じ方法で容易に検査を実施できるよう，マニュアルと専用の評価用紙も同封されている．検査は，「視知覚の基本機能」「物体・画像認知」「相貌認知」「色彩認知」「シンボル認知」「視空間の認知と操作」「地誌的見当識」の

7大項目から構成されている．これらの大項目は合計44の中項目（下記）に分かれ，中項目は308の小項目から構成されている．中項目の番号左の#は参考項目を表している．参考項目については次の実施方法の項目で説明する．

1．視知覚の基本機能
- \# 1）視覚体験の変化
-   2）線分の長さの弁別
-   3）数の目測
-   4）形の弁別
-   5）線分の傾き
-   6）錯綜図
-   7）図形の模写

2．物体・画像認知
-   8）絵の呼称
- \# 9）絵の分類
- 10）物品の呼称
- \#11）使用法の説明
- \#12）物品の写生
- \#13）使用法による物品の指示
- \#14）触覚による呼称
- \#15）聴覚呼称
- 16）状況図

3．相貌認知
- 17）有名人顔写真の命名
- \#18）有名人顔写真の指示
- 19）家族の顔
- 20）未知相貌の異同弁別
- 21）未知相貌の同時照合
- 22）表情の叙述
- \#23）性別の判断
- \#24）老若の判断

Chapter 9 失認: 標準高次視知覚検査（VPTA）を中心に

4. 色彩認知

25) 色名呼称

26) 色相の照合

#27) 色相の分類

28) 色名による指示

29) 言語 – 視覚課題

#30) 言語 – 言語課題

31) 塗り絵（色鉛筆の選択）

5. シンボル認知

#32) 記号の認知

33) 文字の認知（音読）（イ）片仮名，#（ロ）平仮名，#（ハ）漢字，#（ニ）数字，（ホ）単語・漢字，単語・仮名

#34) 模写

#35) なぞり読み

#36) 文字の照合

6. 視空間の認知と操作

37) 線分の 2 等分

38) 線分の抹消

39) 模写

40) 数字の音読　右読み　左読み

41) 自発画

7. 地誌的見当識

#42) 日常生活についての質問

#43) 個人的な地誌的記憶

#44) 白地図

b）実施方法

検査はマニュアルに沿って行うが，検査で用いる「くし」などの物品はあらかじめ検査者が用意しておく必要がある．また，家族の顔写真の呼称について検査を行うため，家族の顔写真を家族らからあらかじめ入手しておく．

検査の実施順序は大項目の配列に従うことが原則であるが，必要に応じて順序を入れ替えることは可能である．ただし，大項目内の中項目・小項目の実施順序を変更することはできない．参考項目は不要であると判断される場合にはスキップしても構わない．例えば「2. 物体・画像認知」において，「8) 絵の呼称」で物品を目で見て即座に正しく呼称できれば触覚でも正しく呼称できる可能性が高いので，「9) 触覚による呼称」は省略することも可能である．検査を分割して実施することも可能であるが，開始してから2週間以内に終わらせることが原則である．

採点方法の特徴として，誤りが多いほど点数が高くなることがあげられる．すなわち，制限時間内に正解できた場合には0点，遅延反応などの不完全な正解には1点，全くの誤反応や無反応には2点が与えられる．誤反応の内容はなるべく詳しくメモしておくことが望ましい．

c) プロフィールの作成

検査終了後，得点を課題ごとに集計し，プロフィールを作成する．プロフィールの作成は日本高次脳機能障害学会のホームページ（http://www.higherbrain.or.jp/）で公開されているプロフィール作成用ソフト（エクセルファイル）を無料でダウンロードすれば，容易かつ正確にプロフィールを作成することができる．エクセルファイルに課題ごとの得点を入力すると，プロフィールにグラフが自動的に表示される 図3 ．項目ごとに示された上限値を実測値が上回っていた場合には異常を示していると考えられる．

「1. 視知覚の基本機能」において線分の長さや傾きの弁別に問題がないにもかかわらず錯綜図の呼称や模写に問題が認められる場合には統覚型失認が疑われる．また，「1. 視知覚の基本機能」に問題が認められないにもかかわらず「2. 物体・画像認知」「3. 相貌認知」「4. 色彩認知」「5. シンボル認知」「7. 地誌的見当識」に異常が認められた場合には物体・画像・相貌・色彩・シンボル（文字など）・街並みの各カテゴリーにおける連合型失認が疑われる．ただし，「6. 視空間の認知と操作」に異常が認められた場合には無視が主な要因である可能性も考慮する必要がある．街並失認については VPTA の「7. 地誌的見当識」だけでなく，見慣れた風景の再認などの課題を追加で実施し，

Chapter 9 失認：標準高次視知覚検査（VPTA）を中心に

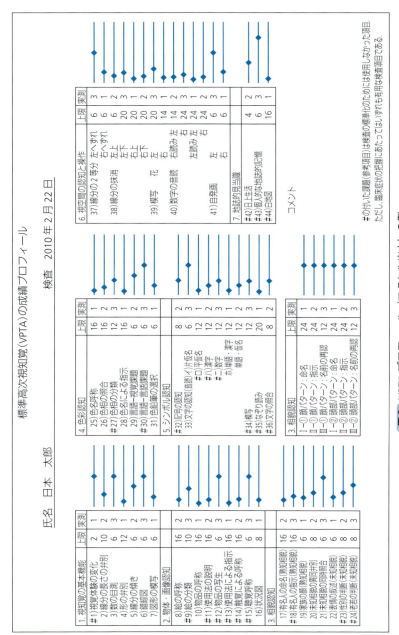

図3 VPTAプロフィール（エクセル出力）の例

（日本高次脳機能障害学会ホームページよりダウンロード，一部改変）

詳しく検討する必要がある.

4. 部分的特徴の知覚障害の評価方法

　視覚性失認の検査では顔・文字・色彩などのカテゴリー別の評価が特に重要視されてきた. しかし, 画像失認の例に見られるように, 同じ物品でも実物・写真・線画と提示方法を変えることによって症例の成績が大きく異なる場合がある. 物体の輪郭・表面・色彩などの特徴が大脳皮質内の異なる部位で処理されているという研究も報告されていることから, 特徴ごとの比較も今後重要になることが予想される.

　大脳の視覚情報処理は位置や運動情報を処理する背側経路と, 形や色に関する情報を処理する腹側経路に分かれているが[12], その後の臨床神経心理学や脳機能イメージングによる詳細な検討により, 腹側経路における視覚情報処理がさらに外側部と内側部で異なることがわかってきた. すなわち, 大脳視覚野では物体の輪郭の情報と表面の性質（陰翳や凸凹, 色など）に関する情報が別々に処理されている　図4 . 輪郭の情報は後頭葉外側部で処理され[13,14], 表面の性質に関する情報は後頭葉内側部で処理される[13,15,16]. それらの情報は最終的に下側頭葉で統合されると考えられる[17,18].

　物体の輪郭の情報が後頭葉外側部で処理されているということを最初に示したのはカナダの Goodale らのグループである[12]. 彼らが報告した症例 DF は, 左右両側の後頭葉外側部が一酸化炭素中毒による酸欠によって損傷されたが, 内側部にある一次視覚野と紡錘状回は比較的損傷を免れていた. この症例は, 表面の凸凹を知覚することはほぼ正常にできたが, 白半円と黒半円の境界線（半円の輪郭でもある）の向き（水平か垂直か）を知覚することは非常に苦手であった. このことから, 損傷された後頭葉外側部が輪郭の情報を処理し, 比較的良好に保たれた内側部が表面の情報を処理していることが推測できる. 緑川らによって報告された Posterior Cortical Atrophy の症例でも同様の症状が観察されている[14]. この症例でも, 左右の後頭葉外側部が損傷されているのに対し, 内側部は比較的良好に保たれていた. この症例は物品の実物や写真の呼称が比較的良好であったが, 同じ物品を線画で描いたものの呼称は非常に

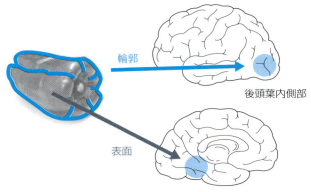

図4 大脳視覚野による物体認知過程の模式図
輪郭に関する情報は主に後頭葉外側部で処理され，表面の性質に
関する情報は主に後頭葉内側部で処理される．
（小山慎一，他．Brain Nerve. 2007; 59: 31-6[7]より）

困難であった．線画は物品の輪郭をもとに描かれているので，線画の知覚の障害は輪郭の知覚の障害であるといえる．

一方，後頭葉内側部損傷例では色や陰翳，凹凸などの表面の知覚の障害が報告されている．両側性の鳥距溝周辺部位損傷後に相貌失認を発症した症例MO[7]（63歳男性）は犬の白黒写真は即座に呼称できたが，この犬の輪郭だけを抽出した写真や白黒を反転させた写真では答えを誤った **図5**．これらの症例は物体の表面の色や陰翳，凸凹などの知覚が，物体認知の際に非常に重要な役割を演じていることを示している．

まとめ

標準高次視知覚検査（VPTA）は視覚性失認をはじめとするさまざまな大脳皮質性視覚障害の検査として最もよく使われているテストバッテリーであるが，脳病変に起因する視覚障害にはさまざまな種類が存在し，症例ごとの個人差も大きい．VPTAのプロフィールは個々の症例の特徴や他の症例との相違を定量的かつ直感的に示していることから，VPTAは個人差の理解にも有効なテストバッテリーであるといえるが，症状をテストの枠組みの中だけで評価する

　　　　白黒　　　　　　　　　白黒反転　　　　　　　　輪郭のみ

図5 写真の呼称課題で使われた刺激の一例

筆者らが経験した症例は左の白黒写真は正しく呼称できたが，白黒を反転させた写真と，輪郭のみを抽出した写真の呼称はできなかった．このことから輪郭だけではなく表面の明るさに関する情報も物の形を認識する上で重要な役割を演じていることがわかる．
(小山慎一，他．Brain Nerve. 2007; 59: 31-6[7] より)

のではなく，症例の訴えに耳を傾けつつ，個々の症状を丁寧に掘り下げていく態度が望ましい．

■文　献

1) 若井正一．症例1：緩徐進行性統覚型視覚失認の一例．失語症研究．1998; 18: 277-81.
2) 日本高次脳機能障害学会 Brain Function Test 委員会．標準高次視知覚検査 (VPTA: Visual Perception Test for Agnosia)．マニュアル．改訂版．東京：新興医学出版社; 2003.
3) 河村　満．連合型視覚性失認の模写．神経内科．1998; 49（増刊）: 268-9.
4) Geschwind N. Disconnexion syndromes in animals and man. II. Brain. 1965; 88: 585-644.
5) Benton A, Tranel D. Visuoperceptual, visuospatial, and visuoconstructive disorders, in Clinical neuropsychology. 3rd ed. Heilman K. Valenstein E. editors. New York: Oxford University Press; 1993. p.165-213.
6) Farah MJ. Visual Agnosia. Disorders of object recognition and what they tell us about normal vision. Cambridge The MIT Press; 1990.
7) 小山慎一，河村　満．形と色を認識するしくみ．Brain Nerve. 2007; 59: 31-6.
8) 小山善子，鳥居方策．症例2：統覚型相貌失認の1例．失語症研究．1998; 18: 282-7.
9) 高橋伸佳，河村　満．街並失認と道順障害．神経研究の進歩．1995; 39: 689-96.
10) 河村　満．＜シンポジウムⅢ＞脳血管障害における高次大脳機能障害 5) 脳血管障害による視覚性認知障害．臨床神経学．1997; 37: 1125-6.
11) 武田克彦．失認の検査法　視覚失認と半側空間無視．認知神経科学．1999; 1:

20-5.

12) Goodale MA, Milner AD. Separate visual pathways for perception and action. Trends Neurosci. 1992; 15: 20-5.

13) Humphrey GK, Symons LA, Herbert AM, et al. A neurological dissociation between shape from shading and shape from edges. Behav Brain Res. 1996; 76: 117-25.

14) 緑川　晶, 河村　満, 溝渕　淳, 他.「画像失認」を呈した Posterior Cortical Atrophy. 神経心理学. 1999; 15: 256 [abstract].

15) Humphrey GK, Goodale MA, Bowen CV, et al. Differences in perceived shape from shading correlate with activity in early visual areas. Curr Biol. 1997; 7: 144-7.

16) Humphrey GK, Goodale MA, Jakobson LS, et al. The role of surface information in object recognition: studies of a visual form agnosic and normal subjects. Perception. 1994; 23: 1457-81.

17) Bar M, Tootell RB, Schacter DL, et al. Cortical mechanisms specific to explicit visual object recognition. Neuron. 2001; 29: 529-35.

18) Seeck M, Schomer D, Mainwaring N, et al. Selectively distributed processing of visual object recognition in the temporal and frontal lobes of the human brain. Ann Neurol. 1995; 37: 538-45.

［小山慎一］

Chapter 10

半側空間無視
BIT 行動性無視検査日本版を中心に

1. 検査の総論

　半側空間無視（unilateral spatial neglect: USN）とは，病巣の反対側の空間に注意を向けることが困難となる現象である[1]．この USN 症状に対する定量的評価のために考案された検査バッテリーが Behavioural Inattention Test（BIT）であり，この日本語版である BIT 行動性無視検査日本版[2]（BIT 日本版）は，1999 年に BIT 日本版作製委員会（代表　石合純夫）によって作製された．この BIT 日本版は，日本人を対象とした標準化がなされており，現在，USN 症状のための評価として広く臨床で用いられている．

　BIT 日本版は，通常検査と行動検査からなり，紙と鉛筆を用いた課題で構成された通常検査には，線分抹消試験，文字抹消試験，星印抹消試験，摸写試験，線分二等分試験，描画試験が含まれる．また，日常生活に関連した動作を含む行動検査には，写真課題，電話課題，メニュー課題，音読課題，時計課題，硬貨課題，書写課題，地図課題，トランプ課題が含まれる．行動検査には，Version A と B があり，繰り返し実施しても異なる Version を用いることで，学習効果を防ぐことができる．

　通常検査と行動検査に含まれるこれらすべての下位検査では，目の前に提示された課題の実施結果から患者の病巣対側空間における見落としの有無を評価することとなる．なお，BIT 日本版に含まれるどの課題においても時間制限は設定されていない．半側空間無視患者が示す症状の程度や特徴は，患者それぞれで異なることから，通常検査および行動検査の実施によって得られる複数の

Chapter 10　半側空間無視: BIT 行動性無視検査日本版を中心に

表1 BIT 行動性無視検査日本版　カットオフ点と最高点

通常検査	カットオフ点	最高点
線分抹消試験	34	36
文字抹消試験	34	40
星印抹消試験	51	54
模写試験	3	4
線分二等分試験	7	9
描画試験	2	3
合計得点	131	146

行動検査	カットオフ点	最高点
写真課題	6	9
電話課題	7	9
メニュー課題	8	9
音読課題	8	9
時計課題	7	9
硬貨課題	8	9
書写課題	8	9
地図課題	8	9
トランプ課題	8	9
合計得点	68	81

検査結果から，各患者の症状特性を把握することが可能となる．

　通常検査の合計得点と行動検査の合計得点には，カットオフ点が設定されているのみならず，それぞれの検査に含まれる各下位検査にも，カットオフ点が設定されている．そのため，合計得点に加えて，下位検査ごとに半側空間無視症状の有無を判定できる **表1**．

　ただし，患者の中には，知的機能の低下や全般性の注意障害による注意集中力の低下により成績低下を招く場合がある．また，代償行為として意図的に病巣対側空間に注意を向けることにより，病巣同側空間に見落としが生じる場合もある．そのため，検査結果のみならず，課題遂行中の様子を観察すること

は，患者の症状特性を把握することに役立つ可能性がある．また，患者の症状理解のために，必要に応じて MMSE などの他の認知機能検査も併せて実施する．

　BIT 日本版の開発にあたり BIT 日本版の得点と行動観察場面での半側空間無視症状との関連も検討されている[2]．これによると，通常検査や行動検査に含まれる下位検査の 1 つ以上においてカットオフ点を下回る場合には，日常生活場面やリハビリ訓練場面での半側空間無視症状が認められる可能性が高いことが明らかとなっている．反対に，すべての下位検査の成績がカットオフ点を超える場合には，日常生活場面やリハビリ訓練場面でも半側空間無視症状を示さないことが予測されている．

　以下に，通常検査と行動検査に含まれる下位検査項目の内容と採点方法について紹介する．特に，紙と鉛筆を用いる通常検査は，ベッドサイドでも実施が容易であり，使用機会が多いと思われることから，検査結果の例も併せて提示する．なお，本稿では，出現頻度が高い左半側空間無視（左 USN）を前提に無視側を「左」として説明を行う．

2. 通常検査

a) 線分抹消試験

　抹消すべき標的は，約 2.5 cm の線分であり，用紙（A4 横置き）の左右それぞれに，縦 1 列 6 本×3 列で計 18 本の線分が印刷されている．このほかに，用紙の中央に 4 本の線分が縦 1 列に配置されている．各線分の傾きは異なり，それに規則性を認めないが，後に紹介する文字抹消試験や星印抹消試験と異なり，空間探索を妨げる刺激は混在していない　図1 ．

　課題の説明の際，検査者は，すべての線分を指し示したあとに，用紙の中央に縦に並んだ 4 本の線分から 2 本に印を付け，印の付け方の見本を示す．また，すべての線分に印を付けるよう指示を与える．

　中央の 4 本の線分は，評価の対象から除外され，用紙全体での抹消数が，この課題の得点となる．

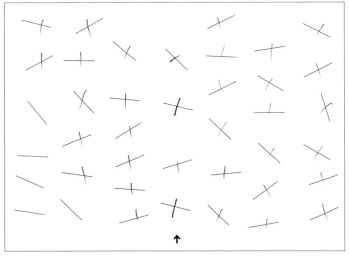

図1 線分抹消試験の結果例

典型例では，用紙の右端から左方向へ印を付け進める．用紙の左側でも，特に，左手前の標的が見落とされやすい．
(BIT 日本版作製委員会（代表 石合純夫）．BIT 行動性無視検査日本版．東京：新興医学出版社；1999[2]，許可を得て掲載)

b）文字抹消試験

　A4 横置きの検査用紙には，横書きの無意味文字列の平仮名が1列34文字で5行印刷されている．**図2**．標的文字は「え」と「つ」であり，これらは，用紙を縦に4分割した各領域に10個ずつ配置されている．

　被検者には，文字列の中からすべての「え」と「つ」を見つけて印を付けるように教示が与えられる．その際，検査者は，用紙の手元に印刷された「え」「つ」を丸で囲み，印の付け方の見本を示す．

　採点時には，抹消できた標的を数え上げる．そして，これが本課題の得点となる．

c）星印抹消試験

　本試験では，大小2種類の星型の図形のほか，平仮名一文字や平仮名単語がちりばめられたA4横置きの検査用紙を用いる．標的刺激は，「小さい星」

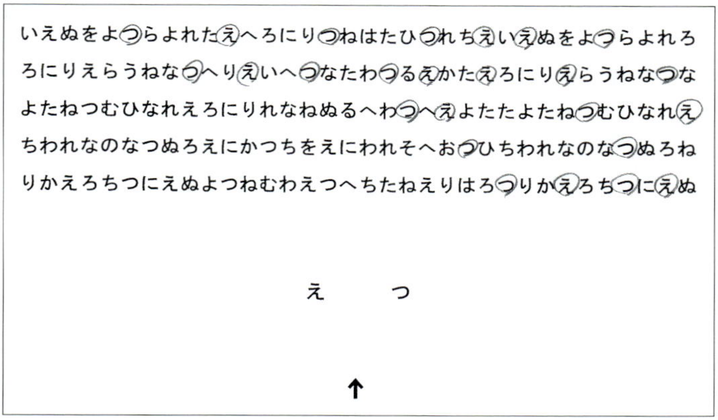

いえぬをよ〇らよれた〇へろにり〇ねはたひ〇れち〇いえぬをよ〇らよれろ
ろにりえらう〇ね〇な〇へ〇り〇い〇へ〇〇なたわ〇る〇かた〇ろにり〇ら〇うね〇な〇な
よたねつむひなれえろにりれなねぬる〇へ〇わ〇へ〇よたたよた〇ね〇むひなれ〇え
ちわれなのなつぬろえにかつちをえにわれそへお〇ひちわれなのな〇つ〇ぬろね
りかえろちつにえぬよつねむわえつへちたねえりはろ〇り〇か〇え〇ろちつに〇え〇ぬ

え　　　　つ

↑

図2 文字抹消試験の結果例

探索方法として，各行の左側から右方向へ標的を探索することが多くの患者で認められる．その際，行頭まで左方へ探索できなければ，左側にある標的文字を見落とす可能性が高まる．さらに，改行のたびに，探索の開始位置が右へ寄ってくることもあり，結果として，左側にある標的文字の見落としが下の行で増える場合がある．

（BIT日本版作製委員会（代表 石合純夫）．BIT行動性無視検査日本版．東京：新興医学出版社；1999[2]，許可を得て掲載）

の図形であり，用紙の正中から片側を縦に3つに区分すると，その外側から順に8個，8個，11個の標的が含まれる **図3** ．

被検者には，検査用紙に印刷されたすべての「小さい星」を丸で囲むように教示を与える．くわえて，用紙の正中に印刷された2つの「小さい星」を検査者が丸で囲み，印の付け方の見本を示す．

本課題では，抹消できた標的の数が得点となる．

d）模写試験

模写試験では，見本として提示された線画を模写することが要求される．課題内容として，4つの角で構成された「星」，透視立方体を用いた「立方体」，花びらが9枚で茎の左右に葉のある「花」，横並びの3つの幾何学図形で構成された「幾何学図形」の4つが含まれる．

「星」，「立方体」，「花」の模写試験では，A4縦置きの上半分にそれぞれの

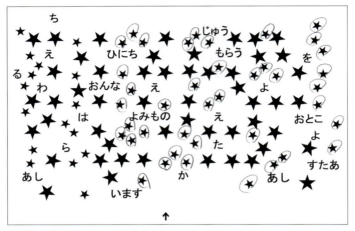

図3 星印抹消試験の結果例

左 USN 患者の探索順序として，線分抹消試験と同様に，用紙の右端から左側へ進めることが多く認められる．標的以外が妨害刺激となり，線分抹消試験よりも探索範囲の制限される場合がある．
(BIT 日本版作製委員会（代表 石合純夫）．BIT 行動性無視検査日本版．東京：新興医学出版社；1999[2])，許可を得て掲載）

見本線画が描かれており，被検者は，その下半分に見本と同じ絵を描くことが求められる．一方，「幾何学図形」では，見本が A4 横置き用紙に印刷されており，被検者は，その手前に置かれた同じ大きさの用紙にすべての図形を模写することが要求される．

見本と同じように描かれると1課題につき得点が1点与えられる．同じ減点対象となる結果であっても描かれた内容が質的に異なる場合もある．例として「幾何学図形」の模写の結果を示す 図4 ．

e）線分二等分試験

この課題では 204 mm の水平な線分が3本印刷された A4 横置き用紙を使用する．1本の線分は用紙の中央に描かれている．それより右上と左下に描かれている線分は，中央のそれより 34 mm 側方へずれた位置となっている．

被検者には，それぞれの線分に対して，「真ん中」と思うところへ縦に短い線を付けてもらうように教示を与える．

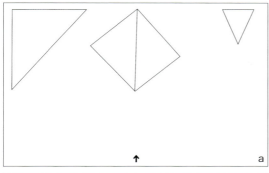

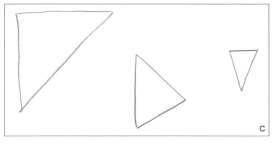

図4 模写試験「幾何学図形」の結果例

a: 見本図. b: 左側にある図形そのものが描き落とされる. c: 3つの図形を模写することができたものの, その中央にある図形の左部分を書き落とされる.
(a: BIT日本版作製委員会（代表 石合純夫）. BIT行動性無視検査日本版. 東京: 新興医学出版社; 1999[2], 許可を得て掲載)

　線分の中心から被検者の主観的中点までの距離が0から0.5インチ（約1.3 cm）以内であれば3点, 0.5インチより大きく0.75インチ（約1.9 cm）以内であれば2点, 0.75インチより大きく1インチ（約2.5 cm）以内であれば1点の得点が, それぞれの線分に対して与えられる. 1インチを超える偏倚の場合は, 0点となる. 特徴的な結果を　図5　に示す.

f）描画試験

　模写試験で被検者は, 白紙の縦置きA4用紙に絵を描くことが要求される. 描画内容は「数字が書いてある大きな時計の文字盤」,「正面から見た, 立って

Chapter 10 半側空間無視：BIT 行動性無視検査日本版を中心に

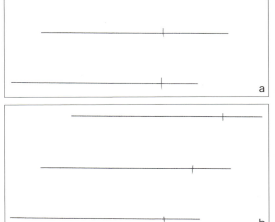

図5 線分二等分試験の結果例
多くの患者は，右上に位置する線分から印を付け始める．a：3つの印がほぼ縦に並ぶ．b：いずれの線分に対しても，右端から一定の距離に印が付けられる．
（BIT 日本版作製委員会（代表 石合純夫）．BIT 行動性無視検査日本版．東京：新興医学出版社；1999[2]，許可を得て掲載）

いる人」，「蝶」の3課題であり，用紙1枚につき1つの絵を描くこととなる．

「数字が書いてある大きな時計の文字盤」では，数字のほかに，針も描くことも要求されるが，文字盤の形についての指定はない．また，「正面から見た，立っている人」では，顔を含めて描いてもらうことが求められる．もう1つの「蝶」では，羽を広げた蝶を描いてもらうように教示が与えられるが，「羽が左右に描かれるように」などの蝶の向きの指定はない．

これらの課題において，描かれた絵の左側に描き忘れがなく，かつ，左右のバランスが整っている場合には，1課題につき1点が与えられる．時折，「正面から見た，立っている人」の描画結果では，顔のパーツが向かって左側に偏って描かれる場合がある[3] 図6 ．この結果も左右のバランスが不良であることから，減点の対象となる．なお，この現象は，左USN 患者が描く描画の特徴であることが明らかとなっている[4]．

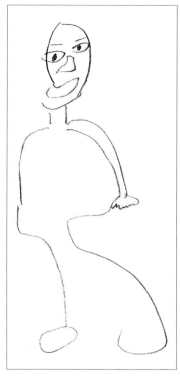

図6 描画試験「正面から見た，立っている人」の結果例

向かって左側の目は，左へずれて描かれ，顔の輪郭に重なっている．口も左へずれて描かれ，顔上部の輪郭よりも左側へはみ出している．顎の輪郭は，口の大きさに対応しているものの，その左側では上部との連続性が認められない．このほかとして，左側の腕全体に加えて，左右の足の左側の輪郭も描かれていない．
(太田久晶．半側空間無視のリハビリテーション．In：武田克彦，村井俊哉，編．高次脳機能障害の考えかたと画像診断．東京：中外医学社；2016. p.207-18[3])

3. 行動検査

a) 写真課題

　被検者は，A3 サイズの写真の内容について，指をさしながら説明することが求められる．用いる写真は，数種類の食べ物が載っている皿を写した「皿に盛った食べ物」，いくつかの整容道具の置かれた洗面台を写した「洗面台と洗面用具」，病室のような部屋の内部を写した「さまざまなものが置いてある窓辺」の3種類である．

　この課題では，写真の左右のみならず，中央に写っている対象物を指さすことも採点の対象となる．見落とし数に応じて検査課題ごとに評価点へ変換されるが，指さしの際の呼称の誤りは，「見落とし」と判断されない．

Chapter 10　半側空間無視：BIT 行動性無視検査日本版を中心に

b) 電話課題

　ポストカードサイズの用紙に書かれた横並びの数字列を電話番号とみなして，被検者は，その番号に電話をかけることが要求される．3 試行で構成され，5 桁，6 桁，7 桁の数字の記載されたカードが順に提示される．

　採点時，試行ごとに，プッシュボタンの押し忘れと押し誤りの総数を求め，それに応じて評価点に変換する．なお，本課題では，ダイヤル式の電話機も使用可能となっている．

c) メニュー課題

　この課題では，2 つ折りの A3 用紙に縦 6×横 4 の計 24 種類の飲食物の名前が均等に並んだメニュー表が使用される．被検者には，記載されている内容をすべて読み上げるように教示が与えられる．

　書かれた飲食物の名前が読み上げられないことや，単語の一部が読み飛ばされることのほか，読み誤りも，誤反応数とみなされる．

　評定のためには，すべての誤反応を数え上げ，その数に応じた評価点へ置き換える．

d) 音読課題

　被検者は，横書きの 3 段組みで構成された短い文章を読み上げることが求められる．A4 横置き用紙に印刷された 1 種類の文章を用いて検査が実施される．

　評定は，読み落とし率（＝読み落としの文字数／文章全体の文字数×100）を算出し，それに対応した評価点を用いる．このほかに，評価用紙には，段ごとに，読み落とし率と読み誤りの偏り（右側・左側）を記載することができる．ただし，この課題での読み誤りは，評定の対象とはならない．

e) 時計課題

　この課題では，ポストカードサイズの用紙に印刷されたデジタル時計の時刻を読み上げる項目のほか，検査用のアナログ時計の文字盤（直径約 27 cm）が示す時刻を読み上げる項目を含む．さらに，この時計の文字盤を使用して，

指定された時刻に，被検者が時計の針を合わせることも要求される．いずれも3試行で構成されている．

評定の際，数字の読み落としや時刻の読み誤り，アナログ時計の時刻の設定の誤りを誤反応として，検査項目ごとに数え上げ，その数に対応した評価点へ変換する．ただし，長針と短針の取違いは減点の対象とならない[2]．

f）硬貨課題

本課題では，検査用ボード（A3 横置き）の決められた位置へ 6 種類の硬貨（1 円，5 円，10 円，50 円，100 円，500 円）を 3 枚ずつ配置する．これらの硬貨は，横 1 列に 6 個でボードの中央とその上下に 3 列で並べられており，各列に全種類の硬貨が含まれる．

被検者には，指定された硬貨をすべて指さすように教示が与えられる．1 種類ずつ指示を与え，最終的には，全 6 種類の硬貨を指さすこととなる．

課題の成績は，硬貨の種類を問わずに，見落とし数に応じた評価点で評定される．

g）書写課題

この課題で被検者は，A4 横置き用紙の記載内容を見本として，それと同じ内容を，手前に用意された A4 横置きの白紙に書き写すことが要求される．書写すべき内容は横書きであり，1 つは 4 行で構成された「住所」，もう 1 つは 3 行で構成された「文章」となっている．

採点では，「住所」と「文書」のそれぞれに対して，文字のほか，記号や句読点も含めて，書き落としの数を数え上げ，それに応じた評価点へ変換される．

h）地図課題

本課題用のボード（A3 横置き）には，その縁を取り囲む口の字状の道路のほか，その中心から上下左右と四隅に放射状に伸びる道路が口の字状の道路と交わり「道路地図」を構成している．さらに，中心から伸びる道路が外周の道路と交わる 8 カ所と中心の 1 カ所には，平仮名が印刷されている．

Chapter 10 半側空間無視：BIT 行動性無視検査日本版を中心に

被検者は，指示された 2 つの平仮名を順に指でたどることが要求される．3 試行で構成され，それぞれのたどる回数は，4 回，6 回，7 回となっている．課題の中で，3 試行目の 1 カ所のみが，1 つの平仮名を飛び越える必要があるものの，それ以外は，隣り合う平仮名を順にたどることとなる．

指示通りに道順をたどれない場合には，誤反応とみなされ，その数をもとにした評価点が，試行ごとに与えられる．

i) トランプ課題

この課題では，トランプの札のうち，各マークの 6, 10, Queen, King の 4 種類，計 16 枚を被検者の正面に縦 4 枚×横 4 枚で決められた場所に配置する．被検者には，指示された数字または，アルファベットの札をすべて指さすように教示が与えられる．1 種類ずつ指さしで標的を検出してもらい，それを全 4 種類の札に対して実施する．

採点では，全 16 枚に対する見落とし数を数え上げ，それを対応する評価点に変換する．

4. 結果の解釈での留意点

通常検査と行動検査に含まれる各下位検査項目の成績は，カットオフ点以下であれば「異常」と判断されるが，これだけでは左 USN 症状を呈していると判断はできない．そのため，減点によって得点がカットオフ点以下の場合，課題の左側での見落としや書き（描き）落としを反映しているのかを確認する必要がある．

模写試験や描画試験では，左 USN 以外の要因として，構成障害の影響を受ける場合もある．また，線分二等分試験では，線分への反応が線分の中心よりも左へ偏倚する場合がある．一方，抹消課題などの検査項目において，カットオフ点を上回っていても，課題の左側で見落としの認められる場合がある．1 つの検査結果から左 USN の有無を判断することが難しいときには，他の検査成績や，過去の検査成績と比較することが解釈の助けになるかもしれない．

一口に左 USN といっても，症状を認める検査項目や左側の見落としの程度

は，個々の患者で異なる．よって，BIT 日本版を実施した際には，通常検査や行動検査の合計得点のみならず，下位検査項目ごとの成績判定結果を把握することが，各患者の症状特性の理解につながると考える．

■文 献

1) Heilman KM, Watson RT, Valenstein E. Neglect and related disorders. In: Heilman KM, Valenstein E, editors. Clinical Neuropsychology. 3rd ed. New York: Oxford University Press; 1993. p.279-336.

2) BIT 日本版作製委員会（代表 石合純夫）．BIT 行動性無視検査日本版．東京：新興医学出版社；1999.

3) 太田久晶．半側空間無視のリハビリテーション．In：武田克彦，村井俊哉，編．高次脳機能障害の考えかたと画像診断．東京：中外医学社；2016. p.207-18.

4) Seki R, Ishiai S, Seki K, et al. Leftward deviation of eyes in human face drawing: a new diagnostic measure for left unilateral spatial neglect. J Neurol Sci. 2010; 297: 66-70.

［太田久晶］

Chapter 11

小　児

A　小児の神経心理学的アセスメント

1.　小児神経心理学

　受精・受胎から誕生を経て青年期までの 20 年間は，脳神経系や身体器官の急速な成熟を基礎に，周囲の環境との相互作用を通じて，身体的側面，知的側面，情緒的側面，社会性の側面が相互に関連しながら劇的な発達を遂げる期間である一方，それに伴う大きな危機をはらんだ期間でもある．堀口[1]は，小児科診療において心理検査を実施する目的として，① 知的障害の鑑別，② 認知機能の評価，③ 適切な教育的な支援の検討，④ 各種の福祉制度の申請など生活上の支援の検討，⑤ 二次障害の検出，をあげている．小児の心理検査の場合はパーソナリティの評価や精神疾患の検出を目的とした臨床心理学的な検査は少なく，発達の諸側面を評価する発達検査が主になる．

　心理機能の発達の背景には脳神経系の発達が存在するわけで，その意味では多くの発達検査は神経心理学的検査ともいえる．しかし，小児の神経心理学的アセスメントは単なる検査の実施にとどまらない．運動機能や認知・行動上の機能の発達の個人差には機能ごとの個人内差（強み・弱み）と，他の子どもとの個人間差があるが，小児医療ではそれらが正常な個人差の範囲（単なるゆっくりとした発達）なのか，それとも神経系の病的な機能不全によるものなのかの判断が求められる．さらに病的な遅れが疑われる場合には，それがどの領域

に認められて，どの領域には認められないか，その背景として脳神経系のどの解剖学的部位やシステムに機能不全があるかについての推定が必要である．その結果が，医師による診断，さらに医療（医師，各種セラピスト，看護師など），学校関係者，福祉関係者，そして保護者や当事者と連携した治療・支援活動へ繋がっていく．それらの治療・支援活動への参画とともに，その効果の判定や予後に関する予測も重要な役割である．これらの目的のために，すでにいったん完成した脳神経系の損傷による障害の研究によって発展してきた成人の神経心理学の知見や方法論を，脳神経系が未完成で可塑性が高い小児の診断や治療にどの程度まで適用できるのかについてはさまざまな議論がある[2]．小児の神経心理学アセスメントには，正常な発達のプロセス，小児の神経・精神疾患，さらには成人を含めた神経心理学に関する豊富な知識とスキルが必要であり，成人の神経心理学とは異なる専門性が求められる．

　小児の神経心理学的アセスメントは，① 養育者や教師への面接による情報収集，② 医師や他のスタッフの所見，各種の書類（カルテ，紹介状，母子手帳，個別の教育支援計画など），画像診断などの間接的な情報収集，③ 対象児の自然場面の行動観察や面接，④ 検査の実施，⑤ 結果の解釈と報告の作成などから構成される．情報収集の際に特に重要な点について，名越[3]は，「妊娠中の経過・周生期（親の年齢，妊娠・出産時の状況や異常の有無，アプガースコア，生下時体重，新生児黄疸）」，「身体発達・運動発達（首のすわり，おすわり，はいはい，始歩の時期，聞こえや視力の問題，好き嫌い，体操やボール投げなどの運動，利き手，ボタンかけ，はしやハサミなどの道具使用時の手の発達）」，「言語の発達（喃語，指差し，初言，二語文の時期，言葉の理解の様子，表出言語の増え方や特徴，聞き違えや言い間違い，しりとりなど音韻意識の発達，発音）」，「身辺自立（睡眠リズム，食事の様子，排泄の自立，着替えなどの生活習慣）」，「行動・社会性（人見知りの有無と時期，多動性，注意の集中，こだわり，人への関心や関わり方，遊びの様子，場に応じた行動の様子）」，「認知面（数や文字への関心，描画の様子，形や意味の理解，文字の読み書き，数量概念）」の6つの側面を指摘している．

　また実際の検査や臨床研究の場面では，小児のために作成された神経心理学的検査やチェックリストだけでなく，成人の神経心理学的検査課題や，脳波

Chapter 11 小児

（事象関連電位，脳磁図を含む）などの生理的な指標，機能的 MRI や光トポグラフィー（Near-infrared spectroscopy: NIRS）を使用した賦活実験なども利用される．検査は，マニュアルやプロトコルに忠実に実施するとともに，対象児の不安，疲労やストレスなどに配慮する．場合によっては日を変えて分割したり，中止することも考慮する．検査中は正誤の不適切なフィードバックは慎まなければならないが，適宜はげましを行うことは必要である．また，単に結果の正誤だけでなく，誤りの内容や回答へのプロセス，態度などを記録しておく．

　アセスメントの対象になる疾患や障害は多岐にわたるが，先天的な要因による脳神経系の形成不全や出生時の脳損傷が想定される発達障害と，頭部外傷や急性脳症などの後天的な脳損傷に起因する小児高次脳機能障害は，その鑑別も含め特にニーズが高い．

2. 発達障害

　発達障害には従来から使用されてきた広義の発達障害と，全般的な知的機能の障害を伴わない狭義の発達障害の 2 つの定義がある．広義の発達障害は2013 年に公刊されたアメリカ精神医学会（APA）の DSM-5，現行の DSM-5-TR[4] の神経発達症群にほぼ相当する 表1，発達的時期に発症する一連の障害群である．発達早期，しばしば小学校入学前に現れ，日常生活，学業あるいは職業的な機能を損なう発達的な問題により特徴づけられる．障害の状態

表1 DSM-5-TR における神経発達症群

知的発達症（intellectual disabilities）
コミュニケーション症群（communication disorders）
自閉スペクトラム症（autism spectrum disorder）
注意欠如多動症（attention-deficit / hyperactivity disorder）
限局性学習症（specific learning disorder）
運動症群（motor disorders）
チック症群（tic disorders）
他の神経発達症群（other neurodevelopmental disorders）

は，学習や遂行（実行）機能の非常に特殊な制限から，社会的スキルや知能の全体的な欠陥まで幅がある．このカテゴリーには，8種の障害が分類されている **表1**．この中の知的発達症は，従来は精神遅滞という用語が使用され，障害児教育（特殊教育）や障害者福祉（療育手帳）の主要な対象となってきた．それに対して狭義の発達障害とは，2004年12月に制定された発達障害者支援法で規定されたもので，「自閉症，アスペルガー症候群その他の広汎性発達障害，学習障害，注意欠陥多動性障害その他これに類する脳機能障害であり，その症状が通常低年齢で発現するもの」を指す．ただし，これらの障害名はDSM-IVによるものであり，現行のDSM-5-TRでは広汎性発達障害は自閉スペクトラム症，学習障害（学力の特異的発達障害）は限局性学習症に，それぞれ名称と診断基準が変更されている．注意欠陥・多動性障害も診断基準に変更が行われたが，日本版ではさらに注意欠如多動症に訳語が変更された．この狭義の発達障害の定義は，従来の福祉制度の対象に含まれなかった知的障害を伴わない発達の障害の支援を目的とした政策的なもので，それによって精神保健福祉手帳の交付や障害基礎年金の支給が可能になった．また，特殊教育に代わって2007年度から開始された新しい障害児教育の仕組みである特別支援教育では，通常の学級における支援や通級による指導の主要な対象となっている．文部科学省は，全国の教員を対象としたアンケート調査から，義務教育の通常学級に発達障害の特性をもつ児童生徒が6.3%（2002年）から6.5%（2012年）程度在籍していると推定している．なお，最新の調査（2022年）では8.8%に増加している．このように高い出現率を有しながらもその程度が軽い場合は，本人も周囲も障害に気づきにくい．そのため，その特性による学習上，生活上のトラブルが生じても，「怠けている」「不真面目」「反抗的」といった誤解を受けやすく，それが自尊感情の低下，情緒の不安定，反抗的な行動，深刻な不適応などの二次性障害につながる可能性がある[5~8]．また，複数の発達障害の特性が併存していることも多く，合併診断されるケースもある．これら3つの狭義の発達障害にはそれぞれ遺伝的な素因があることが報告されているが，明確な原因遺伝子や遺伝の形式はまだ解明されていない．特に最近では胎児期・乳幼児期の成育環境がDNAのメチル化やヒストン修飾に代表されるエピジェネティックな遺伝子発現調節因子の異常を引き起こし，発達障

Chapter 11　小児

害の発症や重症化につながる可能性が指摘されている[9].

3. 自閉スペクトラム症（ASD）

a）定義

　以前の DSM-IV においては自閉症圏の障害は，発達の広汎な障害として，広汎性発達障害（pervasive developmental disorders: PDD）というカテゴリーに含まれていた．広汎性発達障害の特性は，① 社会性の質的差異（周囲の人とのかかわりが苦手で適切にふるまうことができず，相手と関係を築いたり，築いた関係を維持していくことが難しい），② コミュニケーションの質的差異（相手が言っていることや感じていることを理解したり，気づくのが難しい．また自分が言いたいことや感じていることを相手にわかりやすく伝えたり表現するのが難しい），③ 想像力の質的差異（自分が見たり予想していた以外の出来事や成り行きを想像したり理解することが難しい．自分の興味のあることや行動パターンに強いこだわりがあり，想定外の行動に適切に対処することが困難），という英国の Wing L の定義した 3 つ組症状によって特徴づけられる[5,8,10]．知的側面に関しては重度の知的障害を伴う場合から，正常域あるいはそれ以上の者までさまざまであり，正常域の知能を示す場合には高機能自閉症，それに加えて言語の発達に遅れがない場合にはアスペルガー障害（Asperger disorder）という診断名が使用された[5,8,10]．しかし，DSM-5，現行のDSM-5-TR では広汎性発達障害という診断は廃され，自閉スペクトラム症（ASD）という診断名に改められた[4]．診断の 3 つ組みは，A: 社会的コミュニケーションおよび相互関係における持続的障害（3 つ組みの社会性の質的差異とコミュニケーションの質的差異をまとめたもの）と，B: 限定された反復する様式の行動，興味，活動（3 つ組みの想像力の質的差異にほぼ相当する）に整理された　表2　．この定義では正常範囲の社会性やこだわりの傾向（つまり個性）から重度の障害までの連続性（スペクトラム）が強調されており，自閉性障害，アスペルガー障害などの下位分類は廃止されている[4]．

表2 DSM-5-TR における自閉スペクトラム症

以下の条件を満たしていること

1. 社会的コミュニケーションおよび対人的相互反応における持続的障害
   - 相互の対人的・情緒的な相互関係の障害
   - 非言語的（ノンバーバル）コミュニケーションの障害
   - 人間関係を発達させ，維持し，それを理解することの障害

2. 限定された反復する様式の行動，興味，活動（以下の2つ以上が認められる）
   - 常同的で反復的な運動動作や物体の使用，あるいは話し方
   - 同一性への固執，日常の習慣や動作への融通の効かない執着，儀式的な行動パターン
   - 集中度・焦点づけが異常に強く限定的であり，固定された興味がある
   - 感覚刺激への過敏性あるいは鈍感性，あるいは環境の感覚的側面に対する普通以上の関心

3. 症状は発達早期の段階で必ず出現するが，後になって明らかになるものもある

4. 症状は社会や職業その他の重要な機能に臨床的に意味のある障害を引き起こしている

5. これらの障害は，知的発達症または発達の全体的遅れでは説明できない

（日本精神神経学会〔日本語版用語監修〕，髙橋三郎・大野　裕〔監訳〕．DSM-5-TR 精神疾患の診断・統計マニュアル．医学書院；2022. p. 54-5 を参考に作成）

b) 障害の特性

　ASD の社会性の質的差異は，他者との社会的関係の形成の困難さに表れる．年少者では他者が存在しないかのようにふるまうことが多い．相手と視線を合わせなかったり，他者との交流を避けようとしているように見える場合がある．他者を避けない場合も，かかわり方が一方的で，ルールに沿った遊びが難しく，仲間関係をつくったり，相手の気持ちを理解したりすることが難しい[5,10]．言語コミュニケーションについては，まったく言葉のない者，奇声，ジャーゴン（新造語），エコラリア（オウム返し）などが目立つ者，基本的な会話は可能な者，むしろ話量が多く雄弁な者までかなりの差異がある．人称代名詞の混乱や，助詞の誤用などの文法的問題，文脈を理解できずに文字通りの解釈をしてしまう語用論的問題，イントネーションや抑揚が不適切なプロソディーの問題，難しい言葉や過剰な敬語などのさまざまな質的な障害が認められる[5,8]．また，相手の表情，周囲の状況，雰囲気，行動の意味を読み取るこ

Chapter 11 小児

とが難しく，人の気持ちを推し量るのが困難な非言語的コミュニケーションの問題も認められる．想像力の質的差異としては，先の見通しや予定が立てられない，また先の見通しがないことへの耐性が弱い，自分の行為がどのような結果をもたらすかを予期できないなどの特性がある．興味や関心にも偏りがあり，限られた事物へ固執しやすく，それに関しては膨大な知識を備えている場合もある．また，ものの位置や配列へのこだわり，同じ手順や道へのこだわりなども高頻度でみられる特性である[5,8]．それ以外に多くのケースで認められる特性として感覚への過剰な敏感性（感覚過敏）がある．生活上のなんでもない音でも耐えられない聴覚過敏，まぶしさや大量の刺激が目に入るのを嫌う視覚過敏，着衣の肌触りを気にしたり，身体の特定の場所を触れられるのがひどくつらかったりする触覚過敏（更衣，入浴，洗顔などを嫌がることもある）などが観察される．その反面，強い刺激や痛み，温度の変化などに気がつかない感覚鈍磨が認められることもある[8,10]．また嗅・味覚の過敏やこだわりとも関係する極端な偏食がみられることもある．手先や運動は不器用なことが多い．奇声，かんしゃく，攻撃性，自傷行為，気分の易変性などが生活上の大きな問題となるケースもある[8]．杉山[11]は，ASDの特性の一つとして，突然数年前の出来事を思い出し，それを現在の出来事としてふるまう特異な記憶想起と時間感覚の異常を指摘しており，それも突発的な行動などの生活上のトラブルにつながる可能性がある．

c）障害に関する仮説と神経基盤

ASDの特性の心理学的説明としては，感情・情動の障害に加えて，知覚機能亢進説（enhanced perception）[12]，物事の全体を包括的に理解する能力が低く細部に拘泥する中枢性統合（central coherence）障害説[13]，他者の感情，意図，信念などの心的状態を直観的・自動的に理解する能力である心の理論（theory of mind）障害説[14]，他者の行動の気持ちや行動の理由を追体験することで理解するミラーニューロンシステム（mirror neuron system）障害説[15]，目標を設定して物事を順序立てて実行する能力である遂行機能（executive function）障害説[16]などが提唱されてきた．また知覚の偏りや感情・情動の問題については古くから間脳（視床，視床下部）や大脳辺縁系（特

に扁桃体）の関与が疑われてきた[17]．その他，ミラーニューロンに関しては下前頭回弁蓋部から下頭頂小葉への回路（左半球に関しては言語の復唱回路としても知られている)[15]，注意の制御や遂行機能については前頭前野[16]，顔や表情の認知には紡錘状回や上側頭溝領域[18] の関与がそれぞれ想定されている．その他，MRIなどで形態異常の報告が比較的多い小脳[19] など，さまざまな部位の未成熟や機能不全が疑われているが，まだ明確な証拠は得られていない．特に最近では，人工知能（AI）を利用した多数データのMRIの解析によって複数の脳部位間の機能的結合の異常を同定し，それを診断に応用する研究[20] が注目されている．

4. 注意欠如多動症（ADHD）

a）定義

　ADHDは，不注意，多動性，衝動性によって特徴づけられる行動の障害である．この中には不注意が中心になるタイプ，多動性・衝動性が中心になるタイプ，その両方の特性を示すタイプという3つのサブタイプがあるが，特性が年齢によって変化する可能性も指摘されている[8]．特別支援教育においては，「注意欠陥多動性障害とは，年齢あるいは発達に不釣り合いな注意力，及び/又は衝動性，多動性を特徴とする行動の障害で，社会的な活動や学業の機能に支障をきたすものである．また，7歳以前に現れ，その状態が継続し，中枢神経系に何らかの要因による機能不全があると推定される」という文部科学省の教育的定義が使用されている[6]．これはDSM-IVに準拠した定義であるが，DSM-5およびDSM-5-TRでは発症年齢が12歳まで引き上げられている 表3 ．

b）障害の特性

　不注意の症状の中核となるのは，1つのことに集中するのが難しく，集中力が長続きしないことである．また周囲の刺激に気をとられやすく，自分の関心のままに行動し，すぐに気がそれてしまう．また，仕事が最後までやり遂げられない，ケアレスミスや忘れ物・なくし物が多い，整理整頓が苦手などの特性

Chapter 11　小児

表3 DSM-5-TR における ADHD

1. a および/または b に示される，不注意および/または多動性－衝動性の持続的様式

   a: 以下の深刻な不注意の症状が 6 つ（17 歳以上では 5 つ）以上あり，6 カ月以上続く
   - 学業，仕事などで細やかな注意ができず，ケアレスミスをしやすい
   - 注意の持続が困難である
   - 注意散漫で，話をきちんと聞いていないように見える
   - 指示に従えず，学業，仕事などを完遂できない
   - 課題や活動を順序立てたり，整理整頓，締め切りの遵守ができない
   - 精神的努力の持続が必要な課題を避ける
   - 課題や活動に必要なものをしばしば失くしてしまう
   - しばしば外部からの刺激で気が散ってしまう
   - しばしば用事や約束，支払いなど，日々の活動を忘れがちである

   b: 以下の深刻な多動性/衝動性の症状が 6 つ（17 歳以上では 5 つ）以上あり，6 カ月以上続く
   - しばしば着席中に，手足をもじもじしたり，そわそわした動きをする
   - 着席するべき場面でしばしば離席する
   - 不適切な状況で走り回ったり高所へ登ったりする
   - 静かに遊んだり，余暇を過ごすことがしばしばできない
   - しばしばじっとしていることができす，衝動に駆られて突き動かされるように行動する
   - しばしばしゃべりすぎる
   - しばしば質問が終わる前にうっかり答え始める
   - しばしば順番が待てない
   - しばしば他の人の邪魔をしたり，横取りや割り込みをする

2. 不注意または多動性/衝動性の症状のいくつかが 12 歳までに存在していた

3. 不注意または多動性/衝動性の症状のいくつかは 2 つ以上の環境で存在している

4. 症状が社会・学業・職業機能を損ねている明確な証拠がある

5. 統合失調症や他の精神障害ではうまく説明できない

（日本精神神経学会〔日本語版用語監修〕，髙橋三郎・大野　裕〔監訳〕．DSM-5-TR 精神疾患の診断・統計マニュアル．医学書院；2023. p. 66-7 を参考に作成）

が知られている．多動性の症状の中心は落ち着きのなさで，授業中の立ち歩き，席にすわっている状態での手遊びやずり落ち，しゃべりだすと止まらないなど，夢中になりすぎて周りが見えなくなるなどの特性がある．衝動性の症状の核となるのは，自分の感情や行動を抑えることが難しいことで，順番を待て

ず横から割り込む，他の人がしていることを邪魔する，質問が終わらないうちに出し抜けに答えてしまうなどの特性がある [5,6,8]．これらの症状の中で，多動性は年齢が上がることで軽快することが多いが，基本的な症状は成人後も持続するケースが多い．成人では多動性（落ちつかない感じ，貧乏揺すり，早口，過剰なおしゃべりなど），衝動性（思いついたことを黙っていられない，外界の刺激に意識せず反射的に反応してしまう，衝動的な買い物や異性との交際など），不注意（気が散りやすい，忘れ物をしやすい，直前の言動を覚えられない，注意力を持続させることが困難など）の症状が日常生活や職業生活に影響を与える [8]．

c) 障害に関する仮説と薬物療法

ADHD の症状の背景には，遂行（実行）機能系（前頭前野－背側線条体）と，報酬系（前頭眼窩皮質－前部帯状回－腹側線条体）という 2 つの神経回路の機能障害の存在が有力視されている [21]．遂行機能系は情動，行動，思考の目標志向的な制御に関与しており，その障害が無計画性や抑制欠如の原因になる．報酬系の障害は報酬の魅力を低下させる．そのため将来の大きな報酬よりも目前の小さな報酬に飛びつきやすくなり，それが衝動的な行動や待ちを紛らわせる不適切な代替行動の原因になると考えられている．これらの回路の制御にはドーパミンやノルアドレナリンが関与しており，それらの調整が薬物療法の目標となっている．現在は，主にドーパミンおよびノルアドレナリンの再取り込みを抑制してそれらの濃度を上昇させることで前頭前野の遂行機能と，側坐核の報酬系の機能障害を改善させるメチルフェニデート（商品名: コンサータ），ノルアドレナリンの再取込みを抑制することで遂行機能低下を改善させるアトモキセチン（商品名: ストラテラ）が主な治療薬として使用されている [22]．また，後発薬としては非中枢神経刺激薬のグアンファシン（商品名: インチュニブ）の適用（小児は 2017 年，18 歳以上は 2019 年）が認可された．この薬は前頭前皮質の錐体細胞の後シナプスに存在し，ノルアドレナリンの受容体である $\alpha 2A$ 受容体を刺激することで，前頭前皮質のシグナル伝達を増強させる作用をあらわし，ADHD の症状を改善すると考えられている．さらに，2019 年には覚せい剤であるアンフェタミンをプロドラッグ化したリ

Chapter 11　小児

スデキサンフェタミン（商品名：ビバンセ）が6〜17歳に限定して認可された．ビバンセはコンサータ同様の中枢刺激薬としてシナプスにおけるドーパミン・ノルアドレナリンのドーパミン・ノルアドレナリン再取り込み抑制効果を持つ．ビバンセはそれ自身が薬効を持たず，血液の中で代謝されてアンフェタミンになるため，乱用のリスクが低くまた長時間作用すると考えられている．この薬は発売後まもないため，使用経験が蓄積されるまでの間は，他の治療薬が効果不十分な場合に限り使用されることになっている[22]．

5.　限局性学習症（SLD）

a）定義

　学習障害（LD）という用語は，教育と医学で若干異なった意味で使用されている．教育用語としてのLD（learning disabilities 学習能力障害）は，「学習障害とは，基本的には全般的な知的発達に遅れはないが，聞く，話す，読む，書く，計算する又は推論する能力のうち特定のものの習得と使用に著しい困難を示す様々な状態を指すものである．学習障害は，その原因として，中枢神経系に何らかの機能障害があると推定されるが，視覚障害，聴覚障害，知的障害，情緒障害などの障害や，環境的な要因が直接の原因となるものではない」と定義されている．それに対してDSM-IVの学習障害（learning disorder）は読字障害（reading disorder），書字障害（disorder of written expression），算数障害（mathematics disorder）の3つの障害で定義されていた[5,6,8]．さらにDSM-5およびDSM-5-TRでは名称が限局性学習症（Specific Learning Disorder）に改められた　表4　．また，それぞれの主要な症状には，それぞれ読字困難（dyslexia），書字困難（dysgraphia），計算困難（dyscalculia）という名称も使用されている．なおDSM-5およびDSM-5-TRでは聞く，話すなどの障害はコミュニケーション症に分類されている．読字障害の出現頻度に関しては，英語圏での研究では児童の2〜8％という報告が多い．それに対して60年代に日本で行われた調査研究[23]では日本の児童における出現率は1％以下にとどまり，英語と異なる表記体系をもつ日本語では読字障害は少ないとされていた．しかし，当時は標準化された検査法がなかったため

表4 DSM-5-TRにおける限局性学習症

1. 学習上の困難があり，以下の症状の少なくとも1つが6カ月以上続いている
   - 不正確あるいは時間のかかる努力性の読み
   - 文章理解の困難さ（文のつながりや推論，あるいは深い意味の理解困難）
   - 綴字の困難さ（母音や子音の添加，省略，置き換え）
   - 書字表出の困難さ（文法・句読点の誤り，構成の拙さ，明確さの欠如）
   - 数の概念，数値や計算などの習得の困難さ
   - 算数・数学的推論の困難さ

2. 学習上の困難が暦年齢に不相応に強く，学業，職業，日常生活に影響を与えている

3. 学習困難は学齢期に始まるが，後の学業的負荷（試験など）で明らかになるものもある

4. 学習困難は知的能力，視力，聴力の障害や精神疾患，環境や教育によるものではない

（日本精神神経学会〔日本語版用語監修〕，髙橋三郎・大野　裕〔監訳〕．DSM-5-TR精神疾患の診断・統計マニュアル．医学書院；2023. p. 75-6を参考に作成）

低く見積もられた可能性が高い．標準化検査を使用した研究[24]では，読字の障害はひらがな0.2%，カタカナ1.4%，漢字6.9%，書字の障害はひらがな1.6%，カタカナ3.8%，漢字6.0%という結果が報告されている．

b) 障害の特性

　読みの障害は，音読の困難さによって気づかれることが多い．ゆっくりと，たどたどしく読む．文字そのものは読めても1文字ずつたどるように読んでいく，たどり読みが目立つ子どももいる．指で文章をなぞりながら読んでも，文字を飛ばしたり，行を間違える．よく似た文字を読み間違える．文の前段や単語の一部から勝手に推測して読んで間違えることもある．また読んだ文章の内容の理解も，不十分なことが多い．低学年では，読み，書きともに撥音，長音，促音などの特殊音節でのあやまりが多い．また標的語を関連する他の語と間違えて読む意味的な誤りがみられることもある[5,6,8]．

　書字の障害では，線や点が足りなかったり，多かったりする．また，文字がばらばらになったり，バランスが悪い．文字の一部に鏡文字がみられる場合もある．かなに関しては高学年までには読み書き可能になることが多いが，たどたどしさは残存することが多い．高学年では漢字の習得の問題が目立ってく

Chapter 11 小児

る．英語学習においても発音や綴りで困難を示すことが多い[6,8]．算数の障害
では，特に繰り上げ・繰り下げのある計算の障害，数の大小や量，かさ（嵩）
などの理解の困難さなどがある．特に学習場面では文章問題や図形・グラフを
苦手とする場合が多い[5,6,8]．

c) 障害に関する仮説と神経基盤

　SLD は単一の障害ではなく，さまざまな状態が含まれる．多くの研究者が
言語機能を司る左半球の機能不全を想定しているが，明確な発生機序や神経基
盤は解明されていない．読みの障害の原因については文字を音韻に変換する音
韻情報処理過程の障害を仮定する聴覚情報処理障害説と，文字の視覚情報処理
過程の障害を仮定する視覚情報処理説がある[25]．成人の失語症の読み書き障
害の研究から，音韻情報の処理に関しては一次聴覚野（横側頭回）− 左上側頭
回（ウェルニッケ野）− 左下頭頂小葉（角回・縁上回）にいたる回路が重要で
あることが示されている．その一方で，漢字を中心とした単語形体の認知には
紡錘状回を中心とした左側頭葉後下部が重要な働きをしている[26,27]．また，
音読における音声化には左下前頭回（ブローカ野）とその周辺領域が関与して
おり，それらの各領域，あるいは複数の領域間のネットワークの障害が発達性
の読み書き障害研究の主なターゲットとなっている[25]．成人の左下頭小葉の
損傷では書字障害に加えて，手指を中心とした身体イメージの障害（手指失
認），左右弁別の障害，計算障害（失算）の 4 徴候を呈するゲルストマン症候
群（Gerstmann syndrome）[28] が生じる場合がある．小児の発達過程でもそれ
に類似したケースの存在（発達性ゲルストマン症候群）[29] が古くから知られて
いる．計算障害の発生機序を考える上でも重要な病態であると考えられている
が，各症状間の関係を含めまだ不明な点が多い．

6. 小児高次脳機能障害

a) 定義

　血管障害や脳外傷に起因する脳損傷による高次脳機能障害は，いったんは定
型的に発達した成人の問題として扱われがちだが，発達の過程である小児期に

も，突発的な脳損傷によって高次脳機能障害を呈するケースが少なくない．小児期の脳血管障害は稀であり，主な原因は交通事故や転落による脳外傷，ウィルス感染症による急性脳症，窒息や溺水などによる低酸素性脳症などである．それらの中には虐待などの犯罪被害や自殺未遂によるものも含まれる．小児の脳血管障害としては，脳動静脈奇形の破裂による脳出血や，もやもや病（ウイリス動脈輪閉塞症）による脳梗塞などがある[30,31]．実際の患者数についてはまだ不明な点が多いが，栗原[31]は地方都市の小学校で実施したアンケート結果をもとに，全国では最低でも5万人，おそらく7万〜8万人程度と推定している．その症状の類似性などから先天性の発達障害と誤診される場合も少なくない．また，発達障害児・者が事故などで脳を損傷することで，障害が重症化したり，重複化するケースもある．

b) 障害の特性

　成人の高次脳機能障害の症状には，脳血管障害に多い比較的局在性の高い三大巣症状（失語，失行，失認）や半側空間無視，より広範な脳損傷でみられる記憶障害，注意障害，遂行機能障害，社会的行動障害などがある．社会的行動障害は高次脳機能障害支援モデル事業で採用された複数の症状を含むカテゴリーであり，その中には，① 依存性・退行，② 欲求コントロール低下，③ 感情コントロール低下，④ 対人技能拙劣，⑤ 固執性，⑥ 意欲・発動性の低下，⑦ 抑うつなどが含まれる．また多くの患者に認められる症状として疲れやすさ（易疲労性）や，自身の状況を理解できない病識の低下などがある[32]．小児の場合にも，これらのすべての症状が生じうるが，その出現の仕方や表現型には発症年齢や，発達の段階による違いが認められる．発達の早い段階では易疲労性（朝起きられない，ぼんやりしている，姿勢が保てないなど）や注意障害（集中できない，落ち着かない，物をなくすなど）が目立つ場合が多い．学年が上がるにつれて記憶障害（学習内容を憶えられない，やるべきことや約束を忘れる，忘れ物が多いなど）や，社会的行動障害（自分から動こうとしない，感情がコントロールできない，相手の気持ちを考えて行動できない，こだわりが強いなど）が顕在化する．さらに，学校から社会への移行期には遂行機能障害（見通しを立てられない，計画を立てて物事を決められな

Chapter 11　小児

い，思いつきで行動して失敗するなど）が問題になることが多い [30〜32]．

c）障害に関する仮説と神経基盤

　脳の病変と症状の関係についても，基本的には成人と同様である．外傷の場合は，記憶障害，注意障害，感情コントロール障害，遂行機能障害，対人技能拙劣などが認められることが多い．急性脳症では，知的障害とてんかんが問題になる場合が多いが，高次脳機能障害としては視覚認知障害，対人技能拙劣，注意障害，記憶障害などが多い．脳血管障害の場合は，失語が最も多く，次いで注意障害，記憶障害，感情コントロール低下などがみられる [30]．小児では脳の可塑性による代償的な変化や回復が生じる可能性がある一方で，長期的な発達の遅れや機能の欠損が生じる可能性もある [2]．

7. 発達障害と高次脳機能障害の包括的理解

　栗原 [31] は，発達障害（ASD，ADHD，SLD など）と，頭部外傷などによる高次脳機能障害が，ともに脳の機能不全による認知・行動の障害であり，共通の症状が多いことに注目して，前者を先天性高次脳機能，後者を後天性高次脳機能障害として再定義し，包括的に理解・支援することを提案している．主な支援の場所は家庭と学校（通常学級，通級指導教室，特別支援学級，特別支援学校）になるが，実際には圧倒的に数が多い前者のための支援システムを，少数派である後者が便乗的に利用せざるを得ない．また，それが有効である場合も多い．ただし，その場合にも両者の類似性と違いについて理解することが必要である．ASD におけるコミュニケーション障害，対人関係障害，遂行機能障害，SLD における書字言語や計算の障害，ADHD における多動性，衝動性，不注意，遂行機能障害は，後天的な脳損傷による高次脳機能障害でもしばしば出現する症状である．しかし，脳損傷による高次脳障害に生じやすい記憶障害（近時記憶障害）や半側空間無視などは発達障害では稀である．記憶障害が学業や生活上の問題になっている場合は，発達障害のための支援方法は必ずしも有効ではない場合がある．また，脳損傷による後天的な高次脳機能障害の場合は，脳損傷を受ける前に獲得した知識やスキルが保たれている部分もあれば，それ

までは簡単にできていたことができなくなることもある．本人が障害や自己の現状を受け入れられなくて苦悩する場合もあれば，それに無頓着で失敗を繰り返す場合もあり，それ自体も脳の損傷による重要な症状である．また，親や家族は以前の状態を知っているため現状とのギャップに当惑したり，苦悩する場合が多く，長期的なサポートが重要である．それらに対しては，家族会などによる当事者同士の交流や親同士のピア・カウンセリングも有効な支援である[31]．

8. 小児のためのアセスメント手法

a) 神経学的検査と神経学的ソフトサイン

神経心理学的検査の前提となる神経所見の評価方法は，前川[33]などが参考になる．また，従来から発達障害のアセスメントでは，神経学的ソフトサイン（neurological soft signs: NSS もしくは SNS）の評価が重視されてきた．これは中枢神経系の特定領域を限定せず，また特定の神経症候群にも属さないわずかな脳の発達の障害を示すと考えられてきた徴候であり，動作の巧緻性，協応運動，運動保持困難などの不器用さとして観察される．これらの評価に関しては前川[33]，萱村ら[34]が詳しい．その他，アイオワ大学の Benton A の評価システムが邦訳されており[35]，ゲルストマン症候群の各徴候の評価にも対応しているが，日本の小児の基準データは未整備である．

b) 発達検査

乳幼児期の発達の評価については，遠城寺式・乳幼児分析的発達検査[36]（適用範囲は 0 カ月〜4 歳 8 カ月），津守式乳幼児精神発達診断法（適用範囲は 0〜3 歳[37]，3〜7 歳[38]），KIDS 乳幼児発達スケール[39]（適用範囲は 0 歳 1 カ月〜6 歳 11 カ月），新版 K 式発達検査 2001[40]（適用範囲は 100 日頃〜13 歳）などが使用される．新版 K 式は，「姿勢・運動」（P-M），「認知・適応」（C-A），「言語・社会」（L-S）の 3 領域について評価を行う．

Chapter 11　小児

c）知能検査と認知機能バッテリー

　全般的な知能検査バッテリーとしては，**田中ビネー検査 V**[41]，**WPPSI-Ⅲ知能検査**[42]（Wechsler Preschool and Primary Scale of Intelligence-Third Edition：適用範囲は2歳6カ月〜7歳3カ月），**WISC-IV知能検査**[43]（Wechsler Intelligence Scale for Children-Fourth Edition：適用範囲は5歳0カ月〜16歳11カ月）がある．なお2021年に WISC-V知能検査[44]（Wechsler Intelligence Scale for Children-Fifth Edition：適用範囲は5歳0カ月〜16歳11カ月）が公刊され，導入が進んでいる．また年齢によっては WAIS-IV知能検査[45]（Wechsler Adult Intelligence Scale-Fourth Edition：適用範囲は16歳0カ月〜90歳11カ月）も使用可能である．知能検査に準じる小児用の認知機能バッテリーとして，**日本版KABC-Ⅱ**[46]（Kaufman Assessment Battery for Children Second Edition：適用範囲は2歳6カ月〜18歳11カ月）と **DN-CAS認知評価システム**[47]（Das-Naglieri Cognitive Assessment System：適用範囲は5歳0カ月〜17歳11カ月）もわが国ではよく使用されている．この2つの検査は旧ソビエトの神経心理学者 Luria A の脳機能のモデル（側頭・頭頂・後頭葉の入力系と前頭葉の出力系，継次統合と同時統合）の影響を受けており，Luria が使用した課題も一部取り入れられている（ただし，課題遂行過程の質的な観察を重視した Luria は，標準化検査の意義に関しては否定的であった）．積木を使用した**コース立方体組み合せテスト**[48]（Kohs Block Design Test：適用範囲は児童〜高齢者），色彩図版を使用した選択式の**レーヴン色彩マトリックス検査**[49]〔Raven's Coloured Progressive Matrices：付属マニュアルは高齢者用だが，小・中学生の基準データ[50]（本書337ページ）も報告されている〕も非言語性の簡易知能検査として古くから使用されている．大脇式盲人用知能検査[51]（適用範囲は全盲6歳〜成人）は，手触りの異なる4種類の布を張った積木を使用した，視覚障害者用の触覚性の作業式知能検査である．

d）言語

　小児の言語発達の簡易評価には，**ことばのテストえほん**[52]（適用範囲は幼児〜小学校低学年）や **PVT-R絵画語い発達検査**[53]（適用範囲は3歳0カ月

〜12歳3カ月）の使用頻度が高い．PVT-Rは「語いの理解力」の発達度を，4コマの絵の中から，検査者が聴覚的に提示した単語に最もふさわしい絵を選択させることで検査する．**国リハ式＜S-S法＞言語発達遅滞検査改訂第4版** [54]（適用範囲は1歳前後〜小学校就学前）は，「記号形式—指示内容関係」，「基礎的プロセス」「コミュニケーション態度」の3部で構成されており，有意味語が出現する前の評価も可能である．**ITPA言語学習能力診断検査** [55]（現行は1993年改訂版：適用年齢3歳0カ月〜9歳11カ月）は，Kirk Sらの Illinois Test of Psycholinguistic Abilities の日本版である．言語機能が「視覚—運動回路」，「聴覚—音声回路」の2つの回路によって実現されると仮定し，それらの諸側面を測定する10の下位検査から構成されている（ことばの理解，絵の理解，ことばの類推，絵の類推，ことばの表現，動作の表現，文の構成，絵さがし，数の記憶，形の記憶）．全体的な発達のレベルだけでなく，個人内差に注目した分析が重視されている．**ATLAN適応型言語能力検査** [56]（Adaptive Tests for Language Abilities：適用範囲は小学生〜中学生）は，「語彙（ことば）」「漢字」「（漢字の）書取り」「文法・談話」「音韻意識」「語用」の6種類の下位検査から構成されたPCベースの検査で，使用は許諾制となっている．

e）視空間認知

Frostig M の Developmental Test of Visual Perception の邦訳である **DTVPフロスティッグ視知覚発達検査** [57]（適用範囲は4歳0カ月〜7歳11カ月）が利用されることが多い．5つの視空間認知スキル（視覚と運動の協応，図形と素地，形の恒常性，空間における位置，空間関係）を測定する．また最近，Optometry（検眼医学）の知見を取り入れた **WAVES** [58]（見る力を育てるビジョン・アセスメント：適用範囲は小学校1〜6年生程度）も開発され普及が進んでいる．

f）社会能力・社会適応

S-M社会生活能力検査第3版 [59]（適応範囲は乳幼児〜中学生）は，「身辺自立」「移動」「作業」「コミュニケーション」「集団参加」「自己統制」の6項

Chapter 11　小児

目を評価する．Vineland-Ⅱ適応行動尺度[60]（適用範囲は0～92歳）は，国際的に使用されているVineland Adaptive Behavior Scales Second Editionの日本版である．家族や介護者に対する半構造化面接によって，「コミュニケーション（受容言語，表出言語，読み書き）」「日常生活スキル（身辺自立，家事，地域生活）」「社会性（対人関係，遊びと余暇，コーピングスキル）」「運動スキル（粗大運動，微細運動）」の4つの適応行動領域と，「不適応行動領域（不適応行動指標，不適応行動重要事項）」を評価する．

9.　成人用神経心理学的検査の応用

　小児に直接的に使用できる神経心理学的検査が少ないことから，成人用の検査を小児に実施することも多い．その場合には，検査を受ける小児に過剰なストレスや苦痛を与えないように十分な配慮が必要である．また，成人の基準データや文化的に異なる海外の基準データとの直接比較は，あくまでも参考に留めるべきである．

　わが国で公表されている成人用神経心理学的検査の，小児の基準データに関する研究としては，加戸[61]（慶應版Wisconsin Card Sorting Test），村井ら[62]（語流暢性），荏原ら[63]（ウェクスラー記憶検査，Trail Making Test，慶應版Wisconsin Card Sorting Test，SLTA標準失語症検査）などがある．また特にRey複雑図形（Rey Complex Figure）に関しては構成能力や記憶を評価する標準的な方法に関する小学生のデータ[24]だけでなく，模写を対象に遂行機能の質的な評価を試みた研究[64～67]が報告されている．6～18歳の健常児133名を対象とした荏原ら[63]によれば，WMS-Rの記銘力は12歳で16～17歳レベルの90％以上に達する．Trail Making Testは14歳まで急速に発達し以後ほぼ一定になる．SLTAでは読み書きなどの一部を除き6～7歳で90～100％の正答率を示す．WCSTの処理能力は10歳まで向上した後停滞し，16歳以降再び向上する2段階の発達を示した．なお，学童期の注意の測定に海外でよく使用されているTapping Span（視覚性スパン），PASAT（Paced Auditory Serial Addition Test　定速聴覚的連続加算テスト），CPT（Continuous Performance Test　ヴィジランス課題）は改訂版標準注意検査法（CAT-R）[68]

に含まれているが，小児の基準データは用意されていない．

10. 発達障害のスクリーニング・診断用ツール

a）自閉スペクトラム症（ASD）

まず主にスクリーニングを目的としたツールを紹介する．**乳幼児期自閉症チェックリスト修正版**[69]（Modified Checklist for Autism in Toddlers：M-CHAT）は2歳前後の乳幼児，特に1歳6カ月検診での自閉症スクリーニングを目的に開発された養育者記入式の質問紙の日本版で，アイコンタクト，他児への関心，微笑み返し，呼名反応，人見知りなど23項目（一部はダミー項目）から構成されている（国立精神・神経医療研究センター精神保健研究所のHPからダウンロード可能）．**親面接式自閉スペクトラム症評定尺度テキスト改訂版**[70]（PARS-TR：適応範囲は3歳以上）は，養育者を対象にした半構造化面接法であり，自閉スペクトラム症の発達・行動症状の有無と程度を評価する57項目からなる．Baron-Cohen Sらによって開発されたAutism-Spectrum Quotientの日本版である，**AQ日本語版自閉症スペクトラム指数児童用**[71]（適用年齢6〜15歳）も養育者が評定する質問紙検査（4段階評価）で，「社会的スキル」「注意の切り替え」「細部への関心」「コミュニケーション」「想像力」の5つの下位尺度（各10の質問から構成）を含んでいる．尺度得点と総合得点が求められ，総得点にはカットオフ値が定められている．この検査には自己記入式の**AQ日本語版自閉症スペクトラム指数成人用**[72]（5段階評価だが，下位尺度などの構成は同じ）もある．

診断のためのツールは，訓練を受けた専門家が実施する半構造化面接が主となる．**ADI-R日本語版**[73]は，Lord Cらによって開発された親に対する半構造化面接法であるAutism Diagnostic Interview Revised（ADI-R）の日本語版である．2歳から成人までの対象に使用できる．「面接プロトコル」は，DSMの診断基準に準拠して「導入」「初期発達」「言語・その他のスキルの獲得と喪失」「言語と意思伝達機能」「社会的発達と遊び」「興味と行動」「行動全般」の各領域で93項目が設定されている．それぞれを「問題がない（0）」〜「明確な問題があり生活上の支障になっている（3）」の4段階で評定する．幅

Chapter 11 小児

広い年齢層に適用できるよう，項目ごとに「現在」（過去3カ月間），「今まで」（生まれてから現在までのいずれかの時点），「4歳0カ月〜5歳0カ月の間で最も異常な場合」の3つの年齢期が設定されている．診断アルゴリズムによって「相互的対人関係の質的異常」「意志伝達の質的異常」「限定的，反復的，常同的行動様式」の合計スコアを求め，それぞれのカットオフ値から「ASD」「非ASD」の診断分類を行う．他に，現在の症状程度を把握するための現在症アルゴリズムがある．所要時間は90〜150分で，回答者がその子どものことを熟知していることが必須である．

　主に親を対象としたADI-Rに対して，被面接者の検査中の行動を直接観察して詳細な評価を行うのが，Lord C らのAutism Diagnostic Observation Schedule Second Edition（ADOS-2）である．ADOS-2日本語版 [74] では，モジュールT（無言語〜1，2語文レベルで12〜30カ月の幼児），モジュール1（無言語〜1，2語文レベルで31カ月以上），モジュール2（動詞を含む3語文以上〜流暢に話さないレベル），モジュール3（流暢に話すレベルの子ども／青年前期），モジュール4（流暢に話すレベルの青年後期／成人）の5つのモジュールが設定されている．決められた質問項目や用具を用いて，対人コミュニケーション行動を最大限に引き出し，30〜50分程度の行動観察の間に「A: 言語と意思伝達」「B: 相互的対人関係」「C: 遊び/想像力」「D: 常同行動と限定的興味」「E: 他の異常行動」の5領域30項目を3〜4段階で評定する．その結果に診断アルゴリズムを適用して「自閉症」，「自閉症スペクトラム」，「非自閉症スペクトラム」のいずれかに診断分類する．モジュール1〜3では，診断分類以外に，ADOS2比較得点（得点範囲1〜10）が求められる．これによって年齢や言語水準の影響をできる限り除いてASD症状の重症度を調べることができる．

　新装版CARS-小児自閉症評定尺度 [75]（the Childhood Autism Rating Scale）は，ノースカロライナ大学のSchopler E らのASDを対象とした構造化による支援プログラム（Treatment and Education of Autistic and Related Communication Handicapped Children and Adults: TEACCH）で使用される評価尺度で，15の評価項目（人との関係，模倣，情緒反応，身体の使い方，物の扱い方，変化への適応，視覚による反応，聴覚による反応，味覚・

嗅覚・触覚反応とその使い方，恐れや不安，言語性のコミュニケーション，非言語性のコミュニケーション，活動水準，知的機能の水準とバランス，全体的な印象）から構成されている．

b）ADHD

ADHD–RS[76]（適用範囲は5〜18歳）は，DuPaul G らの ADHD Rating Scale-IVの日本版である．DSM-IVに準拠した家庭版と学校版の2種類があるが，質問はいずれも18項目である．過去6カ月における子どもの様子を4段階評定で評価する．得点をスコア分析シートに記載することで，パーセンタイル値が求められる．Conners 3 日本語版 R（改訂版）[77]（対象年齢は，養育者および教師の評価は6〜18歳，自己報告では8〜18歳）は Conners C によって開発された Conners 3 の日本版である．養育者用110項目，教師用115項目，青少年本人用99項目からなり，改定版は DSM-5 に準拠している．「不注意」「多動性／衝動性」「学習の問題」「実行機能」「挑戦性／攻撃性」「友人／家族関係」の6スケールから各特性を評価する．また ADHD と併存することが多い「素行症（CD）」「反抗挑発症（ODD）」や「不安」「抑うつ」も評価できる．詳細な分析が可能であるが回答項目が多く採点も複雑である．この検査には成人用の CAARS 日本語版[78]（Conners' Adult ADHD Rating Scales）自己記入式，観察者評価式）もある．成人の ADHD のスクリーングには自己記入式の WHO 尺度（ASRS-V1.1）[79] の翻案（日本イーライリリーの HP などで利用可能）もよく利用されている．

成人の ADHD 診断面接のツールとしては，Epstein J らの Conners' Adult ADHD Diagnostic Interview for DSM-IV（CAADID）がある．CAADID 日本版[80]（適応年齢は18歳以上）は「パートⅠ：生活歴」と「パートⅡ：診断基準」から構成されており，それぞれの所要時間は60〜90分とされている．「パートⅠ：生活歴」は対象者の生活歴を把握するためのもので，家庭・学校・職場での様子，成育歴，既往歴などについて，「はい／いいえ」または自由記述で回答する．「パートⅡ：診断基準」は診断面接であり，成人期と小児期の両方において問題となる症状について，対象者は臨床家との面接で回答する．基準 A は ADHD の症状に対する質問，B は発症年齢に関する質問，C

Chapter 11 小児

は症状の広汎性（症状がみられる場所や場面）に関する質問，D は ADHD 症状に起因する障害のレベル（学校での行動，家庭での行動，社会的な行動，自己感覚・自己概念・自尊心への影響など）に関する質問から構成されている．小児期と成人期それぞれについて，ADHD の診断を行い，サブタイプ（不注意優勢型/多動性―衝動性優勢型/混合型）を評価する．薬物療法の効果判定にも推奨されている．

c) LD（SLD）

LDI–R[81]（LD 判断のための調査票：適応範囲は小〜中学生）は，学習面の特徴を把握するための教師用の評価尺度として 2005 年に出版された LDI（Learning Disabilities Inventory）の改訂版である．LD の教育的定義に従って，小学生には「聞く」「話す」「読む」「書く」「計算する」「推論する」「行動」「社会性」の 8 領域，中学生にはそれらに「英語」「数学」を加えた 10 領域の評価を行う．各領域につき，12 項目（「数学」のみ 8 項目）の質問項目があり，「ない」「まれにある」「ときどきある」「よくある」の 4 段階で評価する．領域ごとの粗点合計からパーセンタイル段階を求め，プロフィール図を作成することで個人内差を評価する．読み書きについては，複数の検査が作成されている．特異的発達障害診断・治療のための実践ガイドライン[82]（適用範囲は小学校 1〜6 年生）には，主に小児科の診察場面でのスクリーニングを目的とした読みの検査が含まれる．「単語連続読み課題」「単語速読検査」「短文音読検査」から構成されているが，日本語の読み書きの習得の基礎となる，かなの読みに焦点をあてている．小学生の読み書きスクリーニング検査（Screening Test of Reading and Writing for Japanese Primary School Children: STRAW）は，ひらがな，カタカナ，漢字について音読と書取りを（言語音を聞き，その通りに書き取る）の 2 種類の課題から構成されている．その改定版である STRAW–R[50]（適用範囲は小学校 1 年生〜高校 3 年生）では，音読速度を調べる速読課題，漢字の音読年齢が算出できる漢字音読課題，中学生用の漢字単語課題，線画を連続的に呼称させる RAN（Rapid Automatized Naming）課題，計算課題が加えられた．小中学生の読み書きの理解 URAWSS II[83]（Understanding Reading and Writing Skills of Schoolchildren II：適応範囲は小学生～中学生）は，主に読み書き速度に焦点をおいた検査で，読み書きが苦手な子どもたちに，ICT などを活用した支援を行うために作成された．中学生における英単語の習得度を評価する URAWSS–English Vocabulary[84] も用意されている．**ELC 読み書き困難児のための音読・音韻処理能力簡易スクリーニング検査**[85]（適用範囲は小学校 1 年生後期～小学校 3 年生）は，読み困難がある児童を早期に発見し，学習指導に活かすことを目的とした検査で，音読検査と音韻検査の 2 種類あり，PC で録音した回答から発話時間を計測して分析する．**CARD 包括的領域別読み能力検査**[86] は，音読・読解過程の認知モデルに基づいて「音韻段階（文字・音変換，音韻意識）」「統語」「読解」など領域別の評価を行う検査で，小学校 1～6 年生）が対象である．読み書きに障害のある大学生を支援する目的から，18 歳から 20 歳代を対象に開発されたのが，読み書きの速さと正確さを測定する読字・書字課題（Reading and Writing Fluency task：RaWF）と，SLD の可能性を調べる読み書き支援ニーズ尺度（Reading and Writing Support Needs scale：RaWSN）である[87]．RaWF は黙読課題，短文の意味判断課題，複写課題，音読課題から構成されており，個別もしくは集団で実施する（音読課題は個別のみ）．RaWSN は大学生として学修面で感じる困難に関する 44 項目と，小学生時代に感じていた困難に関する 49 項目の計 93 項目から構成された質問紙である．目的に応じてより少ない項目で実施できるように，さまざまな短縮版が用意されている．

11. 今後の課題

　人間の発達は生涯続くが，発達障害を主な対象とする小児の神経心理学，高次脳機能障害を主な対象とする成人の神経心理学，認知症を主な対象とする高齢者の神経心理学は，診療科も異なりそれぞれ独自の専門領域を構成している．発達は単なる量的な変化ではなく，発達の各段階で問題になる疾患や症状も異なるが，その一方で生涯を通じた切れ目のない評価へのニーズも高まっている．例えば，高齢者の問題行動が，認知症によるものか，もともと存在していたかもしれない発達障害によるものかの鑑別が必要な場合がある．また，発

Chapter 11 小児

達障害，後天性高次脳機能障害，認知症の合併の可能性が問題になるケースもある．しかし，現実には発達障害の特性が生涯でどのように変化するのかさえ，十分には解明されていない．検査法や基準データの整備を含め，生涯発達を包括的に理解する研究パラダイムの確立が，今後の大きな課題である．

最近聴力は正常であるにもかかわらず，学校や職場などの日常生活場面で言語音の聞き取りにくさが生ずるという聴覚情報処理障害（auditory processing disorder: APD）を訴える人が増加し，新しい障害として社会問題化している[88]．雑音の中で人の声が聞き取れない，聞き返しや聞き間違いが多い，早口や小声が聞き取りにくい，口頭で言われたことは忘れてしまったり，理解しにくいなど多彩な自覚症状がある．このような症状が発達期から存在した場合は，読み書きの発達にも影響を与える可能性が想定される．また ASD に認められる聴覚過敏や聴覚鈍麻，ADHD の不注意との関連も注目されている．APD については，かつて中枢性聴覚障害あるいは中枢性聴覚情報処理障害として後天性の聴覚失認，語聾，聴覚性消去などとの関係も含めた神経心理学的な研究が行われていたが，その病態や原因の多様性（過度の不安やストレスによるものも多いといわれている）から，現在では現象面を取り上げた聴覚情報処理障害という名称が定着した経緯がある．この APD についても，脳機能画像などの新しい技術を活用した再検討が必要である．

また，ASD に関しては，最近 ASD 児・者の方言の不使用に関する研究[90]が注目を集めている．言語獲得や社会性の発達を考える上でも興味深い話題であり，発達神経心理学的な検討が期待される．

■文 献

1) 堀口寿広. 診療のなかでの実施上の注意. 小児内科, 2018; 50: 1337-42.
2) Bernstein JH, Waber DP. Pediatric neuropsychological assessment. In: Feinberg TE, Farah MJ, eds. Behavioral neurology and neuropsychology. New York: McGraw-Hill; 1997. p.729-36.
3) 名越斉子. 総論: アセスメント. In: 特別支援教育士資格認定協会, 編. 特別支援教育の理論と実践 I—概論・アセスメント. 東京: 金剛出版; 2018. p.85-98.
4) American Psychiatric Association. Diagnostic and statistical manual of mental disorders. Fifth edition, text revision (DSM-5-TR). Washington DC: American

Psychiatric Association Publishing; 2022. (日本精神神経学会, 監修. DSM-5-TR 精神疾患の診断・統計マニュアル. 東京: 医学書院; 2023.)

5) 竹田契一, 山下 光. 軽度発達障害とその幼児期の特徴─高機能広汎性発達障害・ADHD・LD・軽度知的障害. 発達. 2004; 25: 6-12.

6) 柘植雅義. 特別支援教育概論 I: 発達障害の理解. In: 特別支援教育士資格認定協会, 編. 特別支援教育の理論と実践 I ─概論・アセスメント─. 東京: 金剛出版; 2018. p.15-34.

7) 小野次朗. 発達障害と医療 II: 教育と医療の連携. In: 特別支援教育士資格認定協会, 編. 特別支援教育の理論と実践 I ─概論・アセスメント─. 東京: 金剛出版; 2018. p.69-81.

8) 山下 光. 発達障害者の心理・生理・病理. In: 守屋國光, 編. 特別支援教育総論─歴史, 心理・生理・病理, 教育課程・指導法, 検査法. 東京: 風間書房; 2015. p.293-312.

9) 三宅邦夫, 久保田健夫. 発達障害のエピジェネティックス病態の最新理解. 日本生物学的精神医学会誌. 2015; 26: 21-5.

10) Frith U. Autism: a very short introduction. New York: Oxford University Press; 2008. 神尾陽子, 監訳. ウタ・フリスの自閉症入門. 東京: 中央法規; 2012.

11) 杉山登志郎. 自閉症に見られる特異な記憶想起現象─自閉症の time slip 現象. 精神神経学雑誌. 1994; 96: 281-97.

12) Mottron L, Burack JA. Enhanced perceptual functioning in the development of autism. In: Burack JA, Charman T, Yirmiya N, et al, eds. The development of autism: perspectives from theory and research. Mahwah, NJ: Lawrence Erlbaum; 2001. p.131-48.

13) Frith U. Autism: explaining the enigma. Oxford: Blackwell Publishers; 1989.

14) Baron-Cohen S, Leslie AM, Frith U. Does the autistic child have a "theory of mind"? Cognition. 1985; 21: 37-46.

15) Williams JH, Whiten A, Suddendorf T, et al. Mirror neurons and autism. Neurosci Biobehav Rev. 2001; 25: 287-95.

16) Ozonoff S, Pennington BF, Rogers SJ. Executive function deficits in high-functioning autistic individuals: relationship to theory of mind. J Child Psychol Psychiatry. 1991; 32: 1081-105.

17) 十一元三. こころの健やかな発達/つまずきと脳─社会性を中心に. こころの科学. 2018; 200: 28-33.

18) Nomi JS, Uddin LQ. Face processing in autism spectrum disorders: from brain regions to brain networks. Neuropsychologia. 2015; 71: 201-16.

19) Becker EB, Stoodley CJ. Autism spectrum disorder and the cerebellum. Int Rev Neurobiol. 2013; 113: 1-34.

Chapter 11 小児

20) Yahata N, Morimoto J, Hashimoto R, et al. A small number of abnormal brain connections predicts adult autism spectrum disorder. Nat Commun. 2016; 7: 11254.

21) Sonuga-Barke EJ. The dual pathway model of AD/HD: an elaboration of neuro-developmental characteristics. Neurosci Biobehav Rev. 2003; 27: 593-604.

22) 浦谷光裕, 飯田順三. 注意欠如・多動症（ADHD）の薬物療法. 臨床精神薬理. 2022; 25: 685-92.

23) Makita K. The rarity of reading disabilities in Japanese children. Am J Orthopsychiatry. 1968; 38: 599-614.

24) Uno A, Wydell TN, Haruhara N, et al. Relationship between reading/writing skills and cognitive abilities among Japanese primary-school children: normal readers versus poor readers (dyslexics). Read Writ. 2009; 22: 755-89.

25) 豊巻敦人. 発達性ディスレクシアの認知神経科学的理解—大細胞系視知覚と聴知覚について. 北海道大学大学院教育学研究院紀要. 2016; 124: 33-47.

26) Iwata M. Kanji versus Kana: neuropsychological correlates of the Japanese writing system. Trends Neurosci. 1984; 7: 290-3.

27) 櫻井靖久. 読み書き障害の基礎と臨床. 高次脳機能研究. 2010; 30: 25-32.

28) Rusconi E, Pinel P, Dehaene S, et al. The enigma of Gerstmann's syndrome revisited: a telling tale of the vicissitudes of neuropsychology. Brain. 2010; 133: 320-32.

29) Miller CJ, Hynd GW. What ever happened to developmental Gerstmann's syndrome? Links to other pediatric, genetic, and neurodevelopmental syndromes. J Child Neurol. 2004; 19: 282-9.

30) 栗原まな. 小児の高次脳機能障害. Jpn J Rehabil Med. 2007; 44: 751-61.

31) 栗原まな. よくわかる子どもの高次脳機能障害. 京都: クリエイツかもがわ; 2012.

32) 橋本圭司. 高次脳機能障害—診断・治療・支援のコツ. 東京: 診断と治療社; 2011.

33) 前川喜平. 小児の神経と発達の診かた. 改訂第3版. 東京: 新興医学出版社; 2003.

34) 萱村俊哉, 萱村朋子. 軽度発達障害児における不器用さ（Clumsiness）の臨床検査法について—神経学的微細徴候（soft neurological signs）の年齢的判定基準を中心に. 武庫川女子大学紀要（人文・社会科学編）. 2005; 53: 59-72.

35) Benton AL, Sivan AB, Hamsher KdeS, et al. Contributions to neuropsychological assessment: a clinical manual. New York: Oxford University Press; 1983. 田川皓一, 監訳. 神経心理評価マニュアル. 新潟: 西村書店; 1990.

36) 遠城寺宗徳. 遠城寺式乳幼児分析的発達検査法（九州大学小児科改訂新装版）. 東

京: 慶應義塾大学出版会; 2009.

37) 津守　眞, 稲毛教子. 乳幼児精神発達診断法 0 才〜3 才まで. 東京: 大日本図書; 1961/2007.

38) 津守　眞, 磯辺景子. 乳幼児精神発達診断法 3 才〜7 才まで. 東京: 大日本図書; 1965/2009.

39) 三宅和夫, 監修. KIDS 乳幼児発達スケール. 東京: 発達科学研究教育センター; 1989.

40) 新版 K 式発達検査研究会. 新版 K 式発達検査法 2001 年度版標準化資料と実施法. 京都: ナカニシヤ出版; 2008.

41) 田中教育研究所, 編. 田中ビネー知能検査 V 理論マニュアル・実施マニュアル・採点マニュアル. 東京: 田研出版; 2003.

42) 日本版 WPPSI-III 刊行委員会. WPPSI-III 知能検査. 東京: 日本文化科学社; 2017.

43) 日本版 WISC-IV 刊行委員会. WISC-IV 知能検査. 東京: 日本文化科学社; 2010.

44) 日本版 WAIS-III 刊行委員会. WAIS-III 知能検査. 東京: 日本文化科学社; 2006.

45) 日本版 WAIS-IV 刊行委員会. WAIS-IV 知能検査. 東京: 日本文化科学社; 2018.

46) 日本版 KABC-II 制作委員会. 日本版 KABC-II. 東京: 丸善出版; 2013.

47) 前川久男, 中山　健, 岡崎慎治. DN-CAS 認知評価システム. 東京: 日本文化科学社; 2007.

48) 大脇義一. コース立方体組み合せテスト. 使用手引改訂版. 京都: 三京房; 2016.

49) 杉下守弘, 山﨑久美子. レーヴン色彩マトリックス検査. 日本文化科学社; 1993.

50) 宇野　彰, 春原則子, 金子真人, 他. 改訂版 標準読み書きスクリーニング検査—正確性と流暢性の評価 (STRAW-R). 東京: インテルナ出版; 2017.

51) 大脇義一. 大脇式盲人知能検査. 改訂版. 京都: 三京房; 1965.

52) 田口恒夫, 小川口宏. ことばのテストえほん. 東京: 日本文化科学社; 1987.

53) 上野一彦, 名越斉子, 小貫　悟. PVT-R 絵画語い発達検査. 東京: 日本文化科学社; 2008.

54) 小寺富子, 倉井成子, 佐竹恒夫, 編著. 国リハ式<S-S 法>言語発達遅滞検査マニュアル. 改訂第 4 版. 千葉: エスコアール; 1998.

55) 上野一彦, 越智啓子, 服部美佳子. ITPA 言語学習能力診断検査手引. 東京: 日本文化科学社, 1992.

56) 髙橋　登, 中村知靖. 適応型言語能力検査 (ATLAN) の作成とその評価. 教育心理学研究. 2009: 57; 201-11. (https://psy2.osaka-kyoiku.ac.jp/atlan)

57) 飯鉢和子, 鈴木陽子, 茂木茂八. DTVP フロスティッグ視知覚発達検査. 東京: 日本文化科学社, 1977.

58) 竹田契一, 奥村智人, 三浦朋子. 見る力を育てるビジョン・アセスメント WAVES. 東京: Gakken; 2014.

59) 上野一彦, 名越斉子, 旭出学園教育研究所. S-M 社会生活能力検査. 第 3 版. 東京: 日本文化科学社; 2016.

Chapter 11 小児

60) 辻井正次，村上　隆，監修．Vineland-II適応行動尺度．東京：日本文化科学社，2014.

61) 加戸陽子．発達障害をともなう子どもへの神経心理学的検査．大阪：関西大学出版部；2008.

62) 村井敏宏，山下　光，小川隆夫，他．小児用語想起課題作成の試みI―小学生の基準データの収集．大阪教育大学紀要．IV. 教育科学．2004；53：83-9.

63) 荏原実千代，高橋伸佳，山崎正子，他．小児認知機能の発達的変化―小児における高次脳機能評価法の予備的検討．リハビリテーション医学．2006；43：249-58.

64) 萱村俊哉，萱村朋子．構成行為の発達と臨床的意義．東京：創造出版；2014.

65) 服部淳子．Boston Qualitative Scoring Systemを用いたRey-Osterrieth Complex Figure Testにおける小学生の視覚構成能力の質的発達―模写条件．小児保健研究2006；65：799-805.

66) 中野広輔，荻野竜也，岡　牧郎，他．The Boston Qualitative Scoring System for the Rey-Osterrieth Complex Figure定性得点の発達変化．神経心理学．2014；30：69-80.

67) 眞田　敏，池田　葵，Higa Diez M，他．発達障害をともなう子どもへのRey-Osterrieth複雑図形検査の臨床応用．岡山大学大学院教育学研究科研究集録．2014；156：7-13.

68) 日本高次脳機能障害学会 Brain Function Test 委員会．改訂版標準注意検査法改訂版・標準意欲評価法．改訂版．東京：新興医学出版社；2022.

69) 神尾陽子，稲田尚子．1歳6か月健診における広汎性発達障害の早期発見についての予備的研究．精神医学．2006；48：981-90.（https://www.ncnp.go.jp/nimh/jidou/aboutus/mchat-j.pdf）

70) 発達障害支援のための評価研究会．PARS-TR（親面接式自閉スペクトラム症評定尺度 テキスト改訂版）．東京：金子書房；2018.

71) 若林明雄．AQ日本語版 自閉症スペクトラム指数児童用．京都：三京房；2016.

72) 若林明雄．AQ日本語版 自閉症スペクトラム指数成人用．京都：三京房；2016.

73) ADI-R日本語版研究会（監訳）ADI-R日本語版．東京：金子書房；2018.

74) 黒田美保・稲田尚子（監修・監訳）ADOS-2日本語版．東京：金子書房；2015.

75) 佐々木正美，監訳．新装版CARS-小児自閉症評定尺度．東京：岩崎学術出版社；2008.

76) 市川宏伸，田中康雄，監修．診断・対応のためのADHD評価スケール ADHD-RS（DSM準拠）．東京：明石書店；2008.

77) 田中康雄，訳．Conners 3®．東京：金子書房；2017.

78) 中村和彦，染木史緒，大西将史．CAARS日本語版マニュアル．東京：金子書房；2012.

79) Kessler RC, Adler L, Ames M, et al. The World Health Organization adult ADHD self-report scale (ASRS): a short screening scale for use in the general

population. Psychol Med. 2005; 35: 245-56.

80) 中村和彦, 監修. 染木史緒・大西将史, 訳. CAADID 日本語版マニュアル. 東京: 金子書房; 2012.

81) 上野一彦, 篁 倫子, 海津亜希子. LDI-R LD 判断のための調査票. 東京: 日本文化科学社; 2008.

82) 稲垣真澄, 編. 特異的発達障害診断・治療のための実践ガイドライン―わかりやすい診断手順と支援の実際. 東京: 診断と治療社; 2010.

83) 河野俊寛, 平林ルミ, 中邑賢龍. 小中学生の読み書きの理解 URAWSSⅡ. 東京: atacLab; 2017.

84) 村田美和, 平林ルミ, 河野俊寛. 中学生の英単語の読み書きの理解 URAWSS-English Vocabulary. 東京: atacLab; 2017.

85) 加藤醇子, 安藤壽子, 原 恵子 他. ELC 読み書き困難児のための音読・音韻処理能力簡易スクリーニング検査. 東京: 図書文化社; 2016.

86) 奥村智人, 川崎聡大, 西岡有香, 他, CARD 包括的領域別読み能力検査. 滋賀: ウィードプランニング; 2014.

87) 髙橋知音, 三谷絵音. 書き困難の支援につなげる 大学生の読字・書字アセスメント: 読字・書字課題 RaWF と読み書き支援ニーズ尺度 RaWSN. 東京: 金子書房; 2022.

88) 小渕千絵. 聴覚情報処理障害 (auditory processing disorders, APD) の評価と支援. 音声言語医学. 2015; 56: 301-7.

89) 松本敏治. 自閉症は津軽弁を話さない―自閉スペクトラム症のことばの謎を読み解く. 東京: 福村出版; 2017.

［山下 光］

B 認知神経科学的アプローチ

　脳における情報処理システムは，感覚器からの情報が視床を経由して扁桃体に転送される情動処理経路と，大脳皮質を経由する認知処理経路の二重のシステム構造になっており，情動処理と認知処理が相互作用を行う脳領域は，前頭葉と考えられている 図1 ．近年注目を集めている発達障害は神経心理学的に前頭葉の機能障害であることが明らかになるにつれて，認知処理経路においては行動抑制やワーキングメモリー（作業記憶）モデルに基づく認知心理学的解析が最近活発に行われてきている[1]．さらに，発達障害児は，情動処理経路の障害から，その発達過程において感情（feeling）の言語化能力（情動認知）が乏しく，共感不全に陥りやすい．その結果心身症，転換性障害さらに感情のコントロールが不能となり衝動的行動（素行障害）へと進展して人格障害や引きこもりなどの社会的適応障害になることがたびたび経験される．

　発達障害児に対する理解の進展は，知覚と認知，学習と記憶，言語・感情とコミュニケーション，理論と思考などの「心の神経メカニズム」を探る神経心理学的立場からの作業仮説による．従来から，神経心理学が人の脳損傷あるいは機能障害によって生じた症状から，神経学（脳）と心理学（心）を統合する

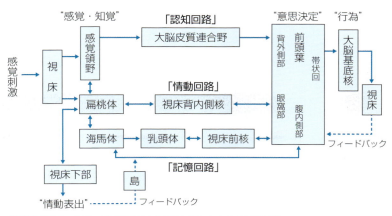

図1 認知・情動・記憶回路と意思決定にかかわる前頭葉

役割を担ってきた．近年，高次脳機能を非侵襲的に測定する脳科学の進歩とともに認知神経科学（cognitive neuroscience）という学際的な研究分野が発展して，発達障害児の脳内メカニズムが急速に解明されてきている[2]．本稿では，前頭葉の成長，成熟を神経放射線学的に，心の発達と前頭葉機能について認知神経科学的立場から解説する．

1. 前頭葉の成長・成熟

a) 前頭葉の成長（growth）

脳の成長とは，脳が大きくなり，安定した構造に近づくことである．猿類の大脳皮質の大きさは，群れの社会構造の複雑さ（social size）に比例していることが報告されている．ヒトの前頭葉，前頭前野の体積を3D-MRIで定量的に測定した 図2 [3]．両者とも年齢とともに増大し，8〜15歳の思春期前後で急激に増大したが，前頭前野の増大が著明であった 図3．低栄養児や難治てんかん児における前頭葉の成長障害が確認されている[4]．

b) 前頭葉の成熟（maturation）

脳の成熟とは，脳内情報処理過程が安定した機能になることで，神経科学的には情報処理速度が速くなること，すなわち髄鞘形成の進展として捉えられる．ちなみに，無髄神経の伝導速度は 2 m/sec で，有髄神経の伝導速度は 50 m/sec となり，飛躍的に情報処理速度が増していく．髄鞘形成の開始，完

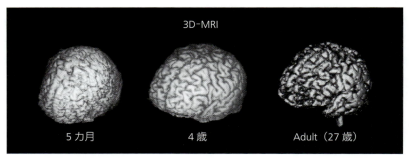

図2 3-dimensional MRI

Chapter 11 小児

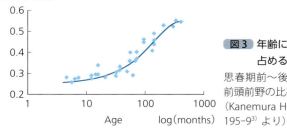

図3 年齢による前頭前野の前頭葉に占める比率変化

思春期前〜後期にかけて前頭葉に対する前頭前野の比率は増加していく．
(Kanemura H, et al. Brain Dev. 2003; 25: 195-9[3] より)

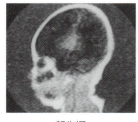
新生児

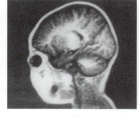
1歳

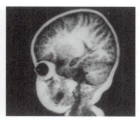
1歳半

図4 髄鞘形成の年齢による変化
（相原正男, 他. CT 研究. 1986; 8: 537-42[5] より改変）

成時期は脳の部位により異なることが，髄鞘の組織染色で知られていたが，MRI（inversion recovery 法）により生体でも観察可能となった **図4**[5]．生後1カ月では，脳全体が低信号であるが視床と体性感覚路が高信号となり，髄鞘形成が開始されている．すなわち自己の身体感覚から成熟していくことが理解できる．生後1歳では，後方の感覚野が広範囲に高信号となり，生後1歳半になると前方の前頭葉に高信号が広がっていく様子が見てとれる．これらの成熟過程は，1歳過ぎに認められるヒトの進化に特徴的な二足歩行，有意語表出，行動抑制における神経基盤と考えられる．

c）前頭葉機能の発達（development of mind）

前頭葉機能の発達順序は，まず行動抑制が出現し，次にワーキングメモリー，実行機能（executive function）が順次認められてくる **図5**．実行

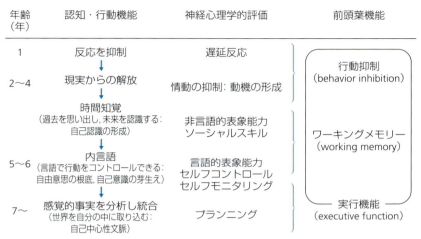

図5 認知・行動発達と神経心理学的機能，前頭葉機能の関係

機能は，将来の目的に向けて判断，計画，行動するためのオペレーティング機能のことで，外の世界を自分の世界（脳）に取り込み目的指向的行動（行為）ができる能力である[2]．この能力により，人は自己中心性文脈（egocentric context）を獲得し，自己を形成（mental self）し，自己実現という動機づけに向かうことができる．

生後数カ月から人は反応を遅らせる能力（遅延反応）が認められるようになる．これは，瞬時の情動（emotion）を抑制することである．もし，反応を抑制できなければ，短期的な報酬を求め，嫌なことから逃げ，間違った行動を繰り返し，さらに自分の思考を内・外からの干渉から抑制できない．注意欠如/多動性障害（Attention-deficit/hyperactivity disorder: ADHD）の基本症状は，自己抑制機能の発達障害と考えられる．ADHD児に衝動性眼球運動（サッケード）のうち記憶誘導性課題を試行すると，行動抑制の障害（脱抑制）が認められる[6]．

ヒトは，このように外から入ってくる刺激に対して反応を遅らせることで，進化心理学的立場から長谷川ら[7]がたとえた「認知的贅沢」の恩恵を受けることが可能になる．われわれは行動を遂行する際，その行動が将来にどのような利益（報酬）をもたらすか，あるいは不利益（罰）を受けるかを予想して行

Chapter 11 小児

動を随時調節している．このような行動様式には，他者の行動や自分の過去の経験から学習し，将来の自己をイメージする非言語性ワーキングメモリーが必要とされる．近年，必要な情報を適切に選び（set），一時的に保持しつつ（short-term memory），不必要になったら消去する（reset）といった一連の情報処理過程すなわちワーキングメモリーが，前頭葉機能，とくに認知・行動の時間的統合化（temporal integration）に関わっていることが提唱されている．この能力から，時間知覚が発達し，自己認識の形成からソーシャルスキルといったものが備わってくる．ADHD児は，この将来のイメージを使えないため，未来に向かって意図した行動がとれず，現在の情動に依存した行動となる．5〜6歳頃より言語の内在化によって，言語を用いて思考し，行動を制御できる能力すなわち言語性ワーキングメモリーが発達する．その結果，自分自身に対し言語で指示できることで，セルフコントロールが可能となり，自由意思が形成される．また，情動も内在化するため，行動に直接結びつく怒り，恐れといった基本感情は複合化され，二次的な混合感情が意識されるようになる．このように情動が内在化された状況が，将来への動機づけられた状態となっていく．ADHD児は，これらの言語・情動の内在化が未熟なため，報酬がなくても自分自身を動機づけて継続的に作業することが困難になる．最後の実行機能は，カオスの状況にある外界の事実を，自己の中で分解，分析して再構築することで世界を自分の中に取り込むことができる能力である．この能力により，人は想像・創造性を獲得する．このように，人の心の発達を行動抑制と実行機能という視点から捉えるとADHD児などの発達障害児を理解しやすく，さらに脳（とくに前頭葉）機能障害として生物学的見地から捉えることが可能になると考えられる．

2. 小児の認知神経科学的検査

a) Frontal assessment battery（FAB）

Duboisらによる FAB は，1）類似性（概念化），2）語の流暢性（心の柔軟性），3）運動系列（運動プログラミング），4）葛藤指示（干渉刺激に対する行動抑制），5）Go/NoGo課題（行動抑制のコントロール），6）把握行動（環

境に対する被影響性）の6つから構成されている[8]．具体的な教示法と採点方法は，別章および文献9を参照されたい．それぞれ0〜3点に点数化され最高点18点で最低点0点である．特殊な器具を必要とせず，慣れれば10〜15分で実施できる点が臨床の現場で推奨される点である．

FABにおける前頭葉機能検査としての妥当性を確認するため，健常成人のFAB施行中の光トポグラフィーによる脳内ヘモグロビン濃度変化を測定した（図6）[10]．光トポグラフィーの原理を概略すると，近赤外線は脳内を通過する間にヘモグロビンで吸収されるので，反射光を計測すると脳内のヘモグロビン濃度の変化を調べることができる．2〜3 cmの空間分解能と頭皮から2 cmの深さの毛細血管床の増加と，血流増加に伴う血流速度を反映すると考えられており，近年脳機能計測に応用されている．われわれは，前頭部に52チャンネルのプローブを装着し，語の流暢性課題施行中の酸素化ヘモグロビンと還元ヘモグロビンの濃度変化を0.1秒ごとに連続測定した．語の流暢性課題施行中の光トポグラフィーを計測した結果は，前頭部において酸素化ヘモグロビン濃

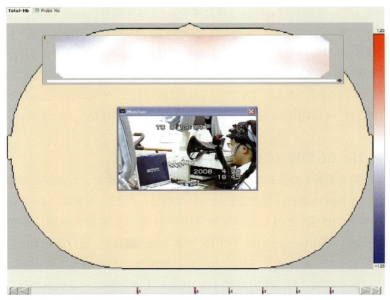

図6 語の流暢性課題試行中の前頭部脳内酸素化ヘモグロビン濃度

Chapter 11 小児

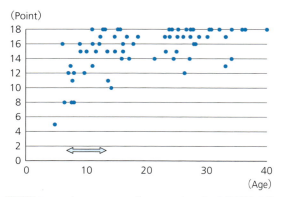

図7 Frontal assessment battery（FAB）の発達的変化
12歳前後で成人域に達する.
（相原正男. 認知神経科学. 2009; 11: 44-7[9]）より改変）

度が上昇していた. 意味記憶を検索する機能（retrieval）は, 前頭葉機能であることが認知神経科学的に証明された.

健常児25名（5〜19歳）にFABを施行したところ, 年齢依存性に総合点数は増加した. 8歳以降急激な上昇を認め, 12歳で総合点数は12点以上となりほぼ成人域（20〜35歳）に達した **図7** [9]. ADHD児（11名, 4〜12歳）では, 総合点数が同年齢の健常児に比して有意に低かった（P＜0.01）. とくに心の柔軟性, 運動プログラミング, 行動抑制のコントロールが有意に低下していた（P＜0.05）. さらにFABは, 同時に施行したWisconsin card sorting test（WCST）の各項目と有意な相関を認めた（P＜0.01）.

b) Go/No-Go課題（行動抑制）

実行機能の前提となる抑制機能について検討するために, 行動抑制電位といわれているNoGo電位の発達変化について検討した[11]. 対象は, 7〜9歳の年少群5例と10〜15歳の年長群7例, 18〜24歳の健常成人9例. 課題は, continuous performance test（CPT）であった **図8**. 用いた刺激の種類は色で白・赤・黄・緑・青の5枚のカードが無作為に160回モニター上に出現し, 手がかり刺激を白, 標的刺激（Go刺激）を赤とした. 手がかり刺激の次の刺激が標的刺激（Go刺激）の時に右拇趾にてキー押しをするよう指示し

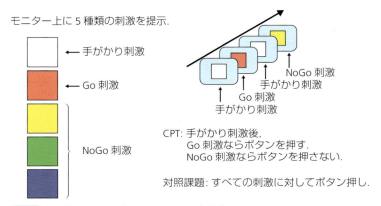

図8 Continuous performance test（CPT）

た．脳波記録は，脳波解析ソフトEPLYZER（キッセイコムテック）を用いて加算平均波形を得た．各年齢群についてグランドアベレージ解析を行い，得られたNoGo波形とGo波形の引き算波形において，刺激後200 ms付近に認める陰性電位をNoGoN2，GoおよびNoGo刺激後300 ms付近以降に認める最大陽性電位をGo/NoGo P3とした．

　NoGo課題における正答率は年少群，年長群，成人群の順に正答率が増加する傾向にあり，年少群と成人群および年少群と年長群の間に有意差を認めた．NoGoの3群波形を **図9** に示す．NoGoN2振幅はFzで年少群と成人群，年長群と成人群間に有意差を認め，成長とともに振幅は低下した．NoGoP3潜時はCzで年齢とともに潜時は短縮し，特に年少群と年長群，年少群と成人群間に有意差を認めた．振幅はFzで年少群と成人群，年長群と成人群間に有意差を認めた．

　NoGo電位の起源として，NoGoN2は右前頭葉および帯状回，NoGoP3は左前頭葉眼窩面と推定され[12]，NoGoN2は葛藤をモニタリングし，NoGoP3は行動抑制機能を反映しているといわれている[13]．今回われわれの検討でNoGoN2は年齢とともに振幅は小さくなっていた．これは，課題を全年齢同じにしているため，それぞれの年齢群に対して難易度は異なっており，難易度の違いが葛藤の程度の違いを生じ，NoGoN2の振幅の違いとなって現れている可能性が考えられる．一方，NoGoP3分布をみると潜時は発達とともに短

Chapter 11 小児

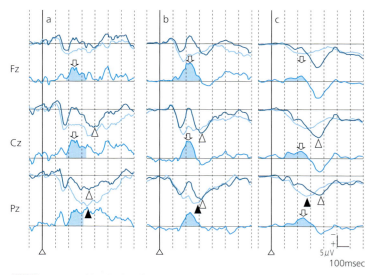

図9 NoGo電位の発達変化
a：年少群（7〜9歳），b：年長群（10〜15歳），c：成人（18〜24歳）
（加賀佳美，他．脳と発達．2008；40：26-31[11]より改変）

縮し，振幅も増大していた．これは行動抑制機能の発達変化を示しており，いわば前頭前野の発達を反映しているものと考えられる．

c）記憶誘導性サッケード課題（行動抑制，ワーキングメモリー）

　ワーキングメモリーは，前頭葉機能と関連する中央実行システムにより制御，操作され，情報が処理されている間，一時的に情報を保持する能力である．記憶誘導性サッケードは，この機能の必要条件である．記憶誘導性サッケード課題を 図10 に示す．注視点の点灯中にターゲットが50ミリ秒だけ点灯する．この点を手がかり刺激とするが，この時被験者は注視点から目をそらしてはならない．一瞬点灯するターゲットを見てしまった場合にはエラーサッケード（anticipatory error）となる．その後，注視点が3秒間点灯した後に消灯するが，被験者はこの注視点の消灯を合図として，手がかり刺激のあった位置を注視する．これは第一に手がかりとなる刺激への行動を抑制つまり「干渉を抑制」しなければならない課題である．さらに，課題の遂行に必要

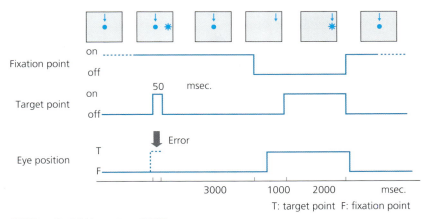

図10 記憶誘導性サッケード課題

な空間情報を内在化し，その情報を能動的に保持しつつ，その情報に基づく行動を準備して反応する典型的な遅延反応課題であり，能動的注意，構え，短期記憶を必要とする．記憶誘導性サッケードにおいてはすべてのパラメータが学童前期，後期で発達的変化を示し，10歳代前半で成熟することが判明した[6]．

d) Cognitive bias task（CBT）（文脈依存性理論）

1994年Goldbergらが考案した前頭葉機能の側性化（lateralization）を検出する神経心理学的検査であるCBTの検討から，右前頭葉は新奇な刺激に対する処理（文脈非依存性理論）を，左前頭葉は既存の情報に基づく内的提示により行動を導く（文脈依存性理論）という仮説（cognitive novelty and cognitive routinization theory）が提唱されている[14]．

検査方法は「形」「色」「数」「塗り方」の4つのカテゴリーからなる図形が描かれた標的カードを提示する．次に2枚の選択カードを同時に提示し，そのうち1枚を被験者の自由に選択させる **図11** ．選択したカードの図形と標的カードの図形とのカテゴリーの一致数を類似度とする．例えば図の上の選択カードを選択した場合，形，色，数が標的カードと一致しているので類似度は3となる．この選択試行を30回行った合計の類似度から，標的に依存しない選択をしたときに予想される類似度の合計値（60）を減じたものの絶対値を

Chapter 11 小児

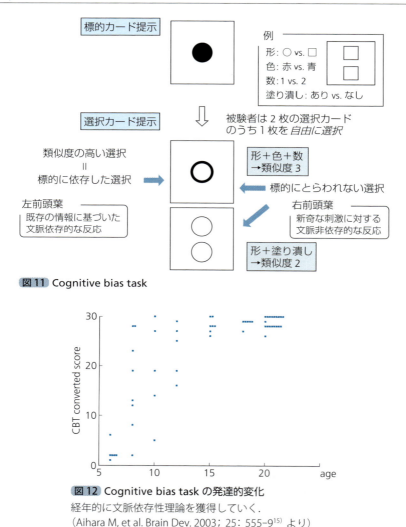

図11 Cognitive bias task

図12 Cognitive bias task の発達的変化
経年的に文脈依存性理論を獲得していく.
(Aihara M, et al. Brain Dev. 2003; 25: 555-9[15] より)

依存度と定義する.
　右利き, 健常男児において5〜6歳は標的カードに依存しない選択をしているが, 年齢とともに標的カードへの依存度は高まり, 15歳頃に成人レベルに達した 図12 [15]. 年齢に伴い右前頭葉機能である文脈非依存的理論から左前

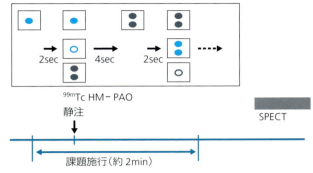

図13 Cognitive bias task 施行中の脳血流測定手順

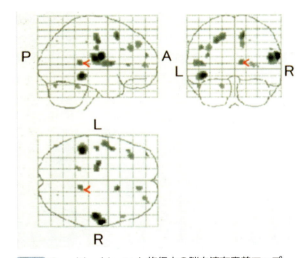

図14 Cognitive bias task 施行中の脳血流有意差マップ
(Shimoyama H, et al. Brain Dev. 2004; 26: 37-42[16] より改変)

頭葉機能である文脈依存的理論へシフトしていくものと考えられる．8名の右利き健常者でCBTとコントロール課題施行中の脳血流量をsingle photon emission computed tomography（SPECT）を用いて測定し，統計学的検討（statistical parametric mapping: SPM）を行ったところ **図13** ，有意に脳血流が上昇した脳内部位は，左右前頭前野，左下前頭野，左後側頭部であった **図14** [16]．すなわち，CBT遂行にはこれらの脳部位が情報処理を相互に協調

して行っているものと考えられる．CBT の臨床応用として，左前頭部脳梗塞児や左前頭葉てんかん児を対象に検討を行った．両疾患とも，前提条件に影響されない思考である文脈非依存性理論，すなわち前頭葉の側性化障害のため前提条件の表象（representation）機能が低下していることが明らかとなった[17]．さらに，文脈依存性理論の獲得は，出生直後の脳損傷児でも代償されないことから生得的制約（innateness）があることが確認されている．

e）Wisconsin card sorting test（WCST）

前頭葉機能検査の gold standard と WCST は位置づけられている．詳細は，別章（Ch. 4-B）を参照されたい．WCST 遂行中，cognitive shift（CS）時に情動が関与することを想定し，情動性自律反応の一つである瞳孔を計測した[18]．対象は右利き定型発達児 17 名（平均年齢 10.5±3.0 歳）と健常成人 9 名（31.4±6.7 歳）である．定型発達児は，発達的変化について検討するため 7〜9 歳を A 群（n=8，平均年齢 8.1±1.0 歳），10〜14 歳を B 群（n=6，11.2±1.6 歳），15〜19 歳を C 群（n=3，15.7±0.6 歳）と 3 群に分類した．

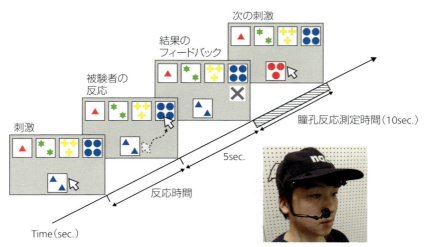

図 15 Wisconsin card sorting test と瞳孔計測の時間設定
問題カードが提示され，被験者の回答選択の 5 秒後に正解，不正解が提示される．瞳孔反応を 10 秒間測定した後に次の問題提示に移る．
(Ohyama T, et al. Brain Dev. 2017; 39: 187-95[18] より)

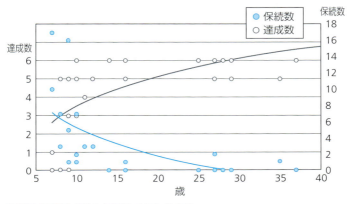

図16 課題達成数と保続数の経年的変化

　課題としてWCST Keio versionを用い，課題施行中の瞳孔径変化を測定した 図15 ．WCSTの成績は，達成数は年齢とともに有意に増加していた（P＜0.001）図16 ．また，保続数は年齢とともに減少していた（P＜0.05）．瞳孔径推移は，健常成人群はCS時に散瞳して連続正答時や次正答発見時には縮瞳したが 図17d ，A群ではCS時に散瞳せず 図17a ，B群からC群で徐々に瞳孔径の変動は成人パターンに近づいた 図17b, c ．

　14名の注意欠如・多動症児（10～16歳）にWCSTを施行したところ[19]，10名の同年齢の定型発達児に比してCS時に散瞳せず，逆に縮瞳していた．同時に測定した近赤外線スペクトロスコピー（near-infrared spectroscopy: NIRS）において，定型発達児ではCS時に両側前頭葉のoxy-Hbが増加していたが，注意欠如・多動症児では増加が認められなかった．注意のシフトには，前頭葉機能と交感神経のカップリングが必要であることが判明し，注意欠如・多動症では中枢と末梢機能のデカップリングが示唆された．

f）報酬予測・警告課題（Markov decision task: MDT）

　強化学習課題であるMDT施行中の自律反応である交感神経皮膚反応（sympathetic skin response: SSR）を測定し，警告および長期的報酬予測における行動抑制・促進に対する情動の役割を検討した[20]．PC画面上の3種類のヒ

Chapter 11 小児

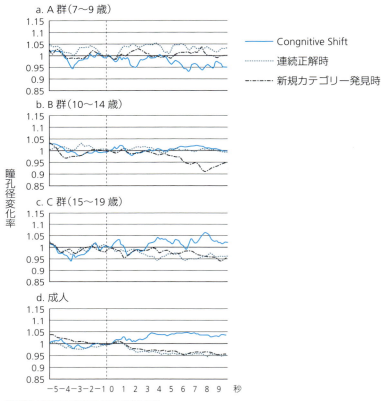

図17 瞳孔径推移の経年齢的変化

成人群では Cognitive shift（CS）時に持続的な散瞳を呈し，他条件下では縮瞳傾向を示した．CS 時の瞳孔径推移は経年齢的に徐々に成人パターンへと近づいてゆく．
(Ohyama T, et al. Brain Dev. 2017; 39: 187-95[18] より改変)

ント図形と 2 種類のボタン押しの組み合せの結果表示される得・失点を手がかりに高得点を目指すのだが，目前の小失点を我慢しないと最終的な高得点を得ることができない仕組みになっている 図18 ．この MDT 施行中に SSR を計測し情動反応を評価した 図19 ．なお，ボタン押し 15 回を 1 セットとして 3 セット施行し，最初のセットから最後のセットまでに得点が増加した群を学習群とした．

健常成人 11 名に得・失点表示時の SSR を計測したところ，学習群で有意に

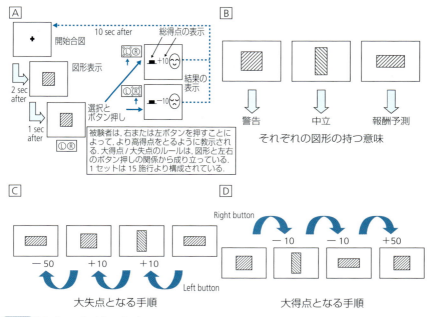

図18 Markov decision task

PC 画面上の3種類のヒント図形と2種類のボタン押しの組合せの結果，表示される得・失点を手がかりに高得点を目指すが，目前の小失点を押しつづけないと高得点を得ることができない仕組みになっている．四角は大失点の警告，横長長方形は大得点の報酬予測刺激となっている．

（Hosaka H, et al. Brain Dev. 2017；39：573-82[20] より改変）

SSR 出現数が高かった 図20a ．次に，ヒント図形表示時の SSR を計測したところ，学習群では，大得点/大失点を予期させるヒント図形（横長長方形：期待，四角：警告）での SSR 出現率が課題施行過程で上昇した 図20b ．これらの結果は，強化学習過程において，大きな失点を回避するための罰予想による行動抑制，または大きな得点を得るための報酬期待による行動促進に情動性自律反応が関与しており，SSR 出現率上昇は強化学習が確立する過程を神経生理学的に表しているものと考えられる．

　状況に則した適切な行動（抑制・促進）を選択（意思決定）し[21]，さらに長期的報酬予測学習に至る文脈を形成するためには生理的覚醒反応が bias と

Chapter 11 小児

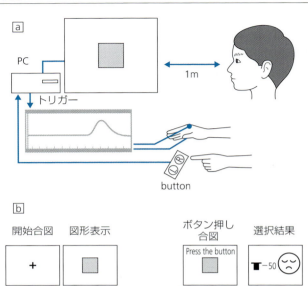

図19 Markov decision task 施行中の交感神経皮膚反応測定手順
(Hosaka H, et al. Brain Dev. 2017; 39: 573-82[20] より)

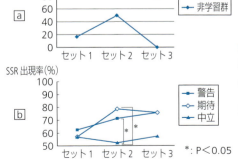

図20 Markov decision task 施行中の交感神経皮膚反応

a: 学習群は非学習群に比して交感神経皮膚反応の出現頻度が高い.
b: 警告・報酬予測刺激に対する交感神経皮膚反応の出現頻度は, 中立刺激に比して課題施行過程で有意に高くなっていく.

して不可欠であるが，Tanaka らは，本課題施行中の functional MRI による健常成人における検討で，長期的報酬予測学習には帯状回，島背側，線条体背側，前頭前野が関与していることを明らかにしており[22]，これらの部位において情動性自律反応を通じた生理的覚醒反応が行動選択に対し bias として作用していることが推察される．

おわりに

　発達障害児が，神経心理学，脳科学により高次脳機能障害として認知されることは，医学，教育，福祉の連携がより密接になり，認知リハビリテーションの開発，医療行為の客観的効果判定が可能になるものと思われる．ひいては，「ヒトの心の発達」を解明する理論の創設に繋がるものと考えられる．

■文 献

1) Barkley RA. Behavioral inhibition, sustained attention, and executive functions: constructing a unifying theory of ADHD. Psychol Bull. 1997; 121: 65-94.

2) Aihara M. Neurodevelopmental disorders and the frontal lobes. In: Goldberg E, editor. Executive functions in health and disease. New York: Elsevier; 2017. p.319-31.

3) Kanemura H, Aihara M, Aoki S, et al. Development of the prefrontal lobe in infants and children: a three-dimensional magnetic resonance volumetric study. Brain Dev. 2003; 25: 195-9.

4) Kanemura H, Aihara M. Neurobiological effects of CSWS on brain growth: a magnetic resonance imaging volumetric study. J Pediatr Epilepsy. 2012; 1: 187-93.

5) 相原正男, 井合瑞江, 竹内明男, 他. 小児頭部における MRI の発達的変化. CT 研究. 1986; 8: 537-42.

6) Goto Y, Hatakeyama K, Kitama T, et al. Saccade eye movements as a quantitative measure of frontostriatal network in children with ADHD. Brain Dev. 2010; 32: 347-55.

7) 長谷川寿一, 長谷川眞理子. 進化と人間行動. 東京: 東京大学出版会; 2000.

8) Dubois B, Slachevsky A, Litvan I, et al. The FAB: a frontal assessment battery at bedside. Neurology. 2000; 55: 621-6.

9) 相原正男. 小児の前頭葉機能評価法. 認知神経科学. 2009; 11: 44-7.

10) Tando T, Kaga Y, Ishii S, et al. Developmental changes in frontal lobe function

during a verbal fluency task: a multi-channel near-infrared spectroscopy study. Brain Dev. 2014; 36: 844-52.

11) 加賀佳美, 岩垂喜貴, 野口佐綾香, 他. Go/NoGo 課題における行動抑制に関わる事象関連電位の検討 第2報: 行動抑制機能の発達変化. 脳と発達. 2008; 40: 26-31.

12) Bokura H, Yamaguchi S, Kobayashi S. Electrophysiological correlates for response inhibition in a Go/NoGo task. Clin Neurophysiol. 2001; 112: 2224-32.

13) Jonkman LM. The development of preparation. conflict monitoring and inhibition from early childhood to young adulthood: a Go/Nogo ERP study. Brain Res. 2006; 1097: 181-93.

14) Goldberg E, Podell K, Harner R, et al. Cognitive bias, functional cortical geometry, and the frontal lobes: laterality, sex, and handedness. J Cognit Neurosci. 1994; 6: 276-96.

15) Aihara M, Aoyagi K, Goldberg E, et al. Age shifts frontal cortical control in a cognitive bias task from right to left: part I. neuropsychological study. Brain Dev. 2003; 25: 555-9.

16) Shimoyama H, Aihara M, Fukuyama H, et al. Context-dependent reasoning in a cognitive bias task; part II. SPECT activation study. Brain Dev. 2004; 26: 37-42.

17) Aoyagi K, Aihara M, Goldberg E, et al. Lateralization of the frontal lobe functions elicited by a cognitive bias task is a fundamental process. Lesion study. Brain Dev. 2005; 27: 419-23.

18) Ohyama T, Kaga Y, Goto Y, et al. Developmental changes in autonomic emotional response during an executive functional task: a pupillometric study during Wisconsin card sorting test. Brain Dev. 2017; 39: 187-95.

19) Kaga Y, Ohyama T, Goto Y, et al. Impairment of autonomic emotional response for executive function in children with ADHD: A multi-modal fNIRS and pupillometric study during Wisconsin Card Sorting Test. Brain Dev. 2022; 44: 438-45.

20) Hosaka H, Aoyagi K, Kaga Y, et al. Developmental changes in autonomic responses are associated with future reward/punishment expectations: a study of sympathetic skin responses in the Markov decision task. Brain Dev. 2017; 39: 573-82.

21) 相原正男. 感情の発達/つまずきと脳. In: 青木省三, 福田正人, 編. 子どものこころと脳－発達のつまずきを支援する. 東京: 日本評論社; 2022. p.77-89.

22) Tanaka SC, Doya K, Okada G, et al. Prediction of immediate and future rewards differentially recruits cortico- basal ganglia loops. Nat Neurosci. 2004; 7: 887-93.

[相原正男]

検査の実際

1. WISC-V知能検査（Wechsler Intelligence Scale for Children-Fifth Edition：ウェクスラー児童用知能検査第5版）[1]

　ウェクスラー式知能検査は，WPPSI-Ⅲ知能検査（Wechsler Preschool and Primary Scale of Intelligence-Third Edition；適用年齢2歳6カ月～7歳3カ月），WISC-V知能検査（Wechsler Intelligence Scale for Children-Fifth Edition；適用年齢5歳0カ月～16歳11カ月）およびWAIS-IV知能検査（Wechsler Adult Intelligence Scale-Fourth Edition；適用年齢16歳0カ月～90歳11カ月）の3種類に分けられる．本稿では，学齢期の小児において最も一般的に用いられている知能検査であるWISC-V知能検査を取り扱う．

　WISC-V知能検査は，5歳0カ月から16歳11カ月の児童を対象とした個別式知能検査であり，WISC-IV知能検査（Wechsler Intelligence Scale for Children-Fourth Edition. Wechsler；2003，日本では2010）の改訂版である．

　WISC-V知能検査では，下位検査の結果から合成得点が算出される．合成得点には，全般的な知能を表すFSIQ（Full Scale IQ）と指標得点がある．指標得点は，さらに主要指標と補助指標の2つのカテゴリーに分類される．主要指標は，特定の認知領域の知的機能を表し，知的能力の包括的な記述および評価に用いられ，言語理解指標（Verbal Comprehension Index：VCI），視空間指標（Visual Spatial Index：VSI），流動性推理指標（Fluid Reasoning Index：FRI），ワーキングメモリー指標（Working Memory Index：WMI），処理速度指標（Processing Speed Index：PSI）の5つで構成される．補助指標は，量的推理指標（Quantitative Reasoning Index：QRI），聴覚ワーキングメモリー指標（Auditory Working Memory Index：AWMI），非言語性能力指標（Nonverbal Index：NVI），一般知的能力指標（General Ability Index：GAI），認知熟達度指標（Cognitive Proficiency Index：CPI）の5つで構成され，子どもの認知能力やWISC-V知能検査の結果について付加的な情報が得

Chapter 11 小児

表1 WISC-V知能検査の合成得点（FSIQと主要指標）

指標レベル	合成得点	測定される能力
FSIQ	FSIQ	● 全般的な知能
主要指標	言語理解指標（VCI）	● 言語概念形成 ● 言語推理 ● 環境から得た知識
	視空間指標（VSI）	● 視覚情報について，方向，距離，位置などを把握する能力 ● 空間の部分と全体を把握する能力
	流動性推理指標（FRI）	● 視覚的に提示された問題を，推理を活用して解決する能力
	ワーキングメモリー指標（WMI）	● ワーキングメモリー（注意，集中，実行機能，推論を含む）
	処理速度指標（PSI）	● 単純な視覚情報を素早く正確に読み込み，順に処理するあるいは識別する能力 ● 視覚性短期記憶 ● 注意 ● 視覚-運動の協応

※FSIQ: Full Scale Intelligence Quotient, VCI: Verbal Comprehension Index, VSI: Visual Spatial Index, FRI: Fluid Reasoning Index, WMI: Working Memory Index, PSI: Processing Speed Index

られる．合成得点は，いずれも平均100，1標準偏差（standard deviation: SD）15である．本稿ではWISC-Vの合成得点についてFSIQと主要指標を 表1 に示す．

WISC-V知能検査は，16の下位検査で構成され，10の主要下位検査（① 積木模様，② 類似，③ 行列推理，④ 数唱，⑤ 符号，⑥ 単語，⑦ バランス，⑧ パズル，⑨ 絵のスパン，⑩ 記号探し）と，6つの二次下位検査（⑪ 知識，⑫ 絵の概念，⑬ 語音整列，⑭ 絵の抹消，⑮ 理解，⑯ 算数）に分類される．FSIQは，10の主要下位検査のうち7つ（すなわちFSIQ下位検査：上記①〜⑦の下位検査）を実施することで算出可能となっている．しかし，実際には，言語理解指標（VCI），視空間指標（VSI），流動性推理指標（FRI），ワーキングメモリー指標（WMI）および処理速度指標（PSI）を算出して知的能力を包

括的に評価するために，10の主要下位検査（上記①〜⑩）を実施することが推奨されている．また，主要下位検査に加えて6つの二次下位検査（上記⑪〜⑯）を実施することで，知的機能のより広範な測定が可能になり，臨床的な判断のためのさらなる情報が得られる．下位検査はいずれも評価点（Standard Score: SS）が算出され，平均10，1標準偏差（SD）3である．本稿では，FSIQと5つの主要指標（VCI，VSI，FRI，WMIおよびPSI）の算出に必要な10の主要下位検査について，概要と測定される能力を **表2** に示す．

WISC-V知能検査では，「検査結果の質的分析」ともいえるプロセス分析が可能となっている．例えば，「積木模様」，「数唱」および「絵の抹消」の3下位検査について，7つのプロセス評価点（「積木模様：時間割増なし」，「積木模様：部分点」，「数唱：順唱」，「数唱：逆唱」，「数唱：数整列」，「絵の抹消：不規則配置」および「絵の抹消：規則配置」）を算出し，結果について検討できるようになっている．その他にも，WISC-V知能検査では，指標レベルのディスクレパンシー比較（VCI，VSI，FRI，WMIおよびPSIの5つの主要指標得点の差を検討）や，下位検査レベルでの強い能力（S: strength）と弱い能力（W: weakness）の判定も可能である．これらの分析を実施することによって，子どもの認知発達の特徴や教育支援ニーズを詳細に把握することができる．

2. KABC-II 心理・教育アセスメントバッテリー（Kaufman Assessment Battery for Children Second Edition: KABC-II）[2]

KABC-II心理・教育アセスメントバッテリー（Kaufman Assessment Battery for Children Second Edition）は，K-ABCを継承・発展させた新機軸の心理・教育アセスメントバッテリーで，対象児の認知処理能力と習得度を測る個別式検査である．適用年齢は，K-ABCより拡大されて，2歳6カ月〜18歳11カ月となった．

KABC-IIは，20の下位検査で構成され，認知処理過程（情報を認知的に処理して新しい課題を解決する際に機能する：継次尺度，同時尺度，計画尺度，学習尺度）と，学力の基礎となる習得尺度（認知処理過程を通してこれまでに

Chapter 11　小児

表2 WISC-V 知能検査の主要下位検査（10項目）の概要と測定される能力

	FSIQ 下位検査	課題	概要
言語理解指標 （VCI）	○	類似	共通のもの，あるいは共通の概念を持つ2つの言葉を口頭で提示し，それらのものや概念がどのように類似しているかを答えさせる．
	○	単語	絵の課題では検査冊子に描かれた絵の名称を答えさせ，語の課題では単語を読み上げてその意味を答えさせる．
視空間指標 （VSI）	○	積木模様	モデルとなる模様（積木と図版または図版のみ）を提示し，2色の積木を用いて制限時間内に同じ模様を作らせる．
		パズル	選択肢の中から，組み合わせると見本図版と同じになるもの3つを制限時間内に選ばせる．
流動性推理指標 （FRI）	○	行列推理	一部分が空欄になっている行列または系列が描かれた図版を見せ，選択肢から行列や系列を完成させるのに最も適切なものを選ばせる．
	○	バランス	重りの一部が隠されているはかり（天秤ばかり）を見せ，その隠されている重りとして適切なものを選択肢の中から制限時間内に選ばせる．
ワーキングメモリー指標 （WMI）	○	数唱	一連の数字を読んで聞かせ，それと同じ順番（順唱），逆の順番（逆唱），昇順に並べ替えた順番（数整列）でその数字を言わせる．
		絵のスパン	刺激ページに描かれた1つ以上の絵を決められた時間見せ，回答ページにある選択肢から（可能であれば順番に）その絵を選択させる．
処理速度指標 （PSI）	○	符号	見本を手がかりとして，幾何図形または数字と対になっている記号を制限時間内に書き写させる．
		記号探し	左側の刺激記号が右側の記号グループ内にあるかどうかを制限時間内に判断させる．

※VCI: Verbal Comprehension Index, VSI: Visual Spatial Index, FRI: Fluid Reasoning Index,
　WMI: Working Memory Index, PSI: Processing Speed Index
　FSIQ 下位検査: FSIQ を算出するために必要な下位検査（7項目）

測定される能力

- 言語概念形成，抽象的推理
- 結晶性知能，単語知識，認知的柔軟性，聴覚的理解，長期記憶，連合思考と分類思考，重要な特徴と重要でない特徴との区別，言語表現も関与

- 単語知識や言語概念形成
- 結晶性知能，知識量，学習能力，言語表現，長期記憶，言語発達の程度，音声知覚，聴覚的理解，抽象的思考も関与

- 抽象的な視覚刺激を分析して統合する能力
- 非言語的概念形成，非言語的推理，広範な視覚性知能，視覚認知と視覚統合，刺激の処理，視覚と運動の協応，学習，視覚刺激の中で図と地を区別する能力も関与

- 視空間推理が求められる非動作性の知的構成能力，心的回転，視覚ワーキングメモリー，部分と全体関係の理解，抽象的な視覚刺激を分析/統合する能力
- 視覚認知，広範な視覚性知能，流動性知能，同時処理，空間の視覚化と操作，部分間の関係を予想する能力も関与

- 視空間情報を用いて，すべての刺激を関連付ける基本的な概念的法則を識別し，その法則を適用して正答を選択する能力
- 流動性知能，広範な視覚性知能，分類能力，空間能力，部分と全体関係に対する知識，同時処理，視覚的詳細情報に対する注意およびワーキングメモリーも関与

- 物と物の関係を把握するための量的に等しいという概念，そして一致，追加，乗法の概念を適用する能力
- 量的流動性推理と帰納的推理

- すべての数唱課題：情報の登録，短時間の焦点的注意，聴覚識別，聴覚リハーサル
- 数唱/順唱：聴覚リハーサル，ワーキングメモリーにおける一時貯蔵キャパシティー
- 数唱/逆唱：ワーキングメモリー，情報の変換，心的操作，視空間イメージ
- 数唱/数整列：ワーキングメモリー，心的操作
- 「数唱」の 1 つの課題から次の課題へと移行する際：認知的柔軟性および心的敏捷性

- 視覚ワーキングメモリーおよびワーキングメモリーキャパシティー
- 注意，視覚処理，視覚的短期記憶，反応抑制も関与

- 処理速度，視覚的短期記憶，手続き的および偶発的学習能力，視覚認知，視覚と運動の協応，視覚的探査能力，認知的柔軟性，注意，集中力，動機付け
- 視覚的な連続処理，流動性知能も関連

- 視覚認知と判断/反応速度
- 視覚的短期記憶，視覚と運動の協応，抑制制御，視覚弁別，持続的注意，集中力も関与
- 知覚統合，流動性知能，プランニング，学習能力も関与

Chapter 11　小児

子どもが環境から獲得した知識や技能：語彙尺度，読み尺度，書き尺度，算数尺度）に分けて分析することで，認知能力と基礎学力の関連を明らかにし，指導に結び付けることができる．KABC-Ⅱの各尺度と下位検査項目の概要を **表3** に示す．

　KABC-Ⅱは，ルリア（Luria A）の認知処理に関する神経心理学理論を発展させたカウフマンモデルに依拠するとともに，キャッテル-ホーン-キャロル（Cattell-Horn-Carroll：CHC）の広範囲能力および限定的能力に関する心理測定学に基づくCHC理論にも立脚している．したがって，KABC-Ⅱは，カウフマンモデルとCHC理論の2つの理論に基づいた分析が可能となっている **表4** ．

　K-ABCⅡでは，K-ABCにおける「認知処理過程尺度 – 習得度尺度」の枠組み（カウフマンモデル）を基盤に，認知処理尺度は，継次尺度，同時尺度，学習尺度，計画尺度から構成される．これらにより算出される総合尺度の指標が認知総合尺度である．また，習得尺度は，語彙尺度，読み尺度，書き尺度，算数尺度から構成される．これらから算出される総合尺度の指標が習得総合尺度である．さらに，CHC理論に基づき算出されるものがCHC総合尺度であり，広範囲能力に対応する7つの尺度，すなわち，長期記憶と検索尺度，短期記憶尺度，視覚処理尺度，流動性推理尺度，結晶性能力尺度，読み書き尺度，量的知識尺度から構成される．これらの尺度は，いずれも標準得点で表される．

　KABC-Ⅱでは，各下位検査の評価点（平均10，1標準偏差3）と，各尺度の標準得点（平均100，1標準偏差15）を検討するだけでなく，これらの値から，個人間差の強みと弱み（Normative Strength：NSとNormative Weakness：NW）や，個人内差の強みと弱み（Personal Strength：PSとPersonal Weakness：PW）の判定ができる．また，各尺度間の差の比較も検討できる．さらに，各下位検査の粗点から相当年齢を換算することが可能となっている．

330

表3 KABC-Ⅱの各尺度と下位検査項目の概要

	尺度名	下位検査	概要
認知処理尺度	継次尺度	数唱	一連の数字（2から9個）を検査者が言った通りの順番で復唱する.
		語の配列	複数の日常的な物の名前を聞かせ，提示された影絵を検査者の言った順番に指さす. 後半は検査者が刺激を音声提示したあとに物の名称を言い（色による妨害），その後，影絵を指さす.
		手の動作	一連の手の動作（げんこつ，手刀，手のひら）を提示された順序通りに正確に模倣する.
	同時尺度	顔探し	1人または2人の顔写真を5秒間見たあと，次に示される集合写真の中から直前に見せられた顔の人を選ぶ.
		絵の統合	部分的に欠けた絵を見て，その絵が表す物の名称を言うか，その機能などを説明する.
		近道探し	犬のミニチュアを障害物が配置されたチェッカー盤のような庭の図版上で動かし，骨のある位置まで速く移動させる（最も少ない動きで到達する）経路を見つける.
		模様の構成	所定の数の三角形（片面が青・片面が黄色）で，提示された抽象的な図形と同じ模様を作る.
	計画尺度	物語の完成	1つの物語になっている一連の絵（または写真）を提示し，その中の空欄に複数の絵（または写真）カードとして示される選択肢から適切なカードを選んで配列する.
		パターン推理	ある規則に従って一直線に並べられた一連の刺激パタン（抽象的もしくは有意味）が提示されるが，そのうちの1つが空欄となっており，この空欄に入るべき正しい絵や図形を4から6個の選択肢の中から選ぶ.
	学習尺度	語の学習	検査者は，架空の4種の魚，4種の草および4種の貝の絵を子どもに1つずつ提示しながら，無意味な名前を教える．その後，子どもは複数の絵が描かれている中から検査者が言った名前に相当する絵を指さす.
		語の学習遅延	「語の学習」を終えてから15分から25分後に，検査者が言う名前の魚，草，貝の絵を指さす.

（つづく）

Chapter 11　小児

表3 KABC-Ⅱの各尺度と下位検査項目の概要（つづき）

	尺度名	下位検査	概要
習得尺度	語彙尺度	表現語彙	絵の名称を口頭で答える.
		なぞなぞ	複数の具体的・抽象的な言語概念の特徴から，それを表す絵を指さしたり，その名称を口頭で答える.
		理解語彙	並べられた6枚の絵の中から，音声で提示された単語を指さす.
	読み尺度	ことばの読み	ひらがな，カタカナ，漢字を音読する.
		文の理解	文章を読み（音読でも黙読でもよい），そこに書かれてある内容を動作で表す. 後半は，長文読解の問題が用意されており，制限時間の中で，選択肢の中から正しい答えを選ぶ.
	書き尺度	ことばの書き	適切なひらがな，カタカナ，漢字を書字する.
		文の構成	提示されたことばをすべて含む短文を制限時間内でできるだけ多く作成する.
	算数尺度	数的推論	音声のみならず文章と絵で提示される算数や数学の問題を解く.
		計算	計算問題を解く.

3. DN-CAS 認知評価システム（Das-Naglieri Cognitive Assessment System: DN-CAS）[3]

　DN-CAS認知評価システム（Das-Naglieri Cognitive Assessment System）は，ルリア（Luria A）の神経心理モデルから導き出されたダス（Das J）らの「知能のPASS理論」を基盤とした個別式心理検査である．検査の適用年齢は5歳0カ月〜17歳11カ月である．「知能のPASS理論」とは，人間の認知機能が，プランニング（P: Planning），注意（A: Attention），同時処理（S: Simultaneous），継次処理（S: Successive）という4つの重要な活動に基づいており，これらが個人の知識基盤を変化させるという考えである **表5**．

　DN-CASは，全検査尺度，PASS尺度および下位検査の3つの水準から構成

332　　　JCOPY 498-22913

表4 カウフマンモデルと CHC 理論における各尺度の内容

カウフマンモデル

尺度		内容
認知処理尺度	継次尺度	連続した，または時間的順序のある刺激を処理する能力
	同時尺度	刺激を全体的・空間的に統合し処理する能力
	計画尺度	高次の意志決定に関する実行機能
	学習尺度	注意・覚醒，情報の符号化，プランニングの3つの処理過程の統合を反映
習得尺度	語彙尺度	語彙獲得，言語表現，言語理解
	読み尺度	文字や熟語の音読，文や文章の読解
	書き尺度	文字，熟語，文の書字
	算数尺度	計算や数の処理能力，抽象的な記号を操作する能力，数概念の形成，量的推理

CHC 理論

尺度	内容
長期記憶と検索尺度	新規に学習した，または以前に学習した情報を記憶し，効率的に検索する能力
短期記憶尺度	情報を取り込み，保持し，数秒以内に使用する能力
視覚処理尺度	提示刺激やパターンを知覚・操作・思考し，心的回転（mental rotation）を行う能力
流動性推理尺度	応用力と柔軟性を用いて新規な問題を解く能力で，推論，意味理解，機能的推理および演繹的推理の応用に関する能力
結晶性能力尺度	ある文化において習得した知識の量およびその知識の効果的応用に関する能力
読み書き尺度	ことばを読み文を理解する能力，また，ことばを書き文を構成する能力
量的知識尺度	蓄積された数学的知識および数学的推論に関する能力

※ CHC: Cattell-Horn-Carroll

Chapter 11 小児

表5 PASS 理論における 4 つの認知機能

プランニング (P: Planning)	個人が問題解決の方法を決定し，選択し，適用し，評価する心的過程
注意 (A: Attention)	個人が一定時間提示された競合する刺激に対する反応を抑制する一方で，特定の刺激に対して選択的に注意を向ける心的過程
同時処理 (S: Simultaneous)	個人が分割された刺激を単一のまとまりやグループにまとめる心的過程
継次処理 (S: Successive)	個人が特定の系列的順序で，鎖のような形態で刺激を統合する心的過程

されている.

　全検査尺度では，個人の知的機能全体の水準の指標となる全検査標準得点が得られる．全検査標準得点は，プランニング，注意，同時処理，継次処理の結果から求める得点であり，平均100，1標準偏差（SD）15である.

　PASS尺度は，プランニング尺度，注意尺度，同時尺度および継次尺度の4つの認知処理尺度から構成されている．PASS尺度では，それぞれPASS標準得点を算出することができ，平均100，1標準偏差（SD）15である.

　DN-CASは12の下位検査で構成されており，すべての検査を実施することで全検査標準得点とPASS標準得点を得る「標準実施」が一般的である．一方，8つの下位検査から全検査標準得点とPASS標準得点を得る「簡易実施」の方法もある．各下位検査はいずれも評価点が算出され，平均10，1標準偏差（SD）3である．下位検査項目の概要を **表6** に示す.

　DN-CASでは，各下位検査の評価点，全検査標準得点，PASS標準得点，PASS標準得点間の差の検討および各PASS尺度での下位検査評価点間の差の検討などから，認知処理過程の評価や能力の個人内差，認知的な強さと弱さについて把握することができる.

4. レーヴン色彩マトリックス検査（Raven's Colored Progressive Matrices: RCPM）[4]

　レーヴン色彩マトリックス検査（Raven's Colored Progressive Matrices:

表6 表6 DN-CASの下位検査項目の概要

認知処理尺度	下位検査	概要
プランニング尺度	数の対探し	1行に並んだ6つの数の中から一対の同じ数を見つけて下線を引く. (例:「7・4・1・3・1」の場合,2つの「1」に下線を引く)
	文字の変換	文字(ひらがな)を決められた符号に置き換える(例:「あ」には○×)
	系列つなぎ	数字や文字の書かれている四角を正しい順番でつないでいく. 問題1〜6は数の系列のみで,問題7〜8は,数と文字の系列からなる(例: 1-あ-2-い-3-う等).
注意尺度	表出の制御	5〜7歳では動物の絵の大小を,ページ内の相対的な大きさに関係なく,実際の大きさに基づいて判断させる. 問題1: どの動物もすべて同じ大きさで描かれている. 問題2: それぞれの動物は,実際の相対的な大きさと同じように描かれている. 問題3: それぞれの動物は,必ずしも実際の相対的な大きさと同じように描かれていない. 8〜17歳は, 問題4: ひらがな単語(色名: あお・きいろ・みどり・あか)を音読する. 問題5: 線の色(青・黄色・緑・赤)を言う. 問題6: ひらがな単語(色名: あお・きいろ・みどり・あか)ではなく,その単語が印刷されている色を言う.

(つづく)

RCPM)は,非言語性の簡易知能検査である.

　この検査は,WISC-Ⅲ知能検査(Wechsler Intelligence Scale for Children-Third Edition),特に動作性IQとの間に有意な正の相関が認められており,小児用知能検査としての有用性が示されている[5].また,課題数は36問(Set A 12問,Set AB 12問,Set B 12問)で,簡便に短時間で実施することができる.

　課題は,刺激図版の一部が欠如しており,その欠如部分に合致するものを類

Chapter 11　小児

表6 表6　DN-CAS の下位検査項目の概要（つづき）

認知処理尺度	下位検査	概要
注意尺度	<u>数字探し</u>	たくさんの数字が並んでいるページを見て，そのページの上段にある見本の数字と同じ数字に下線を引く．
	形と名前	5〜7 歳では，絵の組み合わせを見て，物理的な外見（絵の形がまったく同じ），あるいは種類もしくは名前が同じ（例：見た目は同じではないが，どちらも「木」）絵の組み合わせの下に線を引く． 8〜17 歳は，かな文字の組み合わせを見て，同じ形（例：と と，オ オ）あるいは同じ読み方の文字の組み合わせ（例：と ト，お オ）に下線を引く．
同時処理尺度	<u>図形の推理</u>	図形の関係性を解読し，選択肢の中から最適なものを選択して，マトリックスを完成させる．
	<u>関係の理解</u>	検査者が読み上げた質問（空間関係について，論理・文法関係を記述した文：「ボールがテーブルの下にある」）の答えとして正しい絵を 6 つの中から選ぶ．
	図形の記憶	平面的あるいは空間的幾何学図形を 5 秒間提示する．その後，複雑な図形の中から，提示されたものと同じ幾何学図形を見つけ，再生する（複雑な図形の中から，提示されたものと同じ幾何学図形をなぞる）．
継次処理尺度	<u>単語の記憶</u>	9 つの単語（うし・ねこ・くつ・かめ・ほん・バス・はな・とり・いえ）について，検査者が言った順番通りに正しく復唱する．
	<u>文の記憶</u>	検査者が読み上げた文（色名を使用．例：「青は黄色い」）を正しく復唱する．
	発語の速さ （5〜7 歳）	一連の単語（3 単語で構成．例：「うし─かめ─ねこ」）をできるだけ早く，10 回繰り返して言う．
	統語の理解 （8〜17 歳）	検査者が読み上げた文に関する質問に答える． 各文は色で構成されている（例：「青が黄色になる．黄色になるのはなんですか」）．

※下線の 8 検査は，簡易実施の検査である．

推し，6つの選択図版から選択する方法で行われる．言語，熟達した運動能力および視空間情報の高度な分析などを必要とせずに回答することが可能である．

本邦では，改訂版 標準読み書きスクリーニング検査〔Standardized Tests for Assessing the Reading and Writing（Spelling）Attainment of Japanese Children and Adolescents: STRAW-R〕[6] に小学1年生から中学3年生までの基準値が掲載されている **表7** ．

なお，RCPM は，注意欠如多動症（Attention Deficit/Hyperactivity Disorder: ADHD）で注意の転導性が高い例や，視覚認知障害重度例の場合は，知的障害がなくても得点が低下する場合があるため，結果の解釈には注意を要する．

5. 改訂版 標準読み書きスクリーニング検査〔Standardized Tests for Assessing the Reading and Writing（Spelling）Attainment of Japanese Children and Adolescents: STRAW-R〕[6]

改訂版 標準読み書きスクリーニング検査〔Standardized Tests for Assessing the Reading and Writing（Spelling）Attainment of Japanese Children and Adolescents: STRAW-R〕は，小学生の読み書きスクリーニング検査（The Screening Test of Reading and Writing for Japanese Primary School Children: STRAW）の改訂版であり，発達性読み書き障害（developmental

表7 基準値：レーヴン色彩マトリックス検査

	小1（男）	小1（女）	小2	小3	小4	小5	小6	中1	中2
平均	26.1	25.1	29.5	30.4	32.3	32.9	33.0	34.3	34.3
SD	4.1	3.8	5.6	4.8	4.4	3.7	3.8	1.7	1.9
−1SD	22.0	21.3	23.9	25.6	27.9	29.2	29.2	32.6	32.4
−1.5SD	19.9	19.4	21.1	23.2	25.7	27.4	27.3	31.8	31.5
−2SD	17.9	17.5	18.3	20.8	23.5	25.5	25.4	30.9	30.5

※SD: Standard Deviation（標準偏差）
※中学3年生は，中学2年生の基準に基づいて評価する．

Chapter 11　小児

表8 STRAW-R の課題，内容および基準値が示されている学年の一覧

課題		内容	
ひらがな 1 文字	音読 書取	20 文字	
カタカナ 1 文字	音読 書取	20 文字	
ひらがな単語	音読 書取	20 単語	
カタカナ単語	音読 書取	20 単語	
漢字単語	音読 書取	小学生用は 20 単語 中学生用は 10 単語	
漢字 126 単語	音読	小 1～6 年生で学習する漢字 126 単語	
ひらがな単語	速読（音読）	2～5 モーラ語 各 7 語，計 28 語	
ひらがな非語	速読（音読）	清音のみで構成される 2～5 モーラ語 各 4 語，計 16 語	
カタカナ単語	速読（音読）	2～5 モーラ語 各 7 語，計 28 語	
カタカナ非語	速読（音読）	清音のみで構成される 2～5 モーラ語 各 4 語，計 16 語	
文章	速読（音読）	カギ括弧や句読点を含む総文字数 361 語 漢字かな混じりの 15 文（漢字にはルビあり）	
計算	加減 乗除	縦算 6 問，横算 6 問，計 12 問 縦算 6 問，横算 6 問，計 12 問	
RAN		練習用刺激 1 枚，刺激 3 枚の図版	

※STRAW-R: Standardized Tests for Assessing the Reading and Writing (Spelling) Attainment of Japanese Children and Adolescents
※RAN: Rapid Automatized Naming
※漢字 126 単語の音読課題は，適用年齢の上限は設けられていないが，音読年齢（Reading Age: RA）は，14 歳 3 カ月まで示されている.
※速読（音読）課題は，適用年齢の上限はないが，高校 3 年生までの基準値が示されている.

年長児	小1	小2	小3	小4	小5	小6	中1	中2	中3	高1	高2	高3
	○	○	○	○	○	○						
	○	○	○	○	○	○						
		○	○	○	○	○						
		○	○	○	○	○						
	○	○	○	○	○	○						
	○	○	○	○	○	○						
		○	○	○	○	○						
		○	○	○	○	○						
		○	○	○	○	○	○	○	○			
		○	○	○	○	○	○	○	○			
	○	○	○	○	○	○	○	○	○			
	○	○	○	○	○	○	○	○	○	○	○	○
	○	○	○	○	○	○	○	○	○	○	○	○
	○	○	○	○	○	○	○	○	○	○	○	○
	○	○	○	○	○	○	○	○	○	○	○	○
	○	○	○	○	○	○	○	○	○	○	○	○
	○	○	○	○	○	○						
		○	○	○	○	○						
○	○	○	○	○	○	○	○	○	○	○	○	○

Chapter 11　小児

dyslexia: 発達性ディスレクシア）児検出のためのスクリーニング検査である．ひらがな，カタカナ，漢字の表記別に音読と書取の学習到達度を評価できる日本で唯一の検査であることが特徴的である．

　本検査は，音読課題（文字を声に出して読む），書取課題（言語音を聞き，その通りに書き取る），計算課題および RAN（Rapid Automatized Naming）の 4 種類で構成されている．課題，内容および基準値が示されている学年の一覧を　表8　に示した．

　STRAW-R では，STRAW で実施することができた，ひらがな／カタカナ 1 文字の音読・書取課題，ひらがな／カタカナ／漢字単語の音読・書取課題の他に，以下の内容が新たに追加された．

a）速読課題

　STRAW-R では，音読の流暢性（スムーズに読める）を評価することができる速読課題（ひらがな単語と非語，カタカナ単語と非語，文章）が追加され，小学 1 年生から高校 3 年生については基準値との比較検討が可能となった．文章課題を含んでいることから，本課題の結果は，高校や大学入試で試験時間の延長を希望する際の客観的資料として活用可能と考えらえる．

b）漢字単語の音読・書取課題（中学生用）

　中学生を対象とした漢字単語の音読課題と書取課題が追加された．STRAW-R では，読み書きの正確性（正しく読める，正しく書ける）の習得について，小学 1 年生から中学 3 年生まで評価できるようになった．

c）漢字 126 語の音読課題と，漢字に関する音読年齢（Reading Age: RA）の算出

　STRAW では，音読と書取において同一単語を刺激として使用していたが，STRAW-R では，漢字 126 語の音読課題が追加され，書取検査と独立した使用が可能となった．

　本課題は学年共通に使用することが可能で，小学 1 年生から中学 3 年生については基準値との比較検討が可能である．また，正答数から音読年齢

（Reading Age: RA）を算出することができる．RA算出の意義は大きく2つあげられる．1つめは，RAの算出によって，おおよその発達段階を把握できる点である．2つめは，RAを知ることにより，それ以外の側面の発達についてRAを合わせた典型発達児と比較できる点である．特に，読み書きに関連する認知機能検査の結果に関して，RAを合わせた典型発達児の結果と比較することは，対象児について認知機能の発達が全般的に遅れているのか，それとも発達に偏りがあるのかを把握することにつながる．

d) Rapid Automatized Naming（RAN）課題

文字習得に必要と考えられている認知機能のうち自動化能力を評価できるRAN（Rapid Automatized Naming）課題が追加された．RAN課題は，日本語において，音読速度や漢字音読力を予測できることが明らかになっている．STRAW-Rでは，就学前児（年長児）から高校生について基準値との比較検討が可能である．

RAN課題は，マトリックス状に並んだ数字と線画を，左上から右下へ連続的に可能な限り速く呼名していくことを求める課題である．RAN課題には，単一刺激種を用いる課題と，線画や文字などを交互に提示する課題があるが，STRAW-Rでは，難度が高く読み障害の予測の精度が高い後者の交互刺激提示課題が使用されている．

e) 計算課題

小学1年生から6年生を対象に，四則演算の学習到達度を確認するために，計算問題が追加された．小学1年生は，加算と減算のみだが，小学2〜6年生では，乗算と除算も実施する．小学1年生から6年生については基準値との比較検討が可能である．

■文 献

1) Wechsler D, 日本版WISC-Ⅴ刊行委員会. WISC-Ⅴ知能検査. 日本文化科学社; 2022.
2) Kaufman AS, Kaufman NL, 日本版KABC-Ⅱ作成委員会. KABC-Ⅱ心理・教育ア

Chapter 11　小児

　セスメントバッテリー．丸善出版；2013.

3）前川久男，中山　健，岡崎慎治（Naglieri JA, Das JP 原著）．DN-CAS 認知評価システム．日本文化科学社；2007.

4）杉下守弘，山崎久美子．日本版レーヴン色彩マトリックス検査．日本文化科学社；1993.

5）宇野　彰，新家尚子，春原則子，他．健常児におけるレーヴン色彩マトリックス検査－学習障害児や小児失語症児のスクリーニングのために－．音声言語医学 2005；46：185-9.

6）宇野　彰，春原則子，金子真人，他．改訂版 標準読み書きスクリーニング検査－正確性と流暢性の評価－．インテルナ出版；2017.

［後藤多可志］

Chapter 12

アセスメントにおける ICT の活用

1. 医学における ICT の活用の総論

　近年の科学技術の発展に伴い，医療の世界でも情報通信技術（information and communications technology: ICT）の活用が進んでおり，遠隔医療，人工知能（artificial intelligence: AI）などを活用したデジタルヘルスについての関心は年々高まりをみせていた．そうした中で，2019 年末より新型コロナウイルス感染症（COVID-19）のパンデミックによって，感染予防手段としても遠隔医療や AI などのデジタルヘルスが活用される機会が増加し，医療の形を急速に変えつつある．

　デジタルヘルスの中で最も活用されているのは遠隔医療である．遠隔医療は，離れた 2 地点間において，専門医が他の医師の診療を支援する Doctor to Doctor（D to D）のものや，医師が遠隔地の患者を診療する Doctor to Patient（D to P）のものなどに大別されるが，特に PC やスマートフォン，タブレットなどを通してビデオ会議システムを誰もが利用しやすくなった近年では D to P の遠隔医療が存在感を増している．当然ながら，医療の全てを遠隔で行うことは難しく，手術や縫合などの物理的な治療が必要な患者や，採血や画像検査などが必要な患者，緊急性が高い急性期の患者については遠隔医療が適しているとはいえない．しかし，逆に言えば，物理的な治療や検査を必要とせず，症状が安定している患者については，遠隔医療でも十分に代替が可能であり，そうした患者に対する遠隔医療の有効性については数多くの研究がなされている．例えば，Snoswell らが行った遠隔医療に関するメタアナリシス研究

Chapter 12　アセスメントにおける ICT の活用

を対象としたシステマティックレビューでは，10 の医療分野にまたがる 38 件のメタアナリシスが分析対象となり，総じて遠隔医療は対面診療と比較して同等以上の臨床的有効性が期待できるという評価であった[1]．そして，遠隔医療には，患者が遠隔地の医療機関が受診できるようになることなど特有のメリットも多い．その他，患者側のメリットとしても，病院での待ち時間が不要となる，交通費が節約できる，会社などを休まずに受診できるというものなどがある．そのため，遠隔医療が普及すれば，離島・へき地の医療アクセスの改善，通院の困難な高齢患者のアクセスの改善，医師の偏在対策，患者の利便性向上を通じた治療中断の予防など，我が国の抱えるさまざまな課題解決につながることも期待できる．

　特に，精神科においては，外来診療は面接での会話が主な手段となるため，テレビ電話を介して遠隔地の患者を診療する D to P の遠隔医療が応用しやすい領域である．他にも，精神科領域では意欲・活動性の低下や不安・パニック症状などにより，外出困難となる患者が少なくないが，遠隔医療の活用により，これらの患者への診療が可能になる．また，精神科特有のスティグマから，通院すること自体の心理的抵抗が高い患者も少なくないが，そうした場合でも，遠隔医療を活用することにより，プライバシーを保ち，周囲の目を気にせず受療することができるなどのメリットがある．その他，精神科領域においては，特異的なバイオマーカーが存在しないことから，臨床試験などにおいて評価者間のばらつきが生じるという問題があるが，遠隔検査を活用し，全国各地の被験者の評価を中央評価者が一括して行うことで，より精度の高い評価につなげられる可能性がある．このように，精神科領域の遠隔医療・遠隔検査には特有のメリットもあると考えられ，その有効性を示す研究も数多く報告されている．例えば，Hubley ら[2] のシステマティックレビューでは，患者・治療者ともに遠隔医療に対する満足度は全体的に良好であり，大半の研究で遠隔での治療が対面診療よりも費用を削減しつつ質調整生存年を増加させていることを報告している．

　また，2020 年より本格化した COVID-19 パンデミックで，世界中で臨床試験や治験の中断が生じたため，この領域での ICT の活用はより一層進んでいる．例えば，アメリカ食品医薬品局（Food and Drug Administration:

表1 臨床試験で遠隔医療・遠隔検査を活用するメリット

臨床試験の参加者
- 通院負担の軽減および遠隔地からの参加が可能となる.
- 疾患や身体障害により定期的な来院が困難である患者の参加が可能となる.
- 被験者が有害事象を発言したときに、あらかじめ計画しておくことで、遠隔医療で速やかに医師の診察を受け、適切な処置につなげることができる.

実施医療機関および責任医師
- 遠隔医療・遠隔検査で対面での診療を補完することで、患者の安全性モニタリングをより適切に実施することができ、患者の安全管理向上につなげられる可能性がある.
- 有害事象が発生した際に、遠隔医療を活用し速やかに患者の状態を把握できる.

スポンサー（製薬企業など）
- 医療機関の立地によらず、被験者を集積しやすくなる.
- 国際共同治験の場合、被験者集積スピードの国際的競争力を維持できる.
- 希少疾患などの被験者集積が難しい治験も、被験者が参加しやすくなり、実施可能性が上がる.

（日本製薬工業協会. 医療機関への来院に依存しない臨床試験手法の導入及び活用に向けた検討.[3] をもとに筆者作成）

FDA）や欧州医薬品庁（European Medicines Agency: EMA）は、臨床試験の継続のために遠隔医療・遠隔検査を適切に活用することを推奨し、ガイドラインを作成・公表した.

加えて、近年では、ePRO（electronic Patient Reported Outcome）とよばれる、スマートフォンやPCなどを用いて被験者自身が健康状態やQOLなどを記録・評価するシステムが普及しつつあり、これらと遠隔医療・遠隔検査や、ウェアラブルデバイスなどによるデータ収集などを組み合わせることによって、被験者が臨床試験の実施医療機関に行く回数を減らす治験が可能となっている. このような、被験者が臨床試験の実施医療機関へ通院せずに、被験者の自宅や近隣医療機関で全てまたは一部を実施する臨床試験は「decentralized clinical trials: DCT」、「virtual clinical trials」、「site-less trials」、「remote trials」、「direct-patient trials」、「location flexible trials」など、さまざまな名称で呼称されており、認知されつつある. 日本製薬工業協会の資料[3] では、臨床試験において遠隔医療・遠隔検査を組み合わせるメリットとして、数多くの点があげられている **表1** . このように、平時の臨床試験で

Chapter 12　アセスメントにおける ICT の活用

あっても，遠隔医療・遠隔検査を適切に組み合わせることで，被験者集積や継続性の向上につなげることができるとみられている．実際に，国際共同治験などで採用されるケースも増えており，我が国でも医薬品医療機器総合機構 (Pharmaceuticals and Medical Devices Agency: PMDA) から遠隔医療などを臨床試験で用いることは問題ないことが示されているため，国内でも遠隔医療・遠隔検査を用いた臨床試験が増加するとみられている．遠隔医療・遠隔検査の臨床現場における活用と同様に，臨床試験においても遠隔医療・遠隔検査の活用による課題解決が進んでいくことが望まれる．

　遠隔医療と比べるとその普及はやや遅れているが，AI を用いた医療機器も，着実に臨床現場に浸透しつつある．AI は，主に機械学習を用いて，膨大なデータからその特徴量を抽出したり，推定を行ったりすることで，人間のように考え学習する機能をコンピューターに実装する技術である．AI 技術には大きく画像認識，自然言語処理，データ解析・予測などの種類があり，医学領域においては，放射線画像や内視鏡画像を用いた診断補助，臨床データの解析による意志決定支援や治療効果予測などの応用がなされている．我が国では，2018年12月に内視鏡画像を用いて大腸病変の腫瘍判別を支援する AI 医療機器が初の承認を受けて以降，2022年9月末時点で23品目が承認されており，承認された品目の内訳は，X線 CT 画像を対象とするものが9件，内視鏡が7件，X線単独が4件，MRI・超音波・咽頭画像が各1件となっている [4]．特にAI は画像認識で人間のエラー率を下回る結果が多く報告されていることもあり，現状承認されている医療機器も主に AI による画像認識を活用したものがほとんどであるが，今後はより複雑なアルゴリズムをもつ AI 医療機器が登場することも予想される．精神科領域ではまだ AI の臨床応用は研究段階の域を出ていないが，バイオマーカーに乏しく診断や症状の評価が人間の主観によって左右されるという課題を抱える精神科領域において AI への期待は大きい．特に，ウェアラブルデバイスやカメラなどのテクノロジーを用いて従来評価されていなかった体動・表情・音声などの情報を定量化・可視化することで，より客観性の高い診断や重症度評価が行えれば，精神科医療の質の改善に繋がるだろう．

　なお，医療への ICT の活用が進むにつれ，その課題についても指摘される

ようになっている．例えば，精神科領域の遠隔医療では，通院時間の削減やスケジュール調整がしやすいなどの点で患者の満足度は概ね高かったが，医師や看護師などとの繋がりを感じられないため，ラポール形成が困難となる問題点が指摘されている[5]．また，デジタルヘルス全般について，デジタルリテラシーの低い患者，通信インフラの整備が十分でない国家・地域に住む人々，貧しい国々でモバイルデバイスへのアクセスが文化的に制限されている女性などもテクノロジーから遠ざけられていることも指摘されている[6]．以上のような，インターネットやパソコンなどのICTを利用できる者と利用できない者との間に生じる格差は「デジタル・ディバイド」とよばれているが，遠隔医療が拡大していく中で，これらの問題点を把握し，公平性の担保に向けた対応を取っていくことが求められていくだろう．

2. 神経心理学的アセスメントにおけるICTの活用

近年，ICT機器の中心はPCからスマートフォンに移り，その普及は世界的に急速に進んでいる．我が国でも，総務省の令和3年度通信利用動向調査によると，スマートフォンの保有状況（世帯）は2017年にパソコンを上回り，2021年には88.6％となっている[7]．タブレット型端末もスマートフォンには及ばないものの2021年の保有状況（世帯）は39.4％となっており，現代人の生活の中に溶け込みつつある．こうした中で，神経心理検査においてもこれらのICTツールの活用が始まっており，我が国でも，2022年より75歳以上が運転免許を更新する際に受ける認知機能検査においてタブレットが導入されている[8]．認知症などの疾患においては軽度認知障害（mild cognitive impairment: MCI）の時点で早期発見し予防的介入に繋げていくことが重要である一方，少子高齢化社会に伴う高齢者の増加や専門職の不足などもある中で，スマートフォンやタブレットなど身近なツールにおいて実施可能な神経心理検査・スクリーニング評価などの需要はますます高まっていくものとみられる．これからの神経心理検査を担う専門職においては，ICTツールについての十分な理解や習熟も求められるだろう．

神経心理検査におけるICTの活用の歴史は意外に古く，1993年には，コン

Chapter 12　アセスメントにおける ICT の活用

ピューター化された認知機能検査バッテリーである「MicroCog: Assessment of Cognitive Functioning」が開発されている他，米国国防総省によって開発された「Automated Neuropsychological Assessment Metrics（ANAM）」などが知られている[9]．こうしたコンピューター化された神経心理検査が登場し浸透する中で，2012 年に米国臨床神経心理学会（American Academy of Clinical Neuropsychology: AACN）と全米神経心理アカデミー（National Academy of Neuropsychology: NAN）によって共同ポジションペーパーが発表されている[10]．同ポジションペーパーにおいて，神経心理検査においてコンピューターを導入する利点として，① 多数の個人を迅速に検査することができる，② 反応時間のような時間に敏感なタスクのパフォーマンスをより正確に測定できる，③ 評価時間を短縮できる，④ テストの管理および採点に関するコストを削減できる，⑤ 異なる言語による測定を容易にできる，⑥ 研究目的のためのデータ出力の自動化ができる，⑦ 専門的な神経心理学サービスが不足している地域や環境における患者へのアクセスを向上させることができる，などがあげられている一方で，コンピュータ化された神経心理検査であっても，結果の解釈にはその検査についての正確な理解が必要となることから，専門知識を持たない者に検査を管理・監督させるべきでないなどの問題提起を行っている[10]．その他にも，同ポジションペーパーの中では，プライバシーやデータセキュリティなどについての重要性や，コンピューターの使用や慣れについての個人差への考慮についても触れられており，こうした指摘は，現在にも通ずる重要な指摘であるといえる．

そして，昨今では，コンピューターで実施するものだけでなく，タブレットなどのツールを用いた評価も行われている．Cogstate 社の開発した「Cogstate Brief Battery: CBB」は，精神運動機能，注意，作動記憶および視覚学習の 4 つの認知機能を評価するトランプテストをパソコンやタブレット上で実施できるもので，認知機能セルフチェックのデジタルツールとして日本を含む諸外国で販売・使用されている[11]．また，250 名以上の研究者が参加する大規模研究プロジェクトによって開発された「National Institutes of Health Toolbox Cognition Battery: NIH-TB」はフランカー課題，DCCS 課題（Dimensional Change Card Sort: DCCS）など多数のテストが実施可能となっているもの

で，それらの組み合わせによって，18歳以上の大人向け，小児向けなどにアレンジした認知機能検査が実施可能となるもので，タブレット版も使用可能となっている[12]．その他，Linus Health社の開発したDCTclockは，認知機能検査である時計描画テスト（Clock Drawing Test: CDT）をデジタルペンで実施するものであるが，従来の描き上がりを評価するCDTと異なり，DCTclockでは手先の動きなどのプロセスも含めた微弱な変化をも含めてAIによる結果判定を行うもので，アメリカ食品医薬品局（FDA）の承認も受けている[13]．

さらに，既存の認知機能検査をパソコンやタブレット上で実施するもの以外にも，視線計測（アイトラッキング）や会話や発語の分析を用いた，新しい検査も多く開発されている．例えば，国内で開発されたアイトラッキング式のものでは，被検者は，タブレット端末の前に座り，画面上に現れる設問の正解と思う場所を見つめるという方法で実施され，患者の視線動向，注視時間，視点検出率などにより3分で認知機能を非侵襲，客観的，定量的に判定することができるとされている[14]．また，会話・発語の分析を用いたものでは，音声ガイダンスに従って生年月日・日付・曜日を回答するだけでAIが88.9%の精度で軽度認知機能低下群と正常群とを区別するツールが開発されており[15]，スマートフォンやタブレット，電話での実施などの形で利用されている．その他，医療者と高齢者の数分程度の自由会話を元に，AIが認知症患者と健常者を分類するツールが開発され，その精度は精度0.90，感度0.88，特異度0.92であったと報告されており[16]，国内での治験も実施されている．こうした新しいツールでは，これまでの検査と異なり，患者の検査負担を大幅に軽減しつつ，医療者・専門職側も時間・コストを節約しつつ評価者間のばらつきを低減することができるなど，さまざまなメリットを有しており，今後，ますます使われていくものとみられる．

このように神経心理学的アセスメントにおけるICTの活用は進みつつある．本稿執筆時点で，我が国の診療報酬体系においては，ICTを使ったツールについての評価・加算は行われていないが，現状でも研究での利用や，臨床現場以外でのスクリーニングなどの形での使用は可能である．特に臨床試験においては，検査の省力化・効率化・費用の面などでICTを活用するメリットは大き

Chapter 12　アセスメントにおける ICT の活用

く，また検査結果が電子的データとして記録されることで管理や分析が容易になるなどの利点もあると考えられる．

　一方，神経心理学的アセスメントで ICT を活用する際にはいくつかの注意も必要である．例えば，タブレットを用いる場合，異なる機種を併用すると反応速度などの違いから測定誤差が生じることなどが指摘されており[17]，反応時間などが考慮される検査においては，使用する機種の選定や統一などに留意する必要があるといえる．また，ICT のようなデジタルツールが潜在的に有するデメリットにも目を向ける必要がある．例えば，タブレットを用いた神経心理学的アセスメントについて，タブレットへの慣れは結果に大きな影響を与えなかったと報告している例もあるが[18]，検査者による補助が不十分な形で行われるアセスメントについては，高齢者，視覚的制限のある人々などは適応できない可能性があることに留意しなければならない[19]．なお，上述のとおり，ICT を用いた神経心理学的アセスメントは一定のメリットを有しており，関連するツールは年々増加している状況ではあるが，現場の専門職の間では紙と鉛筆を用いた従来の検査のほうが好んで用いられているという現状も指摘されている[20]．ICT を用いたアセスメントには種々のデメリットもあるが，専門職による丁寧な評価と組み合わせて実施できれば，アセスメントの質や，被検者の満足度など，さまざまな面での改善につながることが期待できる．新しいツールに対する不慣れさや心理的抵抗感のみを理由に ICT を排除することがないよう，専門職も知識や経験をアップデートしていく必要があるだろう．

3.　遠隔で行う神経心理学的アセスメント

　上述の通り，コンピューター化された検査など，神経心理学的アセスメントにおいて ICT を活用する事例は増えているが，最も臨床・研究現場においてニーズがありかつ導入のハードルが低いと考えられるのは遠隔で実施する神経心理学的アセスメントである．神経心理学的アセスメントは，向かい合っての会話や，指示にもとづく筆記・描画などの動作によって行われるものも多いため，これらはビデオ会議システムを通して行うことも可能である．特に，近年では PC やスマートフォン，タブレットなどの普及により画像・音声を双方向

で確認できるビデオ通話へのアクセスが容易となっていることから，遠隔で実施する神経心理学的アセスメントについての報告も増えている．例えば，Brearly らのシステマティックレビュー，メタアナリシスでは，合計12件の研究（n＝497）を抽出して評価したところ，対面で実施した場合と比較して遠隔で神経心理学的アセスメントを実施した場合に，総じてテストの成績が下がるなどの明確な傾向は認めなかったとしている　表2 [21]．そのため，同レビューでは，遠隔での神経心理学的アセスメントを支持することと，遠隔検査がもたらすアクセスの増加，利便性，コスト削減の恩恵を消費者が受けられるような診療報酬体系にすることを提唱している [21]．国内での検証例は未だ多くはないが，筆者らの研究チームが健常者38名，MCI患者15名，アルツハイマー型認知症患者24名を対象にテレビ会議システムを用いて遠隔で行うCDTの信頼性を検証した研究では，全対象における遠隔と対面のCDT得点の級内相関係数（ICC）は0.83以上，疾患別でも健常者が0.67以上，MCI患者が0.59以上，アルツハイマー型認知症患者が0.84以上であり，十分な一致を認めた他，同時に行った利用満足度調査では，答えやすさについて，対面と同等あるいはそれ以上であった者が7割を占め，強い拒否感はないことが示されていた [22]．また，Montreal Cognitive Assessment 日本語版（MoCA-j）および Alzheimer's Disease Assessment Scale 日本語版（ADAS-Jcog）について，遠隔・対面で実施した際の信頼性の検証においても，MoCA-j の ICC は0.85，ADAS-J cog の ICC は0.86であり，高い精度で検査結果の一致を認めた [23, 24]．

　こうした研究結果を踏まえると，我が国でも遠隔で行う神経心理学的アセスメントに取り組む意義は大きいと考えられる．特に我が国においては，認知症とMCIを合わせると1,000万人近くの患者がいることが推定されている中で，心理士や言語聴覚士などの専門家の数は，日本高次脳機能障害学会や日本神経心理学会などの会員数からみるに1万人に満たない状況が続いている．こうした中で，過疎地や離島など，検査者が不在となっている地域も生じている他，医療機関の不足などから通院困難となっている患者などもみられており，検査の需要に応え切れていない状況がある [22]．そのため，このような専門家と受診者の需給の不均衡を解決する有効な方法の一つとして遠隔でのアセ

Chapter 12　アセスメントにおける ICT の活用

表2 Brearly らのメタアナリシスで検討された文献と効果量

Study	Sample size	Population char-acteristics	Mean age	Tests administrated	Hedges'g	Lower limit	Upper limit	p-Value
Cullum et al. 2006	33	Neurocognitive (MCI, AD)	73	BNT-15, DS, HVLT, MMSE, PF, SF	−0.01	−0.09	0.06	.708
Cullum et al. 2014	202	Mixed (MCI, AD, healthy)	69	BNT-15, CD, DS, HVLT, MMSE, PF, SF	−0.01	−0.04	0.02	.503
Galusha-Glass-cock et al. 2015	18	Mixed (MCI, AD, healthy)	70	RBANS	−0.03	−0.14	0.07	.561
Grosch et al. 2015	8	Psychiatric (out-patient)	–	CD, DS, MMSE	−0.12	−0.46	0.22	.490
Hildebrand et al. 2004	29	Healthy	68	BTA, CD, WAIS-III MR, PF, WAIS-III VC	−0.08	−0.19	0.04	.212
Jacobsen et al. 2003	32	Healthy	35	BVRT, DS, GP, SDMT, SRT, VOSPS, WAIS-I VC, WMS-R LM	0.11	0.05	0.18	.001
Kirkwood et al. 2000	27	Psychiatric (inpa-tient, outpatient)	46	AMIPB, NART, QT	−0.07	−0.13	−0.02	.008
Loh et al. 2004	20	Mixed	82	MMSE	−0.06	−0.25	−0.13	.541
Loh et al. 2007	20	Mixed	79	MMSE	−0.24	0.04	0.44	.021
Montani et al. 1997	14	Mixed (rehabilita-tion, no psychiat-ric history)	88	CD, MMSE	−0.41	−0.56	−0.25	<001
Vestal et al. 2006	10	Neurocognitive (AD)	74	BNT, MAE, PF	−0.16	−0.41	0.09	.217
Wadsworth et al. 2016	84	Mixed (dementia, healthy)	65	BNT, CD, DS, HVLT, MMSE, OT, PF, SF	−0.02	−0.01	0.05	.182
Total	497				−0.03	−0.08	0.02	.253

AMIPB: Adult Memory and Information Processing Battery, BNT: Boston Naming Test, BNT-15: Boston Naming Test-15 Item, BTA: Brief Test of Attention, BVRT: Benton Visual Retention Test, CD: Clock Drawing Test, DS: Digit Span, GP: Grooved Pegboard, HVLT: Hopkins Verbal Learning Test-Revised, LM: Logical Memory, MAE: Multilingual Aphasia Examination (Aural Comprehension of Words and Phrases, Token Test), MCI: Mild Cognitive Impairment, MMSE: Mini-Mental Status Exam, MR: Matrix Reasoning, NART: National Adult Reading Test, OT: Oral Trails A + B; PF: Phonemic Fluency, QT: Quick Test, RBANS: Repeatable Battery for the Assessment of Neuropsychological Status, SF: Semantic Fluency, SRT: Seashore Rhythm Test, SDMT: Symbol Digit Modalities Test, VC: Vocabulary, VOSPS: Visual Object and Space Perception Battery Silhouettes, WAIS: Wechsler Adult Intelligence Scale, WMS: Wechsler Memory Scale

（Brearly TW, et al. NeuropsychologyRev. 2017; 27: 174-86[21] をもとに筆者作成）

スメントが期待されている．また，2020年より我が国でも本格化した COVID-19パンデミックにおいては，神経心理領域においても大きな影響を与えており，検査の中止・延期や感染対策の実施などさまざまな対応を余儀なくされた．そうした中で，日本高次脳機能障害学会，日本神経心理学会，日本認知症学会，日本老年精神医学会の4学会が2020年6月に共同で出した注意喚起「新型コロナ感染リスクの中で実施する認知機能検査について」の中では，COVID-19感染リスクの中で実施すべき感染対策などと併せて，遠隔で行う認知検査についてその実用性が注目されていること，信頼性・妥当性が確立された検査があることなどが述べられていた[25] **表3**．このように，感染対策の文脈においても遠隔で行うアセスメントが発揮できる役割は大きく，今後の新たなパンデミックや，感染対策を重視する新しい生活様式の定着の中で，積極的な活用が望まれる．

　最後に神経心理学的アセスメントを遠隔で行う際の留意点について述べる．ここまで紹介してきたように，遠隔でのアセスメント実施は可能であり対面で実施する検査と同等の結果を得ることも可能であると考えられている．しかし，対面で実施する場合と同様，アセスメントの結果に悪影響が出る可能性のある要素を取り除くために最大限の配慮を行う必要がある．遠隔でのアセスメントにおいて留意すべき点としては，**表4** を参照されたい．これは，筆者らが，米国遠隔医療学会（American Telemedicine Association: ATA）の協力を得つつ，患者へ安全で質の高い精神科遠隔医療を提供するために，国内の医師，心理士，法律家，技術専門家とともに協議を重ね，2018年に発行した「精神科領域における遠隔（オンライン）診療のための手引書」[26]から，遠隔で行う神経心理学的アセスメント実施時の環境設定に関する項目について飯干らが抜粋し整理したものである[27]．例えば，通信環境に関しては，事前にソフトウェアのアップデートや，回線のテストなどを行い安定して接続できるようにすることが重要である．また，プライバシーに関しても，人の出入りなどがない部屋において実施するなどし，被検者の不安や不信を招かないように努めるべきである．また，互いの表情がわかるよう，患者と検査者の目線が同じ高さになるよう対面での面談に近づくようにするのが望ましい **図1**．検査開始前にお互いの声が明瞭に聞こえるか確認するなどの点も重要である．ここ

Chapter 12　アセスメントにおける ICT の活用

表3 COVID-19 感染リスクの中で実施する認知機能検査について

認知機能検査実施における注意点

- 検査の実施前に被検者(ならびに同伴者)および検査者の検温と体調確認をする.
- 心理検査室は可能な限り「密」を避け,検査者－被検者の間隔を空ける.
- 換気を心がけ,可能な施設ではサーキュレータなども使用する.
- 所要時間も可能な限り短時間とする.できれば30分以内,長くても1時間は超えないようにする.
- さまざまな要素で間隔を確保しての面談が難しい場合も,接近する時間は極力短くし,直接の接触を避ける.
- 状況に応じてフェイスシールドやゴーグル,手袋の着用,透明シールドの設置も検討する.
- 検査者は必ずマスクを着用,被検者にも必ずマスク着用をお願いする.
- 検査前・後の検査者の手指消毒とともに,使用した検査器具,筆記用具,机や椅子などはこまめな消毒を心がける.
- 可能な限り1人の検査者が複数の部門(外来と病棟,あるいは複数病棟など)を担当しない.

認知機能検査の解釈における注意点

- マスク越しだと声を聞きとりにくいため,点数が下がる可能性がある.必要に応じて集音マイクなどを利用する.
- 被検者の緊張,検査以外への注意の転導などにより,点数が下がる可能性がある.
- 結果に変動が生じる可能性が大きい点を考慮しておく.

遠隔認知機能検査の利用

- オンラインで実施する遠隔認知機能検査の実用性が注目されており,MMSE, ADAS-J や MOCA-J などではすでに信頼性・妥当性が確立されている.今後さらに検証が進んでいくことが期待される.
- 遠隔認知機能検査については,内科系学会社会保険連合などを通じて,保険収載されていくことが期待される.

(日本高次脳機能障害学会,日本神経心理学会,日本認知症学会,日本老年精神医学会.新型コロナ感染リスクの中で実施する認知機能検査について[25]をもとに筆者作成)

に提示したもののほか,AACN や NAN などの関係者らが作成した遠隔アセスメントに関するガイダンスなども参照可能であるため[28],最新の情報に合わせてアップデートしながら,適切なアセスメント環境を設定していくことが望ましい.

354　JCOPY 498-22913

表4 遠隔で行う神経心理検査チェックリスト

1. 検査実施前のチェック

患者に検査者の情報を提示したか？	はい	いいえ
患者の本人確認を行ったか（必要に応じて）？	はい	いいえ
検査者および患者の所在場所等について確認したか？	はい	いいえ
＜患者側の環境＞		
現地の医療従事者や患者支援者と，緊急時の対処についての確認が行えているか？検査当日もあらかじめ決めたプロトコールに変更がないか確認したか？	はい	いいえ
患者の表情がきちんと見えているか？〔明るさ・大きさ・画質・視線（正面を向いているか）〕	はい	いいえ
患者の声がきちんと聞こえるか（周囲の雑音・声の大きさ・音質）	はい	いいえ
（患者の環境として）患者のプライバシーが守られ，安心して検査に臨める環境か？（部屋のドアは閉まっているか，想定していない人物の出入りはないかなどについて患者に確認する）	はい	いいえ
心身の状態：患者は検査を受けられる状態か（遠隔での検査に遠隔での検査を行えない状況，例えば極度の疲労・希死念慮・拒否などは無いか）	はい	いいえ
（同室者がいる場合）付添人はいるか？→（患者との関係：　　　　　）	はい	いいえ
（同室者がいる場合）付添人は検査の意図や役割を理解しているか？	はい	いいえ
（同室者がいる場合）患者はそれ（付添人の同席）を了解しているか？	はい	いいえ
＜検査者側の環境＞		
患者は検査者の表情がきちんと見えているか？〔明るさ・大きさ・画質・視線（患者に向いているか）を患者に確認する〕	はい	いいえ
検査者自身が自分自身の画像を Picture in Picture で確認したか？	はい	いいえ
患者は検査者の声がきちんと聞こえているか？（周囲の雑音・声の大きさ・音質について問題ないか患者に確認する）	はい	いいえ
検査者側の部屋で患者のプライバシーが侵害される懸念はないか？（人の出入りはないか，他の医療者が同席や出入りする場合は患者の許可を得ているか）	はい	いいえ
2. 検査実施後のチェック		
音声や画像は検査中継続して"1. 検査実施前のチェック"の要件が満たされていたか？	はい	いいえ
"1. 検査実施前のチェック"の要件が満たされていなかった場合は，検査途中で問題解決を試み，また，患者の不安を軽減するよう努めたか？	はい	いいえ
3. 検査者の面接を円滑に進める工夫		
検査者は，カメラに視線を向けて話したか？	はい	いいえ
明瞭にゆっくり話したか？	はい	いいえ
相槌やうなづきで，支持的対応を行ったか？（通常よりもしっかり行う方がよい）	はい	いいえ
必要に応じて「疲れましたか？」「続けていいですか？」などの声かけをしたか？	はい	いいえ

（飯干紀代子，他．認知神経科学．2021; 22: 158-67[27]）より改変）

Chapter 12 アセスメントにおける ICT の活用

図1 ビデオ会議システムを使用し，遠隔で神経心理学的アセスメントを行う様子（患者側）

■文 献

1) Snoswell CL, Chelberg G, De Guzman KR, et al. The clinical effectiveness of telehealth: a systematic review of meta-analyses from 2010 to 2019. J Telemed Telecare. 2021; 20211357633X211022907.
2) Hubley S, Lynch SB, Schneck C, et al. Review of key telepsychiatry outcomes. World J Psychiatry. 2016; 6: 269-82.
3) 日本製薬工業協会．医療機関への来院に依存しない臨床試験手法の導入及び活用に向けた検討．https://www.jpma.or.jp/information/evaluation/results/allotment/lofurc0000005jr6-att/tf3-cdt_00.pdf
4) 独立行政法人医薬品医療機器総合機構．令和4年度第2回運営評議会資料．https://www.pmda.go.jp/files/000249101.pdf
5) Guinart D, Marcy P, Hauser M, et al. Patient attitudes toward telepsychiatry during the COVID-19 pandemic: a nationwide, multisite survey. JMIR Ment Health. 2020; 7: e24761.
6) Naslund JA, Aschbrenner KA, Araya R, et al. Digital technology for treating and preventing mental disorders in low-income and middle-income countries: a narrative review of the literature. Lancet Psychiatry. 2017; 4: 486-500.
7) 総務省．令和3年通信利用動向調査の結果．https://www.soumu.go.jp/johotsusintokei/statistics/data/220527_1.pdf
8) 警察庁．認知機能検査について．https://www.npa.go.jp/policies/application/license_renewal/ninchi.html

9) Casaletto KB, Heaton RK. Neuropsychological assessment: past and future. J Int Neuropsychol Soc. 2017; 23: 778-90.

10) Bauer RM, Iverson GL, Cernich AN, et al. Computerized neuropsychological assessment devices: joint position paper of the American Academy of Clinical Neuropsychology and the National Academy of Neuropsychology. Arch Clin Neuropsychol. 2012; 27: 362-73.

11) Öhman F, Hassenstab J, Berron D, et al. Current advances in digital cognitive assessment for preclinical Alzheimer's disease. Alzheimer's Dement (Amst). 2021; 13: e12217.

12) HealthMeasures. NIH Toolbox® Cognition Batteries. https://www.healthmeasures.net/explore-measurement-systems/nih-toolbox/intro-to-nih-toolbox/cognition

13) Souillard-Mandar W, Penney D, Schaible B, et al. DCTclock: clinically-interpretable and automated artificial intelligence analysis of drawing behavior for capturing cognition. Front Digit Health. 2021; 3: 750661.

14) 髙村健太郎. 大学発ベンチャー表彰特別賞 認知症の早期発見を実現するアイトラッキング式認知機能評価法. 産学官連携ジャーナル. 2022; 18: 20-1.

15) Maikusa N, Sonobe R, Kinoshita S, et al. Automatic detection of Alzheimer's dementia using speech features of Hasegawa's Dementia Scale-Revised. Geriat Med. 2019; 57: 157-65.

16) Horigome T, Hino K, Toyoshiba H, et al. Identifying neurocognitive disorder using vector representation of free conversation. Sci Rep. 2022; 12: 1-8.

17) Shatz P, Ybarra V, Leither D. Validating the accuracy of reaction time assessment on computer-based tablet devices. Assessment. 2015; 22: 405-10.

18) Spreij LA, Gosselt IK, Visser-Meily JM, et al. Digital neuropsychological assessment: Feasibility and applicability in patients with acquired brain injury. J Clin Exp Neuropsychol. 2020; 42: 781-93.

19) Wesnes KA. Moving beyond the pros and cons of automating cognitive testing in pathological aging and dementia: the case for equal opportunity. Alzheimer's Res Ther. 2014; 6: 1-8.

20) Schmand B. Why are neuropsychologists so reluctant to embrace modern assessment techniques?. Clin Neuropsychol. 2019; 33: 209-19.

21) Brearly TW, Shura RD, Martindale SL, et al. Neuropsychological test administration by videoconference: A systematic review and meta-analysis. Neuropsychol Rev. 2017; 27: 174-86.

22) 飯干紀代子, 岸本泰士郎, 江口洋子, 他. テレビ会議システムを用いた時計描画検査の信頼性. 高次脳機能研究. 2017; 37: 220-7.

23) Iiboshi K, Yoshida K, Yamaoka Y, et al. A validation study of the remotely ad-

Chapter 12　アセスメントにおける ICT の活用

ministered montreal cognitive assessment tool in the elderly Japanese population. Telemed J E Health. 2020; 26: 920-8.

24) Yoshida K, Yamaoka Y, Eguchi Y, et al. Remote neuropsychological assessment of elderly Japanese population using the Alzheimer's Disease Assessment Scale: a validation study. J Telemed Telecare. 2020; 26: 482-7.

25) 日本高次脳機能障害学会, 日本神経心理学会, 日本認知症学会, 日本老年精神医学会. 新型コロナ感染リスクの中で実施する認知機能検査について. http://184.73.219.23/rounen/news/新型コロナ感染リスクの中で実施する認知機能検査について.pdf

26) 遠隔精神科医療手引書策定タスクフォース. 精神科領域における遠隔（オンライン）診療のための手引書. https://www.i2lab.info/_files/ugd/48ff89_7cf8190ab244432280e1a200771741e1.pdf

27) 飯干紀代子, 山岡義尚, 江口洋子, 他. ビデオ会議システムを用いて高齢者に行う神経心理検査. 認知神経科学. 2021; 22: 158-67.

28) Bilder RM, Postal KS, Barisa M, et al. InterOrganizational practice committee recommendations/guidance for teleneuropsychology (TeleNP) in response to the COVID-19 pandemic. Clin Neuropsychol. 2020; 34: 1314-34.

［木下翔太郎, 岸本泰士郎］

Chapter 13

検査レポートの作成

　神経心理検査を実施した後は，検査結果についての解釈を行い，レポートとしてまとめ紹介元へ報告することが一般的である．この際，どのようにレポートを作成するかが問題となる．神経心理検査レポートの作成方法には一定の決められた書式はない．検査者や施設ごとに検査目的や現場の状況に応じてさまざまな形式で作成されているのが現状である．一方で，神経心理検査レポートの作成方法に関する書籍[1〜6]や論文[7, 8]も存在する．なお，**表1**はアメリカにおいて臨床神経心理士の資格試験を担っている ABCN（American Board of Clinical Neuropsychology）が公表している実践サンプルレポートの評価基準である（https://theabcn.org/candidate-manual　最終閲覧日 2023/11/27）．ABCN の臨床神経心理士資格試験においては，2 事例の実践サンプルレポートの提出が課せられており，レポートはこの基準で評価される．ここでは本邦での検査レポート作成に参考になる項目を一部抜粋して掲載している．

　本稿ではこれらの文献・資料や筆者の経験を踏まえ，検査レポート作成に際しての全般的留意点を述べ，検査レポートの内容と構成について解説する．

1. 検査レポート作成に際しての全般的留意点

a) 検査目的に対応した報告を行う

　Chapter 1 に述べられているように，神経心理学的アセスメントはさまざまな目的で実施される．診断や鑑別が目的の場合には，低下のみられる認知機能を中心に，損傷部位との関係や受傷歴，病歴などとの関係に力点を置いたレ

Chapter 13　検査レポートの作成

表1 ABCN 実践サンプルレポートの評価基準（一部抜粋）

- 紹介元が記載されている

- 現病歴が適切に示されている．レポートには，症状，病気，または機能不全の状態が記載されている．必要に応じて，関連する既往歴や背景が含まれている．

- 各ケースの評価は，ケース固有の診断および支援についての十分な，合理的に包括的なアプローチを反映している．重要な認知および心理的領域が適切に評価されている（例：言語，視覚空間，注意/集中，学習/記憶，実行機能，および心理学的機能）.

- テストが正しく実施，採点されている．テストデータが正確に報告され，明確に示されている．

- 患者の比較対象となる標準サンプルは，妥当な適合性を持つグループが適切に選択されている．

- 脳と行動の関係についての知識と統合された解釈がなされている．臨床的な問題を取り扱っており，レポートを受け取る側のニーズを満たすことができる．

- 結論はデータによって支持され，現在の標準的な，証拠に基づいた（evidence-based）神経心理学的実践を反映している．関連する既往歴や医学的な危険因子が特定され，診断の定式化と推奨事項に反映されている．

- 治療や支援に関する推奨事項には，さらなる診断的精査の提案や，治療的介入，心理社会的適応，およびその他のフォローアップに関する適切かつ合理的な提案が含まれている．

- 感情的および精神病理学的な要因が適切に評価され，レポートに組み込まれている．

- 他の専門家への相談が適切になされており，それに応じて文書化されている．

- レポートは，主要な読み手の背景とニーズに合わせて，明確で専門的なスタイルで書かれている．

ポートになる．一方，リハビリテーションの方針や生活支援の方針を検討するための情報収集が目的の場合には，残存能力や優れている能力（強み）についても記載をし，支援のためのヒントに力点が置かれたレポートとなる．また，治療効果の評価や時間経過による変化の評価が目的の場合には，過去の検査結果との比較がレポートの主な内容となる．

　このように，検査レポートで強調される点や含まれる内容は検査目的によっ

て異なるため，検査目的を意識しレポートを作成することが重要である．ただし，検査目的は必ずしも明確ではない場合がある．例えば医療機関において，医師より「認知機能の評価」という内容で検査依頼が届くこともある．このような漠然とした依頼であると，どのような点に注意を向けて検査を実施し，解釈をすべきかがわからない．結果として必要以上に多くの検査を実施することとなり，検査者と被検者双方の負担が増大する恐れもある．このため，検査目的が明確ではない場合には，紹介元に連絡を取り確認をしておく必要がある．この際には，紹介元の見立てについても尋ねておくと検査の選択や解釈に役立つ．なお，神経心理学的検査は一つの目的のみで実施されるとは限らない．例えば，鑑別および支援に関する情報収集の両方を目的として検査が実施されることも多い．

b) 総合的な解釈を行う

初心者が陥りがちな誤りとして，検査結果の数値のみから解釈を行い，レポートを作成してしまうことがある．神経心理学的アセスメントは検査結果だけではなく，検査室内外の行動評価や背景情報を統合して行わなければならない．ここでは検査結果の数値以外で解釈に含めるべき事項について述べる．

▶ 背景情報

神経心理学的アセスメントでは，本人および家族らへのインタビュー，検査室内外での行動観察，既往歴，教育歴，職歴などの情報を統合して解釈する必要がある．小児の場合には，母子手帳や通知表も情報源となる．このうち，結果の解釈に重要な影響を及ぼしていると推測される要因については検査レポート内に明記する．その他，感覚障害，運動障害，覚醒水準などの影響についても注意を払う必要がある．

▶ 検査中の行動観察

Chapter 1-A の「9. 解法プロセスの分析」でも述べられている通り，課題に対する取り組み方，正否に至るまでのプロセスの中に損傷部位の特性が表れていることがある．このため，検査実施中には被検者がそれぞれの課題に対し

Chapter 13 検査レポートの作成

てどのように取り組んでいるのかを注意深く観察し，特徴的な反応が見られた場合には記録をして解釈に役立てる．特に課題に対して誤った反応が生じた場合，どのように間違っているかという間違い方は重要な情報であり，記録を残しておくとよい．

　また，検査中の全般的な行動観察も重要である．例えば，課題の教示が終わらないうちに検査用具に手を伸ばし取り組み始めてしまう，課題とは関係のない話を多くする，じっとしていることが難しいといった行動特徴は，被検者の衝動性について推論する手がかりとなる．このような検査中の被検者の行動を評価するチェックリストの開発も試みられている[9]．

▶ **日常生活上の困り感・行動特性**

　神経心理検査では被検者に一定の刺激を提示し，それに対する反応の個人差から被検者の認知機能について推定を行う．これは認知機能に関する個人間差や個人内差を特定するためには有効な方法であり，診断のためにもこのような標準化された設定が必要である．一方で，検査課題が画一的・抽象的なものとなり，被検者の生活場面との乖離が生じやすい．このため，神経心理検査の結果のみから解釈を行うと，被検者の生活に焦点づけられた内容とはならず一般的な報告内容に留まってしまう．検査レポートの作成においては，神経心理検査で認められる認知機能の低下が，被検者の日常生活での困り感や行動特性とどのように関連しているのか，また，今後の生活でどのような形で表れてくる可能性があるのかを示すことが重要である．

　日常生活での困り感や行動特性については本人との面接，可能であれば家族や支援者とも面接を行い，情報を収集する．入院中の場合には，本人の様子をよく知っている看護師やリハビリテーションのスタッフなどからも行動特性についての情報が得られる場合がある．また，面接だけではなく，脳外傷者の認知−行動障害尺度（TBI-31）[10]のような日常生活における症状のチェックリストを活用することで詳細な情報を得ることができる．TBI-31のほか，遂行機能障害，社会的行動障害に関する行動評価尺度など，さまざまなものが開発されている[11, 12]．

c) 理解しやすい平易な表現を心がける

　検査の紹介元が神経心理学的検査に精通している専門職である場合以外は，レポート内で専門用語を多用することは控えるべきである．特に，検査目的が生活支援を検討するための情報収集である場合は，支援者が検査レポートを通して被検者の特徴や対応指針を理解できるように平易な文章で書く必要がある．

　長崎県高次脳機能障害支援センターが令和2年度に実施した高次脳機能障害連携実態調査では，県内の相談支援事業所を対象として高次脳機能障害の支援経験について調査を行っている[13]．その結果，医療機関との連携に関して，「高次脳機能障害に関する検査結果の解釈が難しく，職員が現場で活用できない」，「医療機関から受け取った情報提供書などに専門用語が使われておりわかりにくかった」，「医療機関からの情報を支援場面でどう活かしていいかわからなかった」といった回答が得られている．

　このように，医療機関から相談支援事業所に対して検査結果についての情報が提供されているものの，解釈が難しく支援に活用できていない状況がある．神経心理検査の結果は医療機関外の生活支援を担う職種に提供され，支援方針の検討に用いられることがある．小児の場合には学校や保育園，幼稚園での支援が課題となることが多く，教諭や保育士へ情報提供を行う場合がある．成人の場合には，福祉施設の職員や職場の上司等へ情報提供を行う場合がある．生活支援を担うさまざまな職種が理解できるように，レポート作成の際にはわかりやすい表現を心がけることが肝要である．本人や家族へフィードバックを行う前提で検査レポートを作成する場合はより一層の注意を払う必要がある．

　神経心理検査の領域では，ワーキングメモリー，処理速度，遂行機能障害，保続など，多くの専門用語が存在する．これらをわかりやすい表現で記載をするためには，日常的な具体例を考えておくと役立つ．検査者は自身の生活場面において，これらの認知機能が行動や思考にどのように関わっているのかを日頃から意識しておくとよい．また，検査経験を積むことで，検査上での認知機能の低下が日常生活でどのような困難さとして現れてくるかが理解できるようになり，具体例の知識が増えていくであろう．先に紹介をした脳外傷者の認知－行動障害尺度（TBI-31）[10]などのチェックリストでは日常生活上で見られ

Chapter 13　検査レポートの作成

る高次脳機能障害の症状がリストアップされており，具体例の参考となる．

2.　検査レポートの内容

表2 に検査レポートに含まれる代表的な項目を示す．

▶ 被検者の情報

被検者の氏名や年齢などに加えて結果の解釈に関連する教育歴や職業（学年），利き手についても記載をする．また，既往歴についても特記事項がある場合には記載をする．

▶ 検査目的等

紹介元の医師名や診療科，依頼内容（検査目的）を記載する．検査名はWAIS-IV，WMS-R など実施した検査を列挙する．

▶ 本人・関係者との面接記録

本人や家族，支援者との面接から得られた情報を簡潔に記載する．

表2 検査レポートに含まれる代表的項目

被検査者の情報
　氏名，生年月日，年齢，性別，患者 ID，教育歴，職業（学年），利き手，診断名，既往歴

検査目的等
　紹介元，依頼内容（検査目的），検査者，検査日，検査名

本人・関係者との面接記録
　日常生活での困り感，問題・課題となっていること

検査結果
　得点，評価分類，検査中の行動観察

所見
　検査結果についての解釈，支援方法・対応のヒント

▶ 検査結果

実施した検査の結果について，得点や評価分類（正常範囲内，カットオフ値以下など）を記載する．表形式で記載をするとわかりやすい．特に，治療効果の評価や時間経過による変化の評価が目的の場合には，過去の検査結果も含めて表やグラフにまとめると変化が把握しやすくなる．また，複数の検査を組み合わせバッテリーとして実施した場合には，知的機能，注意機能，記憶機能などの領域ごとに結果を記載すると解釈しやすい．

▶ 所見

結果を解釈し，依頼内容（検査目的）に対応した回答を記載する．記載方法は，紹介元や検査目的に応じていくつかのパターンが考えられる．

例えば高次脳機能障害の診断・評価の目的で複数の検査を実施した場合や，自動車運転についての適性を評価する目的で検査を実施した場合は，被検者の認知機能全般について詳細な評価が必要になる．このような場合には，「知的機能」，「注意機能」，「記憶機能」，「遂行機能」，「言語機能」，「視空間機能」，「気分／情動」といったように，領域ごとに低下が認められるか保たれているのかを記載をしていく方法がある．

被検者の個人内での強み，弱みを評価し，支援に活かすことを目的として検査を実施した場合には，認知機能の領域ごとではなく「低下していると推測される機能」と「保たれていると推測される機能」に分けて記載をしていく方法もある．また，この場合には検査結果から考えられる支援方法・対応のヒントについて平易な表現で記載をすることが重要となる．

治療効果の評価や時間経過による変化の評価が目的の場合には，過去の検査結果と比較して変化が認められた認知機能を中心に解釈を行う．低下が認められた場合には，支援方法・対応のヒントについても記載をしておくとよい．

3. 検査レポートの構成

海外では，神経心理検査の紹介元（多くは医師）に対して，検査レポートに

Chapter 13　検査レポートの作成

心理検査報告書

患者 ID：　　　　　　　　　　　　　　　　　　　　作成日：〇年〇月〇日

患者氏名：〇〇　〇〇　　性別：男性　　年齢：38 歳　　生年月日：〇年〇月〇日

教育歴：12 年（高校卒）　利き手：左利き
職業（学年）：就労継続支援 B（製品のパッキング作業，PC 入力作業）

診断名：高次脳機能障害（右前頭葉，右側頭葉の脳挫傷）　〇年〇月〇日，乗用車にはねられ受傷

既往歴：特記事項なし

紹介元：〇〇　〇〇
依頼内容（検査目的）：高次脳機能障害の精査，作業所での支援方法の検討

検査者：〇〇　〇〇　　　　　　　　　　　検査日：〇年〇月〇日，〇月〇日

検査名：WAIS-IV, WMS-R, BADS, WCST, CAT, TBI-31

本人・家族との面接記録
- 動作がゆっくりで何をするにも時間がかかる.　　● 話が変わるとついてこれない.
- 柔軟に考えることが難しい. 予定がかわるとパニックになってしまう.
- 疲れやすい. 午後になると眠くなってしまい，作業ができない.

検査所見（別紙も参照）

低下していると推測される機能
1．行動や思考の素早さ（WAIS-IV の処理速度）
2．言葉で伝えられたことを覚えること（WMS-R の言語性記憶）
　　　⋮

保たれていると推測される機能
1．目で見たものを覚えること（WMS-R の視覚性記憶）
　　　⋮

総合所見

支援方法・対応のヒント

図 1 検査レポートの作成例
検査結果以外を 2~3 ページでまとめ、検査結果は別紙に記載をするパターン

検査結果一覧

WAIS-IV 知能検査

	合成得点	パーセンタイル順位	90%信頼区間	分類記述
言語理解	85	16	81-91	平均の下－平均
知覚推理	87	19	82-94	平均の下－平均
ワーキングメモリ	85	16	80-92	平均の下－平均
処理速度	71	3	67-81	非常に低い－平均の下
全 IQ	78	7	75-83	低い－平均の下

下位検査	評価点	下位検査	評価点	下位検査	評価点	下位検査	評価点
類似	7	積木模様	8	数唱	8	記号探し	5
単語	7	行列推理	9	算数	7	符号	4
知識	9	パズル	7				

WMS-R 記憶検査

指標	得点
言語性記憶	73
視覚性記憶	108
一般的記憶	81
注意／集中力	85
遅延再生	88

BADS（遂行機能障害症候群の行動評価

検査	得点
検査 1：規則変換カード検査	3
検査 2：行動計画検査	3
検査 3：鍵探し検査	4
検査 4：時間判断検査	3
検査 5：動物園地図検査	3
検査 6：修正 6 要素検査	2
総プロフィール点	18
標準化得点	97
全般的区分	平均

対する印象や意見を調査した報告がある[7]．この研究では，紹介元は箇条書きや表形式で記載された 2～4 ページの短い検査レポートを好んでいることが示

Chapter 13　検査レポートの作成

されている．文化的背景は異なるものの，本邦においても過度に詳細で冗長な
レポートは読み飛ばされる恐れがあり，避けるべきである．

　実施した検査が MMSE や FAB といったスクリーニング検査のみであった場
合は，検査レポートの内容が A4 用紙 2 枚程度に収まると考えられる．一方，
検査バッテリーを組んで認知機能全般について詳細な評価を行った場合は検査
結果の記載が特に増えるため，全体の分量が多くなり読み手の負担が大きくな
る．この場合は A4 用紙 2〜3 枚程度に検査結果以外の内容をまとめ，検査結
果については別紙に記載をする方法がある．この検査結果を別紙でまとめる方
法は，読みやすい検査レポートの作成を試みた海外の研究でも用いられてい
る[8]．**図1** に検査結果を別紙にまとめたレポートの例を示す．

4. まとめと今後の課題

　最初に述べたように，神経心理検査レポートの作成方法には一定の決められ
た書式はない．**図1** もあくまでも一例であり，紹介元や検査目的，検査の
種類などによって含まれる内容や形式，分量は変わる．重要なことは，読み手
にとって理解しやすく役立つレポートを作成することである．機会があれば紹
介元である医師や情報提供先の支援者に対して，作成した検査レポートに関す
る意見や要望を尋ねてみてもよいであろう．読み手からのフィードバックは改
善につながる貴重な情報となる．

　神経心理検査レポートの作成は創造的な仕事ではあるが，時間と労力のかか
る作業でもある．特に，複数の検査を組み合わせバッテリーとして実施した場
合には，1 つ 1 つの検査結果の解釈に加えて総合的な解釈が必要となる．さら
に本人や家族との面接内容，検査中の行動観察なども含めて解釈をし，支援方
法を検討するとなるとかなりの時間が必要となる．多忙な臨床現場においては
検査レポートの作成に十分な時間を確保することが難しく，このような背景も
質の高いレポートの作成を妨げている要因の一つであると思われる．検査レ
ポートの効率的な作成方法について研究・検討がなされていくこととともに，
レポート作成に十分な時間が確保できる環境が整っていくことを期待したい．

■文 献

1) Donders J, ed. Neuropsychological report writing. New York: Guilford Publications; 2016.

2) 小海宏之．神経心理学的検査報告書の書き方．In: 小海宏之．神経心理学的アセスメント・ハンドブック．東京: 金剛出版; 2016. p.223-5.

3) 若松直樹．報告書の書き方・フィードバックの仕方．In: 松田　修, 飯干紀代子, 小海宏之, 編．公認心理師のための基礎から学ぶ神経心理学．京都: ミネルヴァ書房; 2019. p.154-8.

4) 加藤真弓, 浅見大紀, 柴藤恵美, 松田　修．簡潔な検査報告書の心得．In: 小海宏之, 若松直樹, 編．高齢者のこころのケアの実践 上巻 認知症ケアのための心理アセスメント．大阪: 創元社; 2012. p.87-94.

5) 加藤佑佳．総合的な報告書の心得．In: 小海宏之, 若松直樹, 編．高齢者のこころのケアの実践 上巻 認知症ケアのための心理アセスメント．大阪: 創元社; 2012. p.95-102.

6) 鈴木亮子．ホームドクターと連携するための報告書の心得．In: 小海宏之, 若松直樹, 編．高齢者のこころのケアの実践 上巻 認知症ケアのための心理アセスメント．大阪: 創元社; 2012. p.103-10.

7) Postal K, Chow C, Jung S, et al. The stakeholders' project in neuropsychological report writing: a survey of neuropsychologists' and referral sources' views of neuropsychological reports. Clin Neuropsychol. 2018; 32: 326-44.

8) Baum KT, Thomsen C, Elam M, et al. Communication is key: the utility of a revised neuropsychological report format. Clin Neuropsychol. 2018; 32: 345-67.

9) 岡田　智, 田邊李江, 飯利知恵子, 他．WISC-IV における検査行動アセスメントの意義と実践的課題−検査行動チェックリストの試作と事例による検討．子ども発達臨床研究．2015; 7: 23-35.

10) 久保義郎, 長尾初瀬, 小﨑賢明, 他．脳外傷者の認知-行動障害尺度（TBI-31）の作成−生活場面の観察による評価．総合リハビリテーション．2007; 35: 921-8.

11) 鹿島晴雄, 三村　将, 田渕　肇, 他, 訳．BADS; 遂行機能障害症候群の行動評価日本版．東京: 新興医学出版社; 2003.

12) 駒澤敦子, 鈴木伸一, 久保義郎, 他．高次脳機能障害者における社会的行動障害についての検討（1）−社会適応障害調査票作成と信頼性・妥当性の検討．高次脳機能研究．2008; 28, 20-9.

13) 長崎県高次脳機能障害支援センター．高次脳機能障害連携状況実態調査報告書．2021.

［足立耕平］

索　引

■数字

1年ルール	176
2検査版	146
3つの単語の記銘	193
4検査版	146
5つの物品記銘	194

■あ 行

アスペルガー障害	280
アトモキセチン	285
アパシー	168
アポリポタンパク ε4	172
アポリポタンパク ε4 遺伝子	172
アミロイド前駆タンパク	171
アルツハイマー型認知症	168, 169, 170
アルツハイマー病	89, 171
アルファ-シヌクレイン	174
安静時振戦	177
意識	40
意識障害	39
異常リン酸化タウ	170
一過性全健忘	60
一酸化炭素中毒	252
一般知的能力指数	144
一般知的能力指標	154
一般的記憶	66
易怒性	169
意図性保続	18
意図的・内発的注意	79
意味記憶	50
意味記憶障害型	180, 181
意味性認知症	180
意欲	100
インターネット	22

ウィスコンシンカード分類検査	127, 132
ウェクスラー記憶検査	294
ウェクスラー式知能検査	7
ウェクスラー児童用知能検査第5版	325
ウェクスラー知能検査	141
ウェルニッケ失語	223
ウェルニッケ脳症	59
運動機能	37
運動性保続	16, 18
運動のプログラミング	127
エコラリア	281
エジンバラ利き手質問紙	11
遠隔医療	343
遠隔記憶	50
遠隔検査	344
縁上回	244
遠城寺式・乳幼児分析的発達検査	291
大脇式盲人用知能検査	292
親面接式自閉スペクトラム症評定尺 度テキスト改訂版	295
音読課題	272
音読年齢	340

■か 行

外形構成	152
介護負担	212
解釈のピット・フォール	15
外傷後健忘	58
外傷性脳損傷者	137
回想	50
外側膝状体	82
改訂長谷川式簡易知能評価スケール	192
改訂版 標準読み書きスクリーニング 検査	337
概念化	127

海馬傍回	253	気分障害	4
解法プロセスの分析	16	記銘	49, 189
カウフマンモデル	330	逆向性健忘	53
角回	244	キャッテル-ホーン-キャロル	
拡散テンソル画像法	3	（CHC）理論	330
学習	49	嗅覚低下	177
学習障害	279	急性脳症	289
学習と記憶	167	教育歴	5, 361, 364
覚醒	40	協応運動	291
覚醒・警戒ネットワーク	83	強化学習課題	319
仮性作業	169	狭義の発達障害	279
下前頭回	244	拒否反応	23
仮想現実	22	筋強剛	177
画像失認	251	近時記憶	50
家族会	291	グアンファシン	285
カットオフ値	191	偶発的学習検査	68
カットオフ点	264	国リハ式＜S-S法＞言語発達遅滞検査	
カットオフ得点	7		293
下頭頂小葉	234, 244	群指数	141
加齢変化	10	慶應版ウィスコンシンカード分類検査	
感覚過敏	282	（Wisconsin Card Sorting Test)	
環境依存症候群	113		132, 133, 294
環境整備	224	計画段階	120
喚語困難	201	警告	319
干渉を抑制	314	計算	194
間代性保続	18	計算困難	286
観念運動	202	軽度外傷性脳損傷	3
観念運動性失行	244	軽度認知障害	88, 165, 166, 195
観念性失行	244	血管性認知症	168, 169, 183
間脳	282	結晶性知能	10
記憶	164, 165	結晶性能力	155
記憶更新検査	95, 97, 98, 99	ゲルストマン症候群	288
記憶詐病テスト	21	幻覚	168, 177
記憶障害	289	限局性学習症	3, 279, 286
記憶誘導性サッケード課題	314	限局性脳萎縮	179
利き手	10, 11, 364	言語	164, 165, 167
利き手指数	11	言語性IQ	142
気分	4	言語性記憶	66, 73

言語的方略	69	心の理論障害説	282
言語理解	143, 144	呼称	190
言語理解指標	154	個人間差	154
顕在記憶	50	個人的意味記憶	51
検索	49	個人内差	154
検査の反復実施	19	こだわり傾向	118
幻視	176, 177	固定	49
検出型	32	古典的失行症	235, 244
幻聴	177	古典的分類	31
見当識	189	ことばのテストえほん	292
健忘	53	誤認症候群	168
健忘型 MCI	211	好みによる利き手	14
健忘失語	223	語の流暢性課題	311
行為	164, 165	誤反応分類	233
硬貨課題	273	誤謬数	73
交感神経皮膚反応	319, 322	コルサコフ症候群	57

■ さ 行

高機能自閉症	280		
攻撃性	169	再生	49, 69, 190
高次動作性機能	229	再認	49, 69
高次動作性機能の分類	230	錯行為	233
高次脳機能障害支援モデル事業	289	作話	71
合成得点	159	サッケード	309
口舌顔面失行	244	作動記憶	143, 144
行動（抑制・促進）	321	詐病	5, 21
行動・心理症状	165, 168	算数障害	286
行動異常型	181	視覚記銘	73
行動異常型 FTD	181	視覚失語	254
行動観察	8, 362	視覚情報処理説	288
行動検査	271	視覚処理	155
行動心理症状	164	視覚性記憶	66, 68, 72
後頭葉	252	視覚性記憶範囲課題	67
行動抑制	308	視覚性再生	67
行動抑制機能	313	視覚性失認	247
公認心理師	23, 156	視覚性スパン	96, 98
抗認知症薬	200	視覚性対連合	67
広汎性発達障害	280	視覚性抹消課題	96, 98, 99
高齢タウオパチー	169	視覚性ワーキングメモリー	68
コース立方体組み合せテスト	150, 292		

索引

視覚探索課題	81
視覚的注意	79
視覚的理解	216
視覚認知	72
色覚検査	254
色彩失認	251, 252
視空間機能	164
視空間処理能力障害	177
刺激従属的	250
自己身体定位障害	244
自己身体定位による障害	235
自己抑制機能	309
視床	282
視床下部	282
視床ゲート機構	82
視床枕	82
視床網様核	82
姿勢保持障害	177
肢節運動性失行	244
持続性注意検査2	95, 97
持続的注意	80
失行	34, 289
失行症	227, 228
失語	29, 232, 289
実行機能	164, 165, 167, 308
実行段階	120
失語症	9, 216, 232
失語症鑑別診断検査（老研版）	218
失語症評価	217
失認	289
質問紙法による意欲評価スケール（質問紙法）	102, 103, 105
実用的コミュニケーション検査	219
自伝の記憶	51
自伝的出来事記憶	51
視認知/聴覚認知	165
自発性低下	101, 103, 104
自閉スペクトラム症	3, 279, 280

自閉スペクトラム障害	89
司法	5
社会的行動障害	289
社会的認知	166, 167
社会復帰	136
視野検査	254
視野障害	39
写真課題	271
自由会話	224
自由時間の行動観察	102
自由時間の日常行動観察	104
収集行動	244
集中力	9
周辺症状	168
受傷前の能力の推定	18
純粋失読	251, 252
小学生の読み書きスクリーニング検査	298
小血管病変	184
使用行動	244
小中学生の読み書きの理解	298
焦点的注意	80
情動処理経路	306
衝動性	283
衝動性眼球運動	309
情動性自律反応	318
上頭頂小葉	244
小児高次脳機能障害	278, 288
小児神経心理学	276
小児神経心理学的アセスメント	276, 277
小児心理検査	276
小児のアセスメント手法	291
小児脳血管障害	289
小脳の障害	38
情報通信技術	21, 343
職業	4
食行動異常	169
職歴	5, 361

373

書字	191, 216	遂行機能検査	124, 136
書字困難	286	遂行機能障害	108, 119, 122, 124, 289
書字障害	286	遂行機能評価	125
書写課題	273	遂行制御ネットワーク	84
初頭効果	71	髄鞘形成	307, 308
処理速度	143, 144, 155	錐体外路症状	174
処理速度指標	154	睡眠障害	177
自律神経障害	177	推理/判断	165
視力検査	253	数字の逆唱	194
新型コロナウイルス感染症	343	数唱	67, 96, 98
親近性	51	スクリーニング	218
新近性効果	71	スクリーニング・テスト	233
神経学的診察	37	スクリーニング検査	368
神経学的ソフトサイン	291	スクリーニング得点	74
神経原線維変化	171, 172	ストループテスト	131
神経心理学	1, 28	スリップ	87
神経心理学的アセスメント	1, 359, 361	正確数	73
神経心理学的検査	1, 6, 276	成熟	307
神経心理学的症状	28	精神・感情・行動障害	177
神経心理学的診察	39	精神遅滞	279
神経心理検査	359	精神的柔軟性	127
神経発達症	3, 15	生態学的妥当性	4
神経放射線学的検査法	30	成長	307
進行性核上性麻痺	169	生得的制約	318
進行性非流暢性失語	180	生理的覚醒反応	323
人工知能	343	セルフコントロール	310
進行麻痺	183	線画	260
診察	42, 43	全検査 IQ	154
侵襲性	22	前向性健忘	53, 66
新装版 CARS-小児自閉症評定尺度	296	潜在記憶	50
身体的フレイル	211	全失語	223
新版 K 式発達検査 2001	291	選択（意思決定）	321
信頼区間	159	選択的注意	80
信頼性	7	前頭前野	283
心理・行動症状	211	前頭側頭型認知症	89, 179
随意的注意	79, 80	前頭側頭葉変性症	168, 169, 179
遂行機能	107, 118, 165, 282	前頭頭頂システム	84
遂行機能系	285	前頭葉	109, 306

索引

前頭葉眼窩面	108
前頭葉機能障害	183
前頭葉機能の側性化	315
前頭葉機能の発達	308
前頭葉症候群	107
前頭葉内側面	244
前頭葉背外側面	108
全般性注意	77, 79
全般性注意障害	87
線分二等分試験	268
線分抹消試験	265, 266
せん妄	87, 168
総合的失語症検査	218
総合的な解釈	8
相貌失認	252
ソーシャルスキル	310
即時記憶	50
即時再生	68
側性化	11
速読課題	340

■た　行

対座法	39
帯状−弁蓋システム	84
対人技能拙劣	290
体性感覚	38, 234
代替課題	20
大脳皮質基底核変性症	169
大脳病理学	2
大脳辺縁系	282
タウタンパク	171
多系統萎縮症	174
脱抑制	309
多動	169
多動性	283
妥当性	7
田中ビネー検査V	292
多発梗塞性認知症	184

ため込み行動	115
短期記憶	49, 94, 98, 155
短期記憶検査	67
単語記憶再認課題拡張版	200
チームアプローチ	5
遅延再生	66, 68, 194
遅延反応	309
知覚運動機能	167
知覚機能亢進説	282
知覚推理指標	154
知覚統合	143, 144
地図課題	273
知的発達症	15, 279
知能検査	154, 292
知能指数	150
着衣失行	244
注意	66, 77, 164, 165
注意欠如多動症	3, 90, 279, 283
注意障害	42, 290
注意と計算	189
注意による制御機能	93, 94, 98, 99
注意の維持機能	93, 94, 98
注意の選択機能	93, 98
中央実行系	108
中核症状	168
中止基準	225
中心後回	238, 239
中心前回	244
中枢性統合障害説	282
中前頭回	244
聴覚情報処理障害説	288
聴覚性記憶	68
聴覚性検出課題	97, 98, 99
聴覚的注意	79
聴覚的理解	216
長期記憶	50
長期的報酬予測	319
長期的報酬予測学習	323

375

索引

聴力障害	39
貯蔵	49
治療効果の評価	4
陳述記憶	50
通級指導教室	290
通常検査	265
津守式乳幼児精神発達診断法	291
定位ネットワーク	83
低酸素性脳症	289
定性的評価	151
定量的評価	151
出来事記憶	50
デジタル・ディバイド	347
デフォルトモードネットワーク	85
てんかん性健忘	61
転換的注意	80
電車の乗り換え	116
展望記憶	51, 74
電話課題	272
統覚型失認	247, 248, 251
動機づけ	9
道具の使用行動	235
道具把握	237, 241
瞳孔径	318
動作緩慢	177
動作性 IQ	142
頭頂間溝	239, 244
頭頂間溝領域	234
頭頂葉	238, 239, 244
動脈硬化性認知症	183
ドーパミン	285
読字	190
読字困難	286
読字障害	286
特徴統合理論	81
特別支援学級	290
特別支援教育	279
時計課題	272

時計描画テスト	349
トップダウン制御	79
トップダウン様式	80
ドパミントランスポーター	
（I123-イオフルパン）SPECT	178
トランプ課題	274
トレイルメイキングテスト	135

■ な 行

内側膝状体	82
内側面	116
二次性障害	279
二重乖離	2
二重ベースライン法	20
日時の見当識	193
日常記憶	74
日常生活	4
日常生活行動の意欲評価スケール（日常 生活行動評価）	102, 103, 105
日本語版 FLANDERS	13
日本版 KABC-Ⅱ	292
日本版リバーミード行動記憶検査	73
乳幼児期自閉症チェックリスト修正版	295
認知機能検査	164
認知症	88, 164, 166
認知処理経路	306
認知神経科学	307
認知的熟練指数	144
認知的予備力	10
認知ドメイン	199
認知変動	176, 177
ネグレクト	213
年齢	193
脳外傷	289
脳外傷者の認知−行動障害尺度	362, 363
脳幹型	175
脳血流量検査	178

索引

脳梗塞	88	皮質下血管性認知症	88
脳出血	88	皮質型	184
脳動静脈奇形	289	左手利き	11
ノルアドレナリン	285	左頭頂葉	242
		左半球損傷例	152

■ は　行

パーキンソニズム	177	非陳述記憶	50
パーキンソン症候群	176	びまん型	175
パーキンソン病	169, 174	びまん性軸索損傷	3
把握動作	241	描画	191
把握反射	244	描画試験	269, 271
パーソナリティ	4	評価点	159
パーペッツ回路	54	評価法	68
徘徊	169	標準意欲評価法	93
背側経路	259	標準化検査	7
背側システム	83	標準言語性対連合学習検査	74
配分的注意	80	標準高次視知覚検査	249, 254, 260
場所の見当識	193	標準高次動作性検査	228
長谷川式簡易知能評価スケール	192	標準失語症検査	218, 219, 220
発達検査	276, 291	標準出現率	160
発達障害	278, 306	標準注意検査法改訂版	93
発達障害者支援法	279	標準プロフィール得点	74
発達性ゲルストマン症候群	288	病前知能	148
発達性ディスレクシア	340	病歴	36
発達性読み書き障害	337	非流暢性失語型	180, 181
バッテリー・アプローチ	1	昼間の過眠	177
発動性	168	疲労	225
発話	216	不安	169
ハノイの塔	135	フィードバック	8, 363, 368
パフォーマンスによる利き手	14	複雑性注意	79, 167
バレー徴候	37	復唱	190
半側空間無視	290	腹側経路	259
反応分類	232	腹側システム	83
ピア・カウンセリング	291	不潔行為	169
非意図的・外発的注意	79	不随意的注意	79, 80
光トポグラフィー	278, 311	不注意	283
非言語性記憶	66	物体失認	251
皮質下型	184	物体の輪郭	259
		ブローカ失語	223

377

ブローカ野	288	メニュー課題	272
フロスティッグ視知覚発達検査	293	面接	5
プロセス分析	145, 146	面接による意欲評価スケール	
プロソディー	281	（面接評価）	102
プロフィール分析	144	妄想	168, 177
文脈	321	文字抹消試験	266
文脈依存性理論	315	模写課題	69
文脈非依存性理論	315	模写試験	267
分類カテゴリー	132	模倣行動	113, 235, 244
ベータアミロイド	170	もやもや病	111, 289
偏差知能指数	7	模様構成	152
扁桃体	283	問診	36
ベントン視覚記銘検査	72		
包括的理解	290	■や　行	
方向性注意	79	有意差	160
報酬系	285	有関係対語	75
報酬予測・警告課題	319	夕暮れ症候群	169
紡錘状回	252	抑うつ	168
星印抹消試験	266	抑制	113
保続	87, 233		
保続エラー	127	■ら　行	
ボトムアップ制御	79	ラポール形成	347
ボトムアップ様式	80	リーチ動作	241
掘り下げ検査	219	理解	190
本能性把握反応	244	理解力	9
		離断症候群	249
■ま　行		リハビリテーション	35, 360
街並失認	252	流暢性	118, 194
抹消・検出検査	95, 96, 98	流暢性検査	133
右手利き	11	流動性推理	155
右半球損傷例	151	流動性知能	10
道順障害	252	利用行動	113
ミラーニューロンシステム障害説	282	臨床試験	344
無関係対語	75	臨床神経心理学	2
無定型反応	233	レーヴン色彩マトリックス検査	292, 334
無動性無言	174	レビー小体	174
メタアナリシス	8	レビー小体型認知症	89, 168, 169, 174
メチルフェニデート	285	レビー小体病	174

レポート作成	8
レム睡眠行動異常症	176
連合型失認	247, 249
練習効果	4, 19
老化	166
老人斑	172

■ わ 行

ワーキングメモリー	50, 94, 98, 108, 112, 135, 308, 310
ワーキングメモリー指標	154

■ A

Action disorganization syndrome	235
ADAS-J cog.	200
ADHD-RS	297
ADI-R 日本語版	295
ADOS-2 日本語版	296
alerting network	83
Alois Alzheimer	170
alternating attention	80
Alzheimer's Disease Assessment Scale 日本語版	351
Alzheimer's diseases（AD）	89
amnesia	53
anterograde amnesia	53
AQ 日本語版自閉症スペクトラム 指数児童用	295
AQ 日本語版自閉症スペクトラム 指数成人用	295
Arnold Pick	179
artificial intelligence（AI）	343
ASRS	297
ATLAN 適応型言語能力検査	293
attention deficit hyperactivity disorder（ADHD）	3, 90, 283, 309
Auditory Detection Task	97

autism spectrum disorder（ASD）	3, 89, 280, 282
autobiographical memory	51
AVLT	69, 72
A β 42	171

■ B

BADS	125, 128, 129
Baron-Cohen S	295
behavioural and psychological symptom of dementia（BPSD）	168, 211
behavioural-variant frontotemporal dementia（bv-FTD）	180, 181
Benton A	2, 291
BIT 行動性無視検査日本版	254, 263
Broca P	2, 31
Broca 失語	2

■ C

CAADID	297
CAARS 日本語版	297
Cancellation and Detection Test	95, 96
Cattell-Horn-Carroll（CHC）理論	155
Clinical Assessment for Attention-Revised（CAT-R）	93, 94
Clinical Assessment for Spontaneity（CAS）	93
clinical dementia rating（CDR）	200, 210
Clock Drawing Test（CDT）	204, 207, 349
closing-in 現象	18
CLOX	208
Cognitive bias task（CBT）	315, 316
cognitive shift（CS）	318
Conners 3 日本語版 R（改訂版）	297
Conners C	297

索引

Continuous Performance Test（CPT）
22, 294
Continuous Performance Test 2
（CPT 2） 95, 97, 98
COVID-19 343
CT/MRI 178

■D

Das-Naglieri Cognitive Assessment
System（DN-CAS） 332
default-mode network（DMN） 85
dementia of frontal lobe type（DFT）
179
dementia with Lewy bodies
（DLB） 89, 168, 174, 175
design fluency 133
developmental dyslexia 337
DEX 質問紙 129, 130
Diagnostic and statistical manual of
mental disorders. Fifth edition
（DSM-5） 278
Diagnostic and statistical manual of
mental disorders. Fiftn edition, text
revision（DSM-5-TR）
3, 166, 167, 172, 191, 195, 278, 281, 284
Digit Span 96
directed attention 79
divided attention 80
DLB 診断基準 176
DN-CAS 認知評価システム 292, 332
dorsal attention system 83
double dissociation 2
DuPaul G 297
dyscalculia 286
dysgraphia 286
dyslexia 286

■E

ELC 読み書き困難児のための音読・
音韻処理能力簡易スクリーニング
検査 299
Emil Kraepelin 183
episodic memory 50
Executive Clock Drawing Task（CLOX）
207
executive function 308
executive network 84

■F

familiarity 51
fixed battery approach 6
FLANDERS 12
flexible battery approach 6
Flinders Handedness Survey 12
Florida Apraxia Screening Test-Re-
vised（FAST-R） 243
fluency 118
focal attention 84
focused attention 80
Friedrich Heinrich Lewy 175
frontal assessment battery（FAB）
125, 310, 311, 312
frontal lobe dementia（FLD） 179
frontotemporal neurocognitive
disorder 89
frontotemporal dementia（FTD） 179
frontotemporal lobar degeneration
（FTLD） 180
Frostig M 293
FSIQ 154
FTLD-U 183

■G

GAI 154

380

索引

Gall F 31
Gc 155
generalized attention 77, 79
Gf 155
Glasgow Coma Scale（GCS） 41, 86
Go/No-Go 課題 127, 312
Gs 155
Gsm 155
Gv 155

H

H. N. きき手テスト 12, 13
Halstead W 2
Halstead-Reitan Neuropsychological
　Test Battery 6
HDS-R 192

I

idea fluency 133
information and communications
　technology（ICT） 21, 343
inhibition 113
innateness 318
ITPA 言語学習能力診断検査 293

J

James Parkinson 175
Japan Coma Scale（JCS） 40, 86
Japanese Adult Reading Test（JART）
　19, 148, 149

K

KABC-Ⅱ心理・教育アセスメント
　バッテリー 327
Kaplan E 16
Kaufman Assessment Battery for
　Children Second Edition（KABC-Ⅱ）
　327

KIDS 乳幼児発達スケール 291
Kirk S 293
Kohs 150

L

laterality quotient 11
lateralization 315
LB 病変 174
LDI-R 298
learning disabilities 286
Luria A 3, 292
Luria-Nebraska Neuropsychological
　Battery 6

M

major cognitive impairment 88
major neurocognitive disorder 166
Markov decision task（MDT） 319, 322
M-CHAT 295
MDC 20
Memory Updating Test 95, 97
mental sets 116
MIBG 心筋シンチ 178
mild cognitive impairment
　（MCI） 88, 166, 195, 200, 207
Mini-Mental State Examination 187
minor neurocognitive disorder 166
MMSE-J 187, 191
MoCA 195
Montreal Cognitive Assessment 日本語
　版（MoCA-J） 195, 196, 197, 351
MRI 44, 308
multi-infarct dementia 184
3D-MRI 307

N

National Adult Reading Test（NART）
　19

381

National Institute on Aging and the
　Alzheimer's Association　　　　　166
neurological soft signs　　　　　　291
neuropsychiatric inventory（NPI）　211
NIA-AA　　　　　166, 167, 172, 173
NoGo 課題　　　　　　　　　　　313
NoGo 電位　　　　　　　　　　　313
non-fluent/agrammatic variant PPA
　（nfv-PPA）　　　　　　　　　180
NPI-Brief Questionnaire Form（NPI-Q）
　　　　　　　　　　　　　　　212
NPI-Nursing Home Version（NPI-NH）
　　　　　　　　　　　　　　　212

■ O

orienting network　　　　　　　　83
Oto Binswanger　　　　　　　　　183

■ P

Paced Auditory Serial Addition Test
　（PASAT）　22, 95, 97, 98, 99, 294
PARS-TR　　　　　　　　　　　295
PASS 理論　　　　　　　　　　　332
PC　　　　　　　　　　　　　　22
PD　　　　　　　　　　　　　　175
PDD　　　　　　　　　　　　　280
Pick 球　　　　　　　　　　　　179
Pick 細胞　　　　　　　　　　　179
Pick 病　　　　　　　　　　　　179
Posner 課題　　　　　　　　　　81
posterior cortical atrophy　　　　249
preshaping　　　　　　　　　　242
PRI　　　　　　　　　　　　　154
progressive aphasia（PA）　　　　180
progressive non-fluent aphasia（PNFA）
　　　　　　　　　　　　　　　180
PSI　　　　　　　　　　　　　154
PTSD　　　　　　　　　　　　15

PVT-R 絵画語い発達検査　　　　292

■ R

Rapid Automatized Naming（RAN）
　課題　　　　　　　　　298, 341
Raven's Colored Progressive Matrices
　（RCPM）　　　　　　　　　334
RCI　　　　　　　　　　　　　20
Reading Age（RA）　　　　　　340
recollection　　　　　　　　　　50
REM 睡眠行動異常症　　　　　　177
retrograde amnesia　　　　　　　53
Rey A　　　　　　　　　　　　69
Rey-Osterrieth 複雑図形　　　68, 294
Rey の 15 項目記憶テスト　　　　21
Rouleau らの評価基準　　　　　206

■ S

Schopler E　　　　　　　　　　296
selective attention　　　　　　　80
semantic dementia（SD）　　　　180
semantic memory　　　　　　　50
semantic variant PPA（sv-PPA）　180
shifting　　　　　　　　　　　116
Short form-MoCA　　　　　　　200
single photon emission computed
　tomography（SPECT）　　　　317
SLD　　　　　　　　　　　3, 286
slip　　　　　　　　　　　　　87
SLTA 標準失語症検査 218, 219, 221, 294
small vessel disease　　　　　　184
S-M 社会生活能力検査　　　　　293
Span　　　　　　　　　　　95, 98
SPECT　　　　　　　　　　　178
SPTA　　　　228, 231, 234, 235, 236

索引

Standardized Tests for Assessing the Reading and Writing (Spelling) Attainment of Japanese Children and Adolescents (STRAW-R)　298, 337

statistical parametric mapping (SPM)　317

Strategic infarction 型　184

sustained attention　80

sympathetic skin response (SSR)　319, 321

■ T

Tapping Span　96, 294

tau-positive FTLD　183

TBI-31　362, 363

TEACCH　296

Test of Upper Limb Apraxia (TULIA)　243

Teuber H　2

the cingulo-opercular system　84

the frontoparietal system　84

TOMM　21

Trail Making Test　294

■ U

Updating　110

URAWSSⅡ　298

■ V

VCI　154

ventral attention system　83

Vineland-Ⅱ適応行動尺度　294

virtual reality　22

Visual Cancellation Task　96

VPTA　249, 254, 258, 260

■ W

WAB 失語症検査日本語版　218, 220, 222, 223, 243

WAIS　141

WAIS-Ⅲ　141, 149

WAIS-Ⅲ簡易実施法　147

WAIS-Ⅳ知能検査　154, 292

WAVES　293

Wechsler Intelligence Scale for Children-Fifth Edition　325

Wernicke K　2, 31

Wernicke 失語　2

Wing L　280

WISC-Ⅳ知能検査　292

WISC-Ⅴ知能検査　292, 325

Wisconsin card sorting test (WCST)　132, 312, 318

WMI　154

WMS-R　66

word fluency　133

working memory　82

WPPSI-Ⅲ知能検査　292

■ Z

Zangwill O　2

a-Syn　174

383

神経心理検査ベーシック　　　　　　　　　　　　　ⓒ

| 発　行 | 2019 年 5 月 30 日　1 版 1 刷 |
| | 2024 年 1 月 10 日　2 版 1 刷 |

| 編著者 | 武 田 克 彦 |
| | 山 下 　 光 |

発行者	株式会社　中 外 医 学 社
	代表取締役　青 木 　 滋
	〒 162-0805　東京都新宿区矢来町 62
	電　話　（03）3268-2701（代）
	振替口座　00190-1-98814 番

印刷・製本／横山印刷㈱　　　　　　　　　〈KH・YS〉
ISBN978-4-498-22913-6　　　　　　　　Printed in Japan

JCOPY　＜（社）出版者著作権管理機構 委託出版物＞

本書の無断複製は著作権法上での例外を除き禁じられています．
複製される場合は，そのつど事前に，（社）出版者著作権管理機構
（電話 03-5244-5088, FAX 03-5244-5089, e-mail: info@jcopy.
or.jp）の許諾を得てください．